Dominique

Eugène Fromentin

Dominique

Éditions Garnier Frères
6, Rue des Saints-Pères, Paris

Introduction et notes

par

Émile Henriot

de l'Académie Française

Édition illustrée

FROMENTIN.
PORTRAIT AU CRAYON PAR LUI-MÊME (1843).

Le port de La Rochelle. (Voir Introduction p. IV.)

Cl. Viollet.

La maison de Fromentin a Saint-Maurice. (Voir Introduction p. V.)

Photo Nouveau Studio, La Rochelle.

TOMBE DE LÉOCADIE CHESSÉ DANS LE CIMETIÈRE DE SAINT-MAURICE.
(Voir Introduction pp. XXIII-XXXI.)

Photo Nouveau Studio, La Rochelle.

j'avais ma chambre au second étage, à l'angle du
pavillon touchant à la tourelle. c'était autrefois la
chambre des enfants. Dominique l'avait occupée pendant
la grande partie de sa jeunesse; Et sur tous les murs qui
avaient fait été replâtrés depuis, il y avait une foule d'inscri-
tions de signes mnémoniques, de dates, avec partout sa
signature ou ses initiales gravées au couteau. — De la fenêtre
je reconnais... toute la plaine et tout villeneuve et jusqu'à
haute mer; et j'entendais en m'endormant le bruit
soit dans les arbres et le ronflement de la mer qui
montait au large. Le lendemain matin, Dominique
retournait aux affaires : c'était le seul moment de la
journée où l'on s'apercevait qu'il n'était pas, autant
qu'il voulait bien le dire, un homme inutile.

La mairie n'était point aux Trembles, quoique depuis
son trois générations un de Bray avait toujours été
nommé par un droit acquis maire de la commune. La
mairie était déposée à villeneuve dans une maison
au moins rustique que les autres, habitée par l'instituteur,
qui servait à la fois de d'école publique aire
maison communale. c'était là qu'on arborait le drapeau
municipal les jours de fêtes ou de cérémonies publiques.

L'instituteur qu'il habitait ...
... de la mairie, par un conseil assez nécessaire
... localités qui n'ont qu'un bien petit nombre
de gens incapables comme ... et jeu que l'argent à
... Une ... petite domicilie tout au plus

PAGE DU MANUSCRIT DE *Dominique*. (Voir pp. 19-20.)

Manuscrit appartenant à Monsieur Éric Dahl.

SAINTES, (voir p. 61, n. 16). Lithographie de Deroy (1836).

Toute une année s'écoula de la sorte. Je n'allai point aux Trembles,
passai mes vacances comme je le pus. Du fond de la ville, à
vers les avenues des boulevards, je vis l'automne qui faisait rougir
arbres des campagnes et reverdir les pâturages ; et le jour
le collège se rouvrit, il me sembla que je ne l'avais pas
été. J'entrais en rhétorique. Le travail était plus attrayant.
Dispositions d'esprit n'en furent pas changées ; le malaise dont
vous parle ne fit au contraire que s'accroître. La surveillance
recel par cet autre moi-même, tantôt ami ; tantôt ennemi
jours gênant comme un témoin et toujours comme un juge,
la surveillance dis-je devint continuelle. Delà un nouveau
re de supplices, — supplice de tous les jours, je pourrai
de tous les instants. Il m'atteignait partout,
et n'était suspendu que par le sommeil. Je n'étais,
ma des minute en de grâce, en ces moments d'émotion soudaine
par un phénomène assez explicable, l'inquiétude je
m'échappais comme un prisonnier qui distrait la sentinelle.
Plus souvent j'étais si bien gardé, si constamment épié, que cet
le impitoyable ouvert sur moi-même était jusqu'à la liberté de
mouvoir, d'agir, de sentir, de penser. Tout mon être alors
mait transparent. Je voyais si clair dans tout ce repli de
conscience qu'il me semblait impossible d'en dissimuler le moindre
ret ; et j'en éprouvais des révoltes
des confusions et des rougeurs exactement
comme d'un état de nudité complète dont ma pudeur aurait
été offensée.

PAGE DU MANUSCRIT DE *Dominique*, (Voir p. 75.)
Manuscrit appartenant à Monsieur Éric Dahl.

GEORGE SAND EN 1863. (Voir p. 285, n. 1.)

Cliché de Félix Nadar.   *Cl. Archives Photographiques*

INTRODUCTION

EUGÈNE FROMENTIN
ET " DOMINIQUE "

I

*A*U *cimetière campagnard de Saint-Maurice, près La Rochelle, où Fromentin repose, au milieu des siens, on voit, dans un coin de l'enclos, une pauvre tombe abandonnée : une simple dalle inclinée, suivant l'usage du pays, et toute recouverte de mousses, qui ont effacé l'inscription. C'est là que dort, anonyme et mise au rebut, celle qui fut Jenny-Caroline-Léocadie C..., épouse B..., morte à vingt-sept ans, et dont le souvenir a fait battre tant de cœurs romanesques, depuis que Fromentin a raconté son histoire idéalisée, sous le nom de Madeleine de Nièvres, dans* Dominique.

Voilà le petit drame provincial, né du roman, et sans doute déjà avant lui : cette tombe vouée à l'oubli, et ce discrédit injurieux sur une mémoire innocente. J'en ai fait, à mon tour, le pèlerinage, au cours d'une récente visite à La Rochelle, en quête d'impressions et d'images qui me permissent de retrouver l'atmosphère où fut conçu, rêvé et composé, après avoir été partiellement vécu, le triste et tendre chef-d'œuvre de l'écrivain-peintre, et, s'il se peut, de déterminer pour moi-

même, avant d'en parler, la part de vérité de Dominique.
*Il faut le dire tout de suite. Je trouve pour moi bien sévère
l'abandon de cette malheureuse, coupable seulement d'avoir
été aimée dans un livre, où tout atteste la pureté du sentiment
qu'elle inspira — qu'elle inspira à un enfant. Car c'est là
toute l'histoire de* Dominique, *qui n'est point objet de scandale.*

*De la vivante Madeleine, nous ne savons guère autre chose,
sinon qu'elle était de trois ou quatre ans plus âgée que Fromentin ; qu'elle était d'origine créole, élégante, brune et rieuse ;
qu'elle se maria, eut trois enfants, et mourut tôt. Ses portraits,
me dit-on, ont été détruits. Des scrupules, certes légitimes,
mais peut-être un peu excessifs — la province a des répro-
bations tenaces — souhaitent le silence autour d'elle. Il convient
de le respecter, et je le ferai d'autant plus volontiers que
cette discrétion ne peut nuire en rien aux droits, eux aussi
légitimes, de la curiosité littéraire sur les dessous réels de
la vie, qui ont donné naissance aux chefs-d'œuvre *.*

Si touchante que soit la figure de l'héroïne de Dominique,
*ce n'est pas cette émouvante et délicieuse Madeleine qui importe
le plus à nos yeux : mais* Dominique, *et, à travers lui, la
douloureuse expérience de* Fromentin, *dont Jenny-Caroline-
Léocadie ne fut que le prétexte et la séduisante occasion.*
Fromentin *n'a aimé en elle qu'un fantôme, la sylphide familière
aux cœurs de quinze ans, et c'est moins d'elle qu'il a souffert,
que de toutes les impossibilités que la vie élève, pour les ima-
ginatifs délicats, entre les réalités immédiates et les rêves de
l'adolescence, à qui tout est bon à aimer, avant même de savoir*

---

* Depuis que ces lignes ont été écrites, auxquelles je me fais
un scrupule de ne rien changer, Mlle Camille Reynaud, dans un
intéressant ouvrage sur *La Genèse de Dominique* (Arthaud, éditeur,
à Grenoble), a donné sur les personnages réels du roman des
précisions qui ne modifient rien à ma thèse, mais dont il y a lieu
de tenir compte. On en trouvera plus loin l'essentiel.

*si l'amour sera réciproque, ou seulement même pourra l'être.
Là est, à mon sens, le grand sujet de* Dominique, *et le seul
qui compte, à la réflexion, au delà de l'idylle sans espoir où
s'est fourvoyé son héros. Tout le drame est de ce fourvoiement
autour d'une ombre. Il faut croire l'aventure commune, à
voir les larmes que ce livre a fait répandre, et l'immense
adhésion qu'il a obtenue, depuis près de soixante-quinze ans,
des cœurs fraternels qui s'y retrouvent et ne cessent d'y lire
leur roman.*

*Aussi bien, de ma pieuse visite à La Rochelle, préalable à la
rédaction de ces quelques pages de préface pour la réimpression
d'un chef-d'œuvre qui pourrait d'ailleurs s'en passer, tant il
dit clairement ce qu'il veut dire et comporte peu de mystère,
je n'ai pas éprouvé de déception, du fait de la fantomatique
Madeleine, « ombre d'une ombre », comme a dit Fromentin
lui-même après la mort de la jeune femme. La Rochelle et
ses environs livrent aisément les seuls secrets qui puissent
valoir aux yeux des lecteurs sensibles du roman, intéressés à
en saisir l'enseignement et à en investir l'humanité si vraie, si
juste, si touchante. Et ces secrets sont les secrets de Fromentin, dont le pays nous donne la clef, comme il l'avait donnée à
Madeleine, quand elle dit à Dominique : « Votre pays vous
ressemble. » Rien de plus vrai, à constater sur place, et mon
pèlerinage, à défaut d'autre information, m'aura au moins
servi à découvrir l'éclairage le plus favorable où il sied de
se mettre pour apprécier le naturel et la vérité de ce livre
exceptionnel. Relire* Dominique *à La Rochelle, sous le ciel
changeant de l'Aunis, dans les lieux mêmes où Eugène Fromentin a vécu et rêvé son livre, c'est proprement cueillir et
manger le fruit sur l'arbre.*

*A La Rochelle même, peu de chose. La maison natale de
l'écrivain a été détruite, de longtemps. Le lycée subsiste, et
sa grande cour plantée de tilleuls, où le jeune Fromentin,*

comme Dominique, en un jour de distribution de prix, s'est
ému de n'être qu'un mince collégien en uniforme aux yeux de
celle qui lui avait déjà révélé son cœur d'homme, et la disparate
de sa précoce rêverie et de son âge. Mais pourtant, à déambu-
ler dans l'antique et charmante ville, aux longues arcades,
aux belles constructions patriciennes, et à revenir sans fin au
vieux port tant aimé des peintres, je me dis que ce doux coin
de province, replié et mélancolique, sous son ciel variable,
dans ses réseaux de pluie marine et ses brusques trouées de
soleil et de bleu, n'a certainement pas changé beaucoup depuis
que l'adolescent s'y ennuyait si fort, entre sa solitude et ses
espérances, au temps de sa jeunesse studieuse et de ses premiers
vers, insérés par un professeur complaisant dans la Charente-
Inférieure... Mais le vrai pays de Fromentin est à deux
kilomètres de là, dans le village de Saint-Maurice, aujour-
d'hui faubourg de la ville, hier campagne et demeuré campagne
encore, des deux parts de l'unique rue toute blanche, qui, le
traversant, mène à La Palice. C'est là que le peintre est
venu mourir, dans la maison de sa maturité, où sa fille entre-
tient pieusement son souvenir.

La « maison d'enfance » est à deux pas : celle où Fromentin a nourri les rêves de son Dominique, dont il a fait le
domaine de Villeneuve de son livre, et où il en a écrit une partie ;
où l'imagination du visiteur n'a pas beaucoup d'effort à fournir
pour y ramener les fantômes, celui de l'adolescent qui promenait sous les tilleuls et le long des buis odorants ses amoureuses
songeries, et celui aussi de la brune, jeune, rieuse et vivante
créole, qui ne se doutait pas qu'elle serait un jour Madeleine,
dans un livre illustre, sur lequel on a tant pleuré.

Le lieu est demeuré tel qu'il était il y a un siècle. Est-ce
la nécessité du roman, ou les prestiges de l'optique particulière
à ce genre de littérature, où l'observateur le plus près des
choses embellit involontairement les aîtres qui furent les

*siens, pour en faire ceux de son héros ? La maison d'enfance
de Fromentin n'est pas si spacieuse ni si belle qu'il ne nous
l'a donné à lire, et je ne mets aucune malice à cette constata-
tion-là. C'est seulement la première occasion d'enregistrer
le don de poétisation de l'écrivain sur les objets qu'il a touchés.
On accède, de la rue, par une grille, à une grande aire, qu'entoure
de trois côtés la construction basse et longue ; les communs,
la grange, le chai, des deux parts ; et l'habitation formant
façade, en rez-de-chaussée, sous un toit plat de tuile ronde
à l'italienne. Deux vives touffes de lilas flanquent la porte.
L'intérieur de la maison n'a pas changé. Les meubles de
noyer sont toujours ceux qui étaient en usage du temps de
Fromentin et de son enfance. La bibliothèque a conservé ses
livres sérieux, témoins du choix de bons lettrés français à
l'époque de la Restauration. Aux murs, de médiocres peintures
du docteur Fromentin, père d'Eugène, disent les penchants
artistiques de ce praticien, copiste attentif et bien intentionné
de Vernet et de Michallon, et aussi, sans doute, la prédisposi-
tion au dessin que le futur auteur des* Maîtres d'autrefois
*devait tenir de ce père traditionaliste, peu soucieux de plein
air et de liberté.*

*La maison n'était pas habitée quand je la visitai. Il y
régnait cette odeur de pommes et d'humidité familière aux
vieilles habitations de campagne demeurées fermées dans les
mois d'hiver, et je pense que Fromentin l'a respirée toute
semblable, à chaque belle saison, en ses retours, et qu'il a
goûté cette même impression d'autrefois et de pareil à soi-
même que ces lieux, aujourd'hui comme hier, dispensent, avec
un tel pouvoir de suggestion, pour qui est sensible au parfum
des anciennes choses retrouvées et restées fidèles. J'ouvris une
fenêtre, et poussai le volet plein, légèrement coincé encore par
le jeu du bois ; la fenêtre donnait sur une allée de tilleuls,
et je vis le jardin de Dominique.*

Ce jardin non plus n'eſt pas grand. C'était aux derniers jours de mars, à la pointe extrême du printemps qui n'avait encore entr'ouvert que ses primevères et ses giroflées. Au delà d'une double rangée de fusains, de lauriers et de troènes, les buissons dégarnis laissaient apercevoir le modeſte enclos dans sa médiocre étendue. C'eſt, d'un côté, un mur tapissé d'espaliers, des carrés de fruitiers encadrés de bordures de buis. Une sombre allée d'arbres en charmille traverse le jardin dans sa longueur, formant perspeɛtive sur un fût de colonne qui porte un vase. A gauche, des taillis ; puis un monticule, au sommet duquel on parvient en suivant un sentier en coli-maçon. Et de là-haut, par-dessus les toits du village et quelque maigre bouquet d'arbres à l'horizon, par beau temps la mer s'aperçoit, entre des conſtruɛtions modernes et sans grâce. Il avait plu. La terre, imbibée d'eau, suintait, spongieuse, sous les mousses. Du fond de l'humide jardin, je me retournai, et vis la maison basse et longue, aux volets clos, sa façade feſtonnée de vigne, derrière une mince colonnade recouverte d'une pergola ; et les quatre ou cinq marches d'accès de l'étroite terrasse aux parterres. Tout cela formait un lieu de capti-vité et de songe, plein d'absence, de recueillement et d'oubli, sous un air hivernal d'abandon qui ajoutait encore à sa tris-tesse ; et plus qu'à Fromentin, je dois dire que cette maison fermée et ce jardin dégarni m'ont surtout fait penser à René Boylesve, qui a excellé à dépeindre des lieux analogues, où des cœurs délicats ont souffert, comme lui dans sa provinciale Touraine enfantine, d'une extraordinaire compression entre la vaſtitude de leurs rêves et les quatre murs d'un morne jardin familial, sans autres échappées que celles de l'esprit et de l'espérance.

Telle fut, pareillement, l'enfance de Fromentin dans ce promenoir limité entre sa terrasse et son belvédère. Courtes allées, où autour d'une image interdite, méditer sans fin sur

une espérance, la tendresse brève d'un regard, le moindre serre-
ment de main, un adieu jeté en riant — et cette solitude d'enfant,
sur soi refermée et toute à ses rêves ! — Quel bon vase clos,
pour y nourrir une passion si peu raisonnable ! — Eh ! sans
doute, on aime bien aussi dans les villes. Mais à la campagne,
à quinze ans ! — Madeleine, dans le cœur du pauvre Dominique,
doit beaucoup à ce triste et petit jardin, si bien fait pour y
baigner en soi, et, dangereusement, se souvenir, n'y ayant rien
de mieux à faire.

Mais au delà, voici la campagne. Hors les vignes, qui ont
disparu, et les moulins à vent dont je n'ai plus retrouvé trace,
il ne faut pas aller bien loin pour la revoir absolument telle
qu'elle était dans le temps de Fromentin. C'est un pays extra-
ordinairement plat, et sans grâce au premier abord. A l'infini,
les champs verdoient sous leurs cultures monotones. Il n'y a
point d'arbres, sauf quelques bouquets autour d'un domaine.
Autant que peut porter la vue, sans rien qui arrête le regard,
l'horizon s'étend long et morne, vaguement ondulé d'un champ
à l'autre, sous l'immensité du ciel souvent gris, ou chargé
des nuages venus de l'Océan. Nul accident de terrain, nul
imprévu dont l'esprit s'amuse. Parfois seulement la route
blanche traverse quelque blanc village, longe une ferme grise
au toit plat, et serpente parmi les cultures pareilles. Qu'on
avance, voici la mer : autre ligne grise, elle aussi, et le plan
uniforme des eaux continue l'uniformité de la terre. Une désola-
tion profonde enserre l'âme devant cette double étendue sans
limite, mais cette nature dépouillée a sa grandeur — « saisis-
sante à force d'être vide » — et convient aisément, je le conçois,
à la réflexion sur soi-même. Ajoutez que le ciel, changeant
sans cesse, tantôt livide et gonflé d'eau, tantôt librement
dégagé et soudain d'un bleu d'aquarelle, constitue un mobile
et permanent spectacle, où des contemplatifs trouvent leur
charme. Ce pays de vastes espaces et de fantasmagories célestes,

*aux flamboyants à-coups sur les terres grasses, les opaques
verdures et les villages crayeux, a, dans la simplicité de ses
lignes et les nuances infiniment subtiles et variées de sa lumière,
quelque chose d'oriental, et qui l'a une fois visité ne s'étonne
plus que Fromentin, quand il découvrit l'Afrique et ses
sables, y ait porté un œil et un esprit si justes, en quelque sorte
prédestinés à la compréhension des aveuglantes solitudes et
de la poésie ennoblissante du désert. Il était fait, par son
Aunis, à la fréquentation de ces grands espaces d'isolement
et de mélancolie, où l'âme, pour avoir de quoi vivre, sait
d'avance qu'elle ne trouvera rien qu'elle n'y apporte, et a de
longue date appris à s'entretenir elle-même, dans un continuel
silence d'analyse et de repliement.*

*N'aurais-je découvert que cela, dans mes promenades au pays
de Fromentin, c'est assez pour expliquer son livre, tout de
souvenir et d'introspection ; d'autre part, si rempli par la
peinture exacte des lieux qui le conditionnent et dont le caractère est celui-là même de l'homme auquel nous le devons. Il
avait naturellement le goût de la vie intérieure, singulier
chez un artiste si bien doué pour saisir, d'un œil vigilant,
l'aspect matériel du monde, par la forme et par la couleur.
Cette dualité, contradictoire en apparence, a probablement
constitué une gêne pour Fromentin, sans cesse tiraillé, dans
sa jeunesse, entre ses vocations différentes, celle du peintre,
celle de l'écrivain. Nul doute qu'il ne faille voir là une des
raisons de la crise intellectuelle, si pénible, par lui traversée
à vingt ans, quand il lui fallut décider et choisir la voie dans
laquelle, à l'exclusion de toute autre, il pensait devoir rencontrer son plus décisif moyen d'expression. On sait qu'après
avoir commencé d'abord par les lettres et la poésie, Fromentin
opta pour la peinture ; puis, que de ses voyages d'artiste en
Algérie, c'est écrivain qu'il reviendra avec ses deux admirables
livres,* Une année dans le Sahel, Un été dans le Sahara.

Plus tard encore, peintre estimé, en pleine possession de son art et de son talent, c'est au livre qu'il lui faudra encore demander le moyen de se délivrer du profond secret de sa vie : dans ce livre de la quarantième année, ce Dominique, *mûri et porté vingt ans dans son cœur, et où il lui restait à exprimer la part immense et la plus importante de son rêve et de sa pensée, que l'artiste, fatalement, n'avait pas pu exprimer dans ses toiles. Je crois, sans mésestimer la valeur de l'œuvre peinte de Fromentin (qui, à la fin, ne peignait plus, sans enthousiasme, que pour vivre), qu'elle est inférieure à ses écrits. D'autres que lui ont aussi bien peint l'Orient, et même mieux. Mais la diction de Fromentin, quand il s'exprime la plume à la main, reste unique, dans ses écrits de voyage comme dans son roman. Le caractère même de sa peinture, son travail matériel de peintre, attestent singulièrement l'organisation intellectuelle de son esprit, tout de réflexion, de méditation et de cérébralité. Ce peintre n'aimait pas les croquis, les travaux d'album, les esquisses prises sur nature. On lui fait un grand mérite de l'exactitude de ses vues d'Égypte ou d'Algérie. Or, nous savons qu'il ne les composait pas sur place, d'après le modèle, comme la plupart des artistes qui n'ont pas besoin d'autres intermédiaires à leur sensation que l'œil pour voir et la main pour rendre. Il peignait ses tableaux de mémoire et dans l'atelier, longtemps même après le voyage et la visite aux lieux par lui représentés. Son carnet de* Voyage en Égypte, *récemment reproduit par M. Jean-Marie Carré, nous livre la preuve de cette curieuse alchimie : notes de visuel, qui sent les formes, les couleurs, avec la plus complète minutie dans la nuance et la perception, mais qui les note pour lui-même et leur utilisation future, en écrivain, avec des mots, et noir sur blanc. L'impression directe, ainsi traduite avec une précision analytique qui confine à la sécheresse, n'était pour lui qu'un aide-mémoire. Pour que le tableau reconstituât la*

vérité du spectacle vu, Fromentin avait besoin de laisser les
images se déposer et se réorganiser en lui, par une sorte de
décantation et de recréation successives ; et que le souvenir,
en épurant la chose vue du détail inutile ou vulgaire, et en
sublimant l'essentiel, lui représentât le sujet dans sa vérité
la plus pure — ce qui ne veut pas dire artificielle. Ce n'est
pas ici le lieu de discuter cette méthode, sur ses résultats,
ni d'examiner si ce travail d'atelier n'a pas nui quelque peu
à la peinture de Fromentin. Je n'enregistre ces détails d'ordre
technique que pour mettre plus expressément en lumière le
procédé intellectuel de son travail et la primauté de la réflexion
dans les opérations de son esprit. Cette apparente digression
n'est là que pour nous ramener plus profondément au cœur
de notre sujet : Dominique, à ce que Fromentin y a mis de
lui, et comment ce livre est né de lui. Ce livre n'est qu'un long
souvenir, porté vingt ans, avant que de donner son fruit.
Peintre, écrivain (mais supérieur comme écrivain), l'artiste,
en Fromentin, est un. C'est le poète du souvenir.

Il y aurait une jolie esquisse à entreprendre sur la mémoire
et le souvenir, et les différences qu'ils comportent : la mémoire
étant le fait brut, en quelque sorte biologique, la faculté de
conservation et de restitution, au premier appel, de la chose
une fois enregistrée, date, événement, circonstance, couleur ou
parfum. Mais des sots, ou simplement des esprits dépourvus
de toute poésie, ou même encore les animaux, sont susceptibles
d'avoir une mémoire excellente. Le souvenir est une faculté
(parfois douloureuse) bien autrement riche et féconde. Elle
consiste à conserver, mais sa conservation est embellissante ;
c'est une conservation affective, et dont le caractère le plus
singulier n'est pas de nous restituer au moment voulu le fait

rappelé, mais de nous émouvoir et de recréer aussitôt en nous l'émotion ancienne attachée au fait, ou de nous le rendre émouvant s'il ne l'était pas à l'origine. Nous sommes maîtres de notre mémoire. Nous ne le sommes pas de nos souvenirs. Ils reviennent à leur heure, s'imposent à nous, nous enrichissent inopinément des fragments perdus ou des pans entiers de notre existence antérieure alors que nous y pensons le moins. Je cherche une date, une référence, une pensée d'autrui, et la mémoire interrogée me la fournit dans son exactitude matérielle et impersonnelle. Mais que je flâne, me promène, revienne en certains lieux, ou me laisse aller, incertainement, au gré de mes songes voilà qu'un souvenir m'envahit, qui en appelle d'autres, et l'être que je suis aujourd'hui cesse d'être, pour redevenir un instant celui que je fus, et qui ressuscite en moi-même. C'est une floraison soudaine et souterraine, involontaire, qui parfois affleure à la surface de la conscience, et me rend le temps oublié, les sentiments éprouvés jadis, les joies et les peines que les ans avaient recouvertes, et subitement me replace dans les dispositions de cœur et d'esprit où je me trouvais au moment où ce qui s'est mué en souvenir était un plaisir, une douleur, une partie d'un moi disparu, et tout de même survivant et comme en sommeil. Entre son objet et la nouvelle conscience qu'il nous en fournit, le souvenir interpose comme un voile magique et transparent la sensation vertigineuse du temps écoulé : à la fois le constat désespéré de la chose passée irrémédiablement, de son inretrouvable unicité, et l'illusion d'un retour à ce qui était perdu — avec cette amère perception que si près de nous que nous revienne ce qui n'est plus, nous avons beau tendre la main, nous restons séparés à jamais — nevermore ! — par une infranchissable glace, des biens remémorés — ou des chagrins — dont le souvenir nous présente, cruellement ou délicieusement, la vaine, fuyante et insaisissable image.

Poison fallacieux du souvenir ! Les cœurs sans oubli qui ont goûté à ce breuvage, qu'ils le veuillent ou non — mais c'est leur nature qui est ainsi — en sont à jamais les esclaves ; je ne veux pas dire les victimes. Il est rare d'ailleurs que ceux qui ont cette mystérieuse faculté du souvenir, ne consentent pas délibérément à cet esclavage. Ils y trouvent sans doute bien des raisons nouvelles de souffrir — si c'est d'un malheur qu'ils se souviennent ; comme si c'est d'un bien, puisqu'il est passé — mais ils finissent par y goûter souvent une sorte de revanche perverse et bienfaisante : la possibilité de jouir ou de s'émouvoir encore d'une image, l'illusion de revivre une partie de leur propre vie. Moins rares encore, ceux qui non contents de consentir à ces retours, imposés parfois par hasard — un son de voix, un parfum, un mot entendu, la vue d'un témoin rencontré, un revenir en de certains lieux — s'accoutument à entretenir voluptueusement en eux-mêmes cette disposition, à la fois si déconcertante et si douce ; au point que pour eux l'avenir est sans charme, l'éphémère présent leur échappe : ils oublient de vivre, pour avoir vécu ; parce qu'il n'est que le passé dont ils soient les maîtres, et dont l'enivrement les satisfasse. C'est pour ceux-là, je crois, que sans l'avoir cherché, Eugène Fromentin a écrit son Dominique. *C'est par eux que ce livre survit et survivra. Ils y voient triompher leur passion secrète : et pour l'avoir si bien analysée et s'y être, pour sa part, si dangereusement complu, Fromentin, dès les premières pages, leur est devenu le plus cher de leurs confidents. Non pas le confident à qui l'on dit tout ou à qui l'on aurait envie de tout dire, mais le confident le plus accompli ou le plus expert, celui qui à voix basse, en vous racontant l'histoire d'un autre, ou la sienne, vous donne l'illusion ravissante que sous ce couvert délicat, il vous conte votre propre histoire, et vous délivre de vos peines.*

*
* *

Si habile à s'inventorier, Fromentin connaissait son mal, et que la volupté déchirante de se souvenir longtemps lui avait caché la vie, l'avait menacé de ne pouvoir vivre, si vivre est bien, comme je le crois, l'attente, et la frémissante espérance d'un bonheur possible, à venir. Il savait aussi le périlleux pouvoir que lui avait départi sa nature. Il s'en est expliqué maintes fois dans ses lettres intimes, dont les aveux éclairent, à toutes les pages, Dominique. Mais une, entre autres, que je mets à part dans ce roman, est à citer pour souligner le caractère de cette exceptionnelle disposition à ne s'émouvoir que sur les mirages des jours abolis. « Peut-être vous paraîtra-t-il assez puéril de me rappeler qu'il y a vingt-cinq ans tout à l'heure, un soir que je relevais mes pièges dans un guéret labouré de la veille, il faisait tel temps, tel vent, que l'air était calme, le ciel gris, que des tourterelles de septembre passaient dans la campagne avec un battement d'ailes très sonore, et que tout autour de la plaine, les moulins à vent, dépouillés de leur toile, attendaient le vent qui ne venait pas. Vous dire comment une particularité de si peu de valeur a pu se fixer dans ma mémoire, avec la date précise de l'année et peut-être bien du jour, au point de trouver sa place en ce moment dans la conversation d'un homme plus mûr, je l'ignore ; mais si je vous cite ce fait entre mille autres, c'est afin de vous indiquer que quelque chose se dégageait déjà de ma vie extérieure, et qu'il se formait en moi je ne sais quelle mémoire spéciale assez peu sensible aux faits, mais d'une aptitude singulière à se pénétrer des impressions... »

Une telle aptitude devait naturellement porter Fromentin, dès sa jeunesse, à se résorber dans un monde où sentir plus vivement les émotions de son âme devant les choses achevées et imaginées que les réalités les plus présentes de la vie, et

l'on verra dans son roman comment Dominique, à sa ressem-
blance, saura sacrifier sans retour l'indifférent mais solide
objet de ses plaisirs parisiens pour revenir, au premier appel
de son cœur, à l'impossible et inatteignable Madeleine. Lui
aussi, à la proie, il préférait l'ombre.

    Dominique est le poème du souvenir ; mais c'est aussi le
roman de l'absence. Je ne voudrais pas trop subtiliser, mais
je crois qu'on peut insister sur ce point : combien Made-
leine est matériellement peu présente dans ce livre rêvé autour
d'elle. On la voit à peine, elle disparaît. Elle n'entre en
scène que pour en sortir, juste le temps d'avoir, par une
émotion nouvelle et le bref bonheur de sa vue, un instant
exalté l'ardeur de son amoureux et ranimé son insubstantielle
passion. Sauf aux scènes finales, où le drame reçoit son pathé-
tique dénouement, elle ne figure à toutes les pages du récit
qu'à l'état d'une ombre qui remplit le cœur et la pensée de
Dominique. Elle n'est pas sous nos yeux ; elle est dans son
cœur, et aimée de loin. Dominique aime d'elle l'image qu'il
s'en fait et l'espérance qu'elle suscite en lui, tout en sachant
bien que cette espérance est sans objet. Tous les scrupules qui
l'accablent, aux instants où lui apparaît la culpabilité de
son espérance, attestent la spiritualité de son amour, et il
n'aime jamais tant Madeleine que lorsqu'il se trouve séparé
d'elle par l'absence. « L'ingénieuse absence », dira-t-il. Sur
ce trait délicat, Fromentin a brodé une page délicieuse et
d'une justesse exemplaire. « L'absence unit et désunit, elle
rapproche aussi bien qu'elle divise, elle fait se souvenir, elle
fait oublier... Les chaînes composées de la sorte à notre
insu, avec la substance la plus pure et la plus vivace de nos
sentiments, par cette mystérieuse ouvrière, sont comme un
insaisissable rayon qui va de l'une à l'autre, et ne craignent
plus rien, ni des distances ni du temps. Le temps les fortifie, la
distance peut les prolonger indéfiniment sans les rompre.

Le regret n'est, en pareil cas, que le mouvement un peu plus rude de ces fils invisibles attachés dans ces profondeurs du cœur et de l'esprit, et dont l'extrême tension fait souffrir… J'arrivai sans me faire attendre, et quand un soir de vendanges, par une journée tiède, par un soleil doux, au milieu des mêmes bruits, je montai sans être annoncé le perron des Trembles, je vis bien que l'union dont je parle était formée, et que l'ingénieuse absence avait agi sans nous et par nous… »

Nous l'avons indiqué déjà, l'aventure réelle de Fromentin et de Jenny-Caroline-Léocadie était moins que rien, si ce n'est rien que d'aimer sans espoir. Voilà le fait, dans sa ténuité remarquable : à quinze ans, Fromentin a aimé une jeune fille, de quatre ans plus âgée que lui ; qui sans doute, attendrie et joyeuse, l'a aimé un peu de retour ; qui s'est mariée à peu de là avec un autre ; qu'il a respectée jeune femme — et qui est morte. Peu importe que la réalité ait été (si elle l'a été) différente du roman : de toute façon, Fromentin a perdu celle qu'il aimait, et il l'avait déjà perdue avant qu'elle ne fût morte. Il s'était à la fois résolu à être sage et à s'éloigner ; sans cesser pour cela d'aimer. L'amour restait en lui une plaie ouverte. Elle a continué à saigner longtemps, bien qu'après Léocadie eût disparu de l'horizon de Fromentin, et même eût depuis longtemps fini de vivre. Morte, elle restait pour lui une absente, comme vivante elle était une absente pour lui : miraculeusement hors de toute atteinte. Mais, vingt ans, Fromentin — qui avait un moment songé à écrire ses Mémoires — Fromentin a gardé au fond de son cœur et de sa pensée le souvenir de cette ombre qu'il avait chérie, deux fois ombre. Et dans ce grand laps de temps, ce souvenir s'est embelli, sans s'apaiser : et cultivé, entretenu, décanté jusqu'à l'idéalisation suprême de l'art, qui n'était pour Fromentin, on l'a vu à propos de ses toiles, qu'une reconstruction mentale de ce qui l'avait ému autrefois, — de ce souvenir est né le roman où Fromentin, *à quarante ans, s'est merveilleusement délivré du rêve de sa vingtième année.*

Vingt ans d'incubation, avant le chef-d'œuvre. L'amour de Fromentin pour celle qui sera Madeleine a duré de 1834 environ à 1842, à quelle date il renonce et vient à Paris poursuivre des études de droit et bientôt se décider à être peintre. Madeleine (la vraie) meurt en 1844. Dominique, *écrit, esquissé tout au moins sous une première forme en 1859, repris et refait en 1861-1862, paraît en 1862 dans la* Revue des Deux-Mondes *. — Entre temps, Fromentin s'est décidé pour la peinture, a découvert l'Orient, et s'est marié, comme Dominique. Mais alors que Dominique se retirera hors du monde et cherchera dans la solitude et les activités modestes de sa vie campagnarde l'oubli de son deuil et de ses ambitions, Fromentin s'est installé dans le travail, et*

---

* Il convient de noter ici quelques précisions sur la composition matérielle de *Dominique*. C'est sur les instances de Buloz, directeur de la *Revue des Deux-Mondes*, qui avait déjà publié *Une année dans le Sahel*, que Fromentin se décida à entreprendre son roman. Il en esquissa une première ébauche, en septembre 1859. Voici ce qu'il en écrivait, à cette date, à son ami Armand du Mesnil : « Je me suis *mis à mon livre* depuis cinq ou six jours. J'ai commencé d'écrire une vingtaine de pages à peu près. Je vais poursuivre tant que ça ira, et je tâcherai que ma veine aille jusqu'à la fin du mois. Ce serait un bon commencement. Je ne puis t'en parler, je ne sais pas moi-même où j'irai de la sorte; car je vais devant moi; mais si je réussis, il y a, je crois, les éléments d'un joli livre. L'écueil, c'est de n'être pas du *Gessner*, ni du *Berquin*, ni du *René*, ni mille choses. Ce sera une introduction un peu longue, suivie d'un récit. Je t'expliquerai cela, et tu verras d'après le début... »

Fromentin travaillait encore à la première version de son roman au cours de l'été 1861. De Fontainebleau, il mande à son ami Paul Bataillard les difficultés qu'il rencontrait dans son travail. « J'avais l'espoir, en venant ici, de pousser très loin, peut-être de terminer mon livre. Malheureusement je suis loin de compte... Au lieu de me trouver prêt pour l'époque où j'avais promis le livre à la *Revue*, me voilà donc encore une fois dans la

*a trouvé dans la maîtrise de son art sa stabilité et sa paix,
scellée par la mise au jour d'un chef-d'œuvre.*

*A cette lente maturation, nous avons gagné cette chose
unique : un roman de la vingtième année écrit à quarante,
c'est-à-dire débarrassé de toutes les enfances qui affadissent
d'ordinaire les livres de caractère autobiographique, composés
et publiés trop tôt, sous la chaleur encore vive des passions,
et dont la vérité, certes pathétique, demeure forcément un peu
limitée, pour être trop individuelle. Dégagé de tout excessif
romantisme, assagi, mûri, apaisé, le Fromentin de 1860 a
pu donner à son roman ses perspectives, mesurer lui-même
les lointains contre-coups exercés sur sa vie morale par l'ancien
amour de sa jeunesse, faire de son amer récit une œuvre d'art
équilibrée et achevée, où les prolongements de la vie, judicieu-
sement ménagés, assurent une signification profonde et un*

---

plus entière incertitude. La question même est de savoir si j'en
viendrai jamais à bout, tant je suis ennuyé, embarrassé et dégoûté. »

Les fragments qui subsistent des manuscrits originaux de
Dominique, conservés par la fille de l'écrivain, Mme Billotte,
et que M. Pierre Blanchon a bien voulu me communiquer, attestent,
par les changements d'écriture et les différences des papiers,
l'existence de plusieurs manuscrits, et de nombreuses reprises
de travail. L'ouvrage n'était pas terminé en janvier 1862. Mais il
commençait de paraître dans la *Revue* le 15 avril de cette
même année. Une lettre de Fromentin à Gaston Romieux précise
dans quelles conditions l'écrivain était enfin venu à bout de son
travail : « Après en avoir désespéré, je me suis dit que tout travail
manqué peut se refaire, j'ai pris mon cœur à deux mains, et j'ai
récrit d'entrain, en deux mois, sans m'arrêter, depuis les premières
lignes jusqu'à la dernière, un volume qui ne ressemble pas plus
au premier que la nuit ne ressemble au jour... J'aurais fait une
égale bêtise, ou de céder à la tentation de le publier tel quel ou
d'y renoncer. Il y avait un livre à faire avec la donnée choisie, mais
il fallait le refaire, et je m'applaudis maintenant d'avoir attendu
et d'avoir persévéré. » (Lettre du 30 mai 1862, publiée, ainsi
que les précédentes, par M. Pierre Blanchon, dans son livre :
Eugène FROMENTIN. *Correspondance et fragments inédits*, Plon, 1912).

durable résonance à l'anecdote initiale. Et, couronnement suprême de l'œuvre, le recul a permis à l'écrivain d'ajouter ce qui manque le plus souvent à des écrits de cette sorte : le jugement, la moralité, sans lesquels, de toute évidence, il n'est décidément pas de grands livres.

*
* *

En commençant de relire Dominique, avant d'écrire cette introduction, je me disais que j'avais peut-être, pour ma part, passé l'âge de parler d'une façon convenable de ce roman qui a tant compté pour notre jeunesse, et dont nous avons fait, à côté d'Adolphe, de La Princesse de Clèves, de Werther et de Volupté, un de ces bréviaires du cœur où il est naturel aux adolescents d'aller rechercher des informations sur la vie affective, et l'enseignement des expériences magistrales sur les seules vérités qui leur importent, à savoir celles de l'amour. A l'avoir entrepris plus tôt, j'y aurais apporté sans doute plus de chaleur et d'émotion. Je m'avise pourtant que je n'ai point à le regretter, et qu'un peu de recul aussi convient pour comprendre mieux ce chef-d'œuvre, et en faire apercevoir le véritable sens. A vingt ans, nous étions comme Dominique : nous ne voyions que Madeleine, à cause de tant d'autres Madeleines qui nous avaient, les premières, pour achever de nous émouvoir, mis ce dangereux poème entre les mains. Mais je m'aperçois aujourd'hui que si Dominique demeure un grand livre, c'est qu'il est beaucoup plus qu'une mélancolique idylle et qu'un roman d'amour malheureux.

Il comporte et met en valeur un grave et important sujet, qui dépasse la touchante mais inopérante passion de son héros. Il nous fournit un témoignage essentiel sur les effets du romantisme dans la génération parvenue à l'âge d'homme quand le romantisme triomphait, et qui, nourrie de ses poèmes, de sa philosophie, de son éthique, essaya tout naturellement, et l'on peut dire avec une certaine naïveté, de se soumettre à ses préceptes, et de vivre conformément à ses rêves.

Fromentin a vingt ans en 1840. Imaginez-le dans la grisaille de sa province, destiné au droit par un père dépourvu d'imagination, hésitant entre ses dons incertains et contradictoires ; nourri de Rousseau, de Byron, d'Alfred de Musset, de Sainte-Beuve et de Sénancour, et si jeune, conduit par une passion sans espoir à chercher dans le rêve la consolation d'une vie supposée manquée dès les premiers pas. Ses essais de début sont des vers, convenables, d'une mélancolie distinguée, qui signale déjà une âme fine. Mais le clairvoyant bon sens qui ne lui a jamais fait défaut, à ce pénétrant analyste, l'a bien vite assuré que ses vers étaient médiocres, et que là n'était pas son génie. Les confidences qui parsèment ses Lettres de jeunesse renseignent assez cruellement sur la lucidité de ce spectateur de lui-même, et sur les tourments de son adolescence scrupuleuse, comme sur ses périodes de crise traversées et le courageux acharnement qu'il dépensa pour en sortir. Telles de ces pages, adressées par Fromentin à ses amis Beltrémieux, Bataillard, du Mesnil, dans la minutie de son analyse et sa sévérité à dénoncer ses échecs, aussi bien de poète que de peintre, rejoignent les aveux desespérés d'Amiel, à la même date lui aussi en proie au mécontentement et au doute. Mais quand Amiel s'empêtrera jusqu'à l'enlisement, Fromentin sortira vainqueur, ayant trouvé enfin un sol solide sous ses pas : les sables durcis du désert, où parvenu à la maîtrise de ses moyens plastiques d'expression, devant des thèmes à sa convenance, il a rencontré ses raisons de vivre et les joies secrètes de l'art. Voir à ce propos, ses deux premiers livres, Une année dans le Sahel, Un été dans le Sahara, où le bonheur du style, la justesse et la fermeté de la touche, l'élégance aisée de la langue, affirment l'équilibre parfait de

*l'homme en face du monde à exprimer, ce qui est une façon
de le conquérir.*

*Mais revenant plus tard sur les faux départs de sa vie,
qui forment le thème profond de* Dominique, *Fromentin
n'aura garde de manquer un aussi beau sujet que ces incertitudes de l'adolescence, où il avait failli se perdre. Il convient de le
rappeler : si Fromentin, c'est Dominique, il y a une partie
de ce personnage où la ressemblance s'arrête. Fromentin avait
su se reprendre, pour sa part ; et finalement il ne s'est pas
démis ; mais il a infligé à son héros une rectitude et une conti-
nuité dans le malheur qu'il n'avait lui-même pas connues,
mais qui cependant lui ont justement paru mériter, à titre
d'exemple, d'être développées dans un roman où serait peint
une sorte de raté supérieur. Ce sera le type de l'homme doué
de talents, promis par la distinction de sa nature à une
honorable fortune littéraire ; en qui pourtant la volonté faussée
et la sensibilité excessive contrebattent jusqu'à les annuler
ses dispositions les plus heureuses ; renonçant enfin à toute
ambition dès l'instant qu'il s'aperçoit qu'il n'en pourrait
avoir que de secondaires, faute de génie ; et qui se retire,
simplement, sagement, vertueusement, pour n'être plus, dans
l'anonymat de sa vie familiale et provinciale, qu'un honnête
homme sans ambition et sans nom. A regarder les choses
d'une manière un peu superficielle,* Dominique *ne serait
en somme que l'histoire d'un raté mondain, comme il en est
tant. Mais ce serait certainement méconnaître l'intention
la plus remarquable de Fromentin, qui a voulu que cet échec
fût constaté par son héros même, et sa retraite délibérée et
consentie par lui, pour servir d'exemple aux vaniteux et
aux moins purs. Dominique est un romantique conscient de
la faillite de ses rêves, et qui au lieu de s'en prendre à l'univers
et de tourner comme tant d'autres à la révolte et à l'anarchie,
se renonce, loyalement et sans amertume.*

Voilà un beau cas de romantisme maté. A cette date de 1860, si proche des illusions qui venaient d'illustrer le siècle en le démoralisant, on n'avait pas encore vu beaucoup de romantiques aussi sages, ou capables de le devenir ; et cet exemple littéraire avait le mérite d'être original et inédit. Je crois qu'il est resté unique.

* *
*

Dans un bon roman, il y a toujours deux romans : l'un sentimental, l'autre moral ou idéologique. Il n'est pas sûr que les premiers lecteurs d'un livre appelé à devenir célèbre soient également sensibles à ces deux raisons d'intérêt. Les premiers lecteurs de Dominique *ont apprécié surtout son naturel, sa délicatesse et sa sensibilité, Sainte-Beuve entre autres, et George Sand, à qui l'ouvrage est dédié. Encore y eût-elle préféré un romanesque plus poussé, et Fromentin a consigné dans une note les conseils de forme et de fond qu'il reçut d'elle, après la publication du roman dans la* Revue des Deux-Mondes. *Mais, à part deux ou trois retouches légères, il n'a pas tenu compte de ces conseils, et il a publié son livre en librairie tel qu'il l'avait écrit et voulu faire. Il est d'ailleurs à remarquer que le succès de* Dominique *fut, à l'origine, des plus minces, et l'on ne saurait s'en étonner, ce livre si discret, si nuancé, et, dans toute la force du terme devenu injurieusement péjoratif, si distingué, n'étant pas fait pour obtenir, sous le second Empire, l'adhésion unanime du grand public, qui veut toujours des viandes plus robustes et des condiments plus épicés. La fortune de l'œuvre était cependant assurée d'une façon plus enviable, par la durée, et par la lente et continuelle dilection des esprits délicats auxquels il était destiné. Il n'importe, au reste. La chapelle fromentinienne ne chôme pas, et nous y serons toujours assez nombreux,*

contents de nous découvrir les uns les autres, de même nature
et de même race, pour des amis de Dominique. Je pense
que ce roman continue toujours d'émouvoir, par la vérité
de l'analyse et la connaissance du cœur, qu'il implique, par
la tendresse répandue dans toutes ses pages, par l'écho qu'il
éveille dans toute âme sensible, comme par l'exactitude de
la langue harmonieuse et coloriste, l'atmosphère dans laquelle
il baigne, l'art enfin qui le compose et de scène en scène aplanit
lentement devant lui la route du lecteur.

   Mais il est encore un de ses traits sur lequel il sied d'insister :
le haut caractère moral dont ce pur chef-d'œuvre est empreint.
Le romancier, chez Fromentin, est doublé d'un véritable
moraliste, et ce détail importe pour achever de le définir.
Voyez le rôle du scrupule dans son livre, digne pendant de
cet autre chef-d'œuvre romanesque, La Princesse de Clèves,
et quel émouvant élément de pathétique lui ajoute le débat
intérieur de ses personnages, en face de leur dangereux et
chaste amour, dont l'aveu final détermine leur séparation.

   J'achève comme j'ai commencé ; et c'est pour retrouver
La Rochelle et sa province environnante, dont Fromentin est
bien le fils. L'Aunis et La Rochelle sont terres protestantes,
et Fromentin a compté des huguenots parmi ses aïeux. Quoique
lui-même peu religieux, malgré une mère très pieuse, il en a
conservé de profondes habitudes morales et un extrême sentiment de la vie intérieure, une sorte de jansénisme qu'on me
dit encore très fréquent dans la pensée de ses concitoyens.
Cette vue me paraît avoir échappé jusqu'ici aux fromenti-
nistes, et pourtant elle est d'importance, car elle explique
on ne peut mieux les repliements et les refoulements de Fromentin, son moralisme et ses scrupules, et à travers lui, ce beau
livre, inséparable du climat et des formes de la vie spirituelle
du terroir sur lequel, tout naturellement, il est né.

II

Depuis que les pages précédentes ont été écrites, auxquelles je me fais un scrupule de ne rien changer, j'ai eu entre les mains l'intéressant ouvrage présenté, sous forme de thèse, par Mlle Camille Reynaud, pour l'obtention du diplôme d'études supérieures à l'Université de Grenoble, La Genèse de Dominique *, *dans lequel figure, avec un excellent appareil critique et bibliographique, tout ce qu'un lecteur curieux du détail peut désirer savoir sur ce roman, ses sources, l'identification des personnages et des lieux, sa composition et ses variantes, d'après ce qui subsiste des manuscrits originaux.*

*Mlle Camille Reynaud imprime les noms de jeune fille et de femme de « celle qui fut Madeleine » ; et elle donne sur son compte quelques précisions dont il y a lieu de faire état, puisque aussi bien les voilà maintenant imprimées. Avant même Mlle Reynaud, l'*Intermédiaire des Chercheurs et Curieux *avait démasqué l'héroïne, en la nommant. Jenny-Caroline-Léocadie C..., née à l'île Maurice en 1817, était la fille d'un capitaine au long cours. Elle habitait, dans le village de Saint-Maurice, avec sa mère devenue veuve, une maison que l'on voit encore, dont le jardin s'ouvre en face de la maison que Fromentin fit construire en 1860, et à quelques pas de celle où il demeurait dans sa jeunesse et qui est devenue dans son roman la propriété de Villeneuve. Les relations avaient commencé de bonne heure entre Mme C... et les parents de Fromentin : Eugène et Jenny-Léocadie, malgré leur différence d'âge, furent donc des amis d'enfance. Eugène avait*

---

* Mlle Camille Reynaud, *La Genèse de Dominique* (1 vol , Arthaud, éditeur, Grenoble).

quatorze ans quand il commença d'aimer sa jeune voisine ; elle
en avait dix-sept. Elle épousa en 1834 un surnuméraire des
contributions directes qui deviendra plus tard agent de change
à La Rochelle. Jenny-Caroline-Léocadie était brune et de
peau très blanche, avec de beaux yeux. Elle paraît avoir
inquiété quelque peu son sévère époux par un caractère enjoué,
peut-être étourdi, ami des hommages, et, pour tout dire, la
jolie créole n'était pas tout à fait exempte de coquetterie
et d'un grain de frivolité. Fromentin se serait laissé séduire
à ce charme, et, avant même que d'en souffrir, il aurait, pour
plaire à son tour, donné dans quelque dandysme et fait élégante
figure parmi la belle compagnie de La Rochelle, ce qui n'implique
pas, au début tout au moins, un amour transi et malheureux.
C'est par la suite qu'il se rongea. Plusieurs de ses lettres à
ses amis Émile Beltrémieux (l'original d'Augustin) et Paul
Bataillard, et les réponses de ces confidents attestent l'inquiétude que cette passion juvénile, en se prolongeant, inspira
aux proches d'Eugène. Ces Lettres ont été publiées, en 1909
et 1912, par M. Pierre Blanchon en deux précieux volumes *,
où Mlle Reynaud a fait, avec beaucoup de discernement et
de goût, le choix de ses citations, sur lesquelles repose sa
Genèse. Ces textes permettent d'apercevoir que la jeune
Léocadie n'était pas tout à fait semblable à l'image idéalisée
que Fromentin, vingt ans plus tard, tracera d'elle en son roman.
Quelques traits sont à mettre à part et à retenir.

« Mme B..., un peu romanesque peut-être (écrit Beltrémieux) et un peu exigeante, t'en voulait quelquefois de souffrir
si peu de la plaie qu'elle t'avait faite au cœur... » Et encore :
« Es-tu heureux ? Es-tu autre chose, pour cette femme aimée,
qu'un enfant continuellement grondé, tyrannisé par mille

* Lettres de jeunesse d'Eugène Fromentin, publiées par M. Pierre
Blanchon, 1 vol., Plon, 1909, et Correspondance et fragments inédits,
1 vol., Plon, 1912.

*exigences, aimé (j'ose le dire), moins pour lui peut-être que
pour elle, par elle-même ? Et cette femme a-t-elle le cœur
qu'il faudrait pour te payer de tes ennuis ? Charles (le frère
aîné de Fromentin) me disait :* C'est une femme à mener
durement... Des raisonnements, *me disait Charles,* elle
ne peut en entendre. Je lui en ai fait... *Prends donc le
dessus. C'est un esclavage auquel tu dois renoncer. Sois homme. »*

Et Fromentin lui-même semble avoir convenu des légers
défauts de son amie. « C'était une tête un peu vide, avec un
cœur excellent, mais faible... » — Je n'insisterai pas, mais on
voit par les quelques touches précédentes, le travail de poétisation dont bénéficia Jenny-Caroline-Léocadie, pour devenir la
Madeleine du roman.

Sur les relations véritables des jeunes gens, nous n'avons
aucune certitude. Nous savons seulement que Mme B...
recevait quelquefois les visites d'Eugène, notamment au petit
château de Laleu, quand le mari n'y était pas. Mais une amie
commune était présente, Mlle Lilia Beltrémieux ; et ceci
rassure, pour les convenances. Eugène lisait à Jenny-Léocadie
les vers qu'il avait faits pour elle. Mlle Camille Reynaud croit
pourtant qu'il y eut entre eux un peu plus que de la poésie
et des bavardages — et « qu'il est permis de supposer avec assez
de sécurité que cet amour éthéré, puis brûlant, était probablement descendu dans la réalité » (Oh ! mademoiselle !) « Il
existe, dit-elle aussi, des correspondances de l'écrivain non
encore publiées et d'une ardeur telle qu'elles ne pourront l'être
de longtemps, en particulier une lettre qui apporterait un jour
absolument nouveau sur le roman de jeunesse que vécut Eugène. »
— Qu'on veuille bien noter ce conditionnel. — Laissons donc
la porte entr'ouverte aux révélations futures, s'il doit s'en
produire jamais. Je continue pour ma part à penser qu'il
importe peu de savoir si la liaison de Fromentin avec la réelle
Jenny-Caroline-Léocadie a été platonique ou non : l'essentiel,*

pour le lecteur, c'est le durable rêve littéraire que l'écrivain a enroulé autour de cet éphémère et gracieux support. Je n'ai rapporté ce qui précède que parce que ces choses ont été dites, et que la question a été posée ; et qu'il faut savoir ce que l'on écarte.

Un détail encore est à relater. Soit qu'il eût dû céder à la crainte de quelque scandale compromettant pour son amie ; soit que l'attitude du mari lui eût imposé ce sacrifice ; soit encore que les difficultés de la situation l'eussent enfin persuadé que le bonheur était impossible, Fromentin, renonçant, s'était retiré, de lui-même. On le voit, dans l'automne et l'hiver de 1842, *lamenter en vers l'échec de son triste amour :* « J'étais aimé, j'étais heureux, c'est être sage. — Mais tout, sagesse, amour, bonheur, s'en est allé... » *— et parler même, moins lyriquement, à son ami Bataillard, de ses relations* « définitivement rompues ». — « Les circonstances nous désunissent malgré nous. » *De fait, il y avait plus d'un an qu'il n'avait revu sans témoin Jenny-Caroline-Léocadie, quand, le* 30 *juin* 1844, *il apprenait, à Paris, qu'elle se mourait dans un hôtel de la rue de Grammont où elle avait été transportée à la suite d'une douloureuse opération. Il y alla, et introduit par une amie, du seuil d'une porte vitrée, il put apercevoir une dernière fois, sur l'oreiller,* « cette pauvre tête si belle, aux yeux si doux, au teint si blanc, aux cheveux si noirs ». *Le mari était là ; les deux hommes se serrèrent la main. Puis Fromentin dut s'éloigner, et il courut se jeter à genoux dans l'église de la Madeleine, où, longuement, il sanglota. Léocadie mourut quatre jours plus tard. Eugène suivit son convoi.*

La mort lui rendait celle qui n'était plus, et qu'il avait déjà perdue. De ce moment, Léocadie morte, Madeleine naît. « Je pense à toi qui dors là-bas sous l'herbe mouillée du cimetière, *écrit-il le* 18 *juillet dans une page de carnet intime...Amie,* *ma divine et sainte amie, je veux et vais écrire notre histoire commune* * *depuis le premier jour jusqu'au dernier. Et chaque fois qu'un souvenir effacé luira subitement dans ma mémoire, chaque fois qu'un mot plus tendre et plus ému jaillira de mon cœur, ce seront autant de marques pour moi que tu m'entends et que tu m'assistes...* »

Ce n'est pas ainsi que Fromentin devait parler à Léocadie vivante. Mystérieux prestige de la mort ! Dès cet instant, Madeleine apparaît : image consentante et docile de celle qui n'est plus, conforme à l'idée que le poète aurait souhaité qu'elle fût, pour l'aimer mieux et selon son cœur ; telle qu'il continuera désormais de l'attirer à lui et de penser à elle, et de l'embellir jusqu'à l'éclosion définitive de Madeleine de Nièvres, dans son livre, vingt années plus tard.

Mlle Camille Reynaud l'a remarqué, après, je crois, Albert Thibaudet — et Sainte-Beuve l'avait déjà vu avant Thibaudet ** — : le roman de Dominique est moins romanesque que le roman vécu de Fromentin. Il a aimé, peut-être charnellement (si on le veut), une jeune créole exubérante, dramatiquement morte à vingt-sept ans. Madeleine passe dans

---

* Rapprocher cette phrase d'une phrase analogue et presque identique de Musset, dans une de ses lettres à George Sand : « Le monde saura mon histoire ; je l'écrirai... Je ne mourrai pas, moi, sans avoir fait mon livre, sur moi et sur toi, sur toi surtout ; non, ma belle, ma sainte fiancée, tu ne te coucheras pas sous cette froide terre sans qu'elle sache qui elle a porté !... »
Voilà le point de départ de la *Confession d'un enfant du siècle*, comme la petite phrase de Fromentin est le point de départ de *Dominique*, cette autre confession d'un autre enfant du siècle.
** Sainte-Beuve, qui décidément a tout vu, n'était pas satisfait du dénouement de *Dominique*, et il a très bien discerné pourquoi : qu'il y avait arrangement, et que la réalité de l'aventure initiale avait été sans doute différente. « Comme dans un certain nombre de romans vrais, mais auxquels il fallait un dénouement, je suis bien sûr qu'ici, s'il y a quelque réalité dessous, la vérité n'a été suivie que jusqu'à un certain point et jusqu'à un certain endroit. »

le livre, pure, vertueuse, et n'y meurt pas. C'est son seul amour qui divise ce couple innocent, et plus que tout autre promis à l'immortalité poétique. Voilà un grand exemple d'art : où pour atteindre à plus de vérité supérieure, c'est la réalité qui renonce et cède le pas.

Il y a lieu de noter encore, d'après Mlle Reynaud, l'identification des personnages secondaires du roman. Le prototype d'Olivier d'Orsel s'appelait Léon Mouliade. Fromentin l'avait connu au lycée de La Rochelle. Doué de fortune, oisif, élégant et désabusé, il paraît bien avoir été dans la vie ce que nous le voyons, sous le masque d'Olivier, dans le livre ; à cette différence près qu'il ne fut jamais tenté, comme Olivier, de mettre un terme volontaire à une existence inutile. Après une existence de plaisir, il finit, affligé de goutte, dans un domaine de Bretagne, où il ne s'occupait plus que de chasse. Fromentin, qui l'avait perdu de vue, le retrouva, après une trentaine d'années, et dans une lettre à Mme Howland, datée de 1875, il note que son ancien ami n'avait aucunement changé.

Augustin a passé longtemps pour combiner les traits d'un ancien professeur de Fromentin au lycée de La Rochelle, Léopold Delayant, et d'un autre de ses camarades nommé Paul Bataillard, poète, chartiste, qui fit du journalisme et s'occupa de politique. Mlle Reynaud, avec plus de raison, désigne un modèle différent : ce serait un ami intime de Fromentin, Émile Beltrémieux, dont M. Blanchon, dans ses ouvrages précités, a publié les lettres. Elles concordent, par leur ton et par leur conseil, avec le caractère doctrinaire, et, pour parler net, un peu prédicant, qu'on voit à Augustin dans le roman. On observera que ces jeunes gens ont atteint leur maturité environ 1848, et il ne serait pas étonnant que les préoccupations philosophico-politiques de cette époque assez fumeuse aient été quelque peu les leurs : Fromentin, on le sait, était affilié à la franc-maçonnerie. Un examen nouveau de certaines

parties de Dominique, *à cet égard et dans ce sens, pourrait
réserver des surprises ; notamment quant au personnage
d'Augustin. Beltrémieux était un peu plus âgé que Fromentin.
C'est sa petite chambre de La Rochelle, aux murs couverts
d'inscriptions, et encombrée de livres, que l'écrivain a placée,
comme le « sanctuaire » où il s'était formé, dans son roman,
où il en a fait la chambre même de Dominique. Étudiant en
médecine, attiré par la politique, la sociologie et le journalisme
d'action, républicain disciple de Michelet et de Quinet,
collaborateur d'Armand Marrast au* National, *Beltrémieux
exerça certainement une forte influence sur son ami, et il
mourut tôt, à vingt-neuf ans, sans avoir donné sa mesure.
Voir dans les* Lettres de jeunesse *la page datée du
22 janvier 1848, où Fromentin, qui venait d'apprendre, à Blidah,
la mort de son ami, définit l'homme et son caractère, et dit
le chagrin qu'il éprouva de cette perte. Émile Beltrémieux
avait une sœur, Lilia, qui s'adonnait à la peinture, et mourut
tard, nonagénaire, en 1918. Il ne serait pas impossible qu'elle
eût éprouvé un certain sentiment pour Fromentin dans le
temps où celui-ci était le plus épris de Léocadie. Mlle Reynaud
nous apprend, de source certaine, que c'était cette Lilia Beltrémieux qui assistait en tiers aux entretiens d'Eugène et de
Mme B... Mlle Reynaud suggère aussi qu'on pourrait voir
en elle quelque chose de la Julie, si secrètement passionnée
du roman. L'hypothèse paraît admissible. Elle est toutefois,
pratiquement, sans conséquence, si ce n'est de nous rappeler
encore une fois qu'il y a plus, dans ce roman, de vérité déguisée
que d'invention. Les personnages en ont existé ; les situations,
du moins au départ, ont été les mêmes. Les lieux enfin ont
été à peu près dépeints sur nature. Villeneuve, où se trouve
la maison d'enfance de Fromentin, c'est Saint-Maurice ; les
Trembles, un imaginaire château, organisé sur le modèle du
domaine de Vaugoin, près de Saint-Maurice, où habitait*

une famille amie des Fromentin, les Seignette. Le château
de Nièvres est imaginé par la nécessité romanesque. La triste
demeure d'Ormesson, où vit la tante de Dominique, peut-être
la maison familiale de Fromentin à La Rochelle. La ville
aux clochers où Dominique se rend, au début du livre, serait
Saintes.

Ainsi donc, tout, dans le roman, touche au vrai, repose
sur le vrai : mais un vrai arrangé, embelli, composé d'éléments
divers. C'est une vérité composite, constituée de traits exacts,
rajustés dans un ensemble idéalisé, où Fromentin s'est ingénié
à brouiller ses pistes, sans se libérer tout à fait de ses souvenirs. Il n'avait pas l'imagination créatrice du romancier
qui invente un monde et le peuple des seules créatures de sa
fantaisie. Mais il possédait un sens très juste de l'arrangement.
Une partie de sa poésie vient de là. Sous chacune des pages de
son livre le lecteur averti perçoit la palpitation de quelque
chose qui, réellement, a été ; la broderie est de l'auteur, mais
c'est la vie, comme pour tous les livres vraiment humains,
qui a fourni le canevas.

Émile HENRIOT.

Post-scriptum, 14 octobre 1936. — Cette préface avait
paru dans la *Revue des Deux-Mondes*, et ce volume était
sous presse quand j'ai reçu de M. Joseph Drilhon,
petit-fils de Jenny-Caroline-Léocadie, une lettre de
très courtoise protestation contre ce que j'avais cru
pouvoir observer, sur l'abandon de la tombe de « celle
qui fut Madeleine » (page II). Faute de pouvoir matériellement modifier, dans ce qui précède, mon impression
première, je me fais un devoir d'y apporter ici un correc-
tif. Je n'avais pu lire l'inscription usée et couverte de

mousse. M. Drilhon a bien voulu me la communiquer en me faisant remarquer que les termes dans lesquels elle est rédigée excluent déjà tout autre sentiment qui ne serait pas, de la part des siens, de piété, de tendresse et de déférence. « *Ci gît : Jenny-Caroline-Léocadie Chessé, épouse de M. Émile Béraud, décédée à Paris le 4 juillet 1844, dans sa 28ᵉ année. — Un De profundis pour le repos de son âme. — Sa mort priva sa bonne mère d'une fille chérie, son mari d'une épouse bien aimée, et ses trois petits enfants d'une tendre mère.* » — M. Drilhon m'assure que les descendants de « la charmante Léocadie », « n'ayant jamais admis qu'il puisse y avoir à son sujet l'ombre d'un soupçon », honorent fidèlement son souvenir et conservent affectueusement ses reliques. Dont acte, des plus volontiers. — J'ajouterai que, contrairement à ce qui m'avait été dit à La Rochelle, ses portraits ne sont pas détruits. J'en ai pu voir un (sur deux existants), où Jenny-Caroline-Léocadie est représentée, en miniature. Elle figure une délicieuse jeune femme de 1835 environ, brune aux yeux gris-bleu, à la chevelure partagée en ondes, qui encadrent doucement le visage au teint rose mat, au nez droit, à la bouche fine. Léocadie est coiffée d'un léger bonnet de dentelle à rubans couleur de feu qui lui descendent sur les épaules, des deux parts du cou dégagé dans un col de souple linon. Elle est vêtue d'une robe unie de velours beige; assise dans un grand fauteuil, elle tient un livre à la main. L'air est spirituel et sensible, et surtout d'une extrême finesse. Le portrait correspond tout à fait à celui que Fromentin a tracé de Madeleine dans son livre. C'est ainsi que nous l'imaginons.

É. H.

BIBLIOGRAPHIE

D'EUGÈNE FROMENTIN

Dominique, Revue des Deux-Mondes des 15 avril, 1er et 15 mai 1862.

Dominique, édition originale : 1 vol. in-18, Hachette, 1863 (il a été tiré quelques exemplaires in-8°, sur papier de Hollande).

Dominique, 2e édition (corrigée par l'auteur) : 1 vol. in-18, Plon, 1876. — Nombreuses réimpressions. La dernière, datée de 1934, porte la mention : 99e édition.

Un certain nombre d'éditions de *Dominique* ont paru, dont plusieurs en tirages restreints, chez différents éditeurs. Pour ne désigner que les principales, illustrées ou non, signalons celles de : le Livre contemporain, 1905, illustrations de Leheutre; Crès, 1911; Helleu et Sergent, 1920, illustrations de Jean Perrier; Lardanchet, 1921; Conard, 1907; Servant, la Lampe d'Argile, 1927, avec des illustrations de Pierre Brissaud; Piazza, 1928; Delagrave, 1929, illustrations de L. J. Soulas; Éditions de Cluny, 1931, illustrations d'Hermine David; Larousse, 1933, introduction de M. Charles Navarre; Richard, 1929, illustrations de Louis Suire; Carteret, 1931, illustrations d'Henri Jourdain; Hartmann, 1935, illustrations de Berthold Mahn; Conard, 1936, introduction de M. Maxime Revon.

Lettres de jeunesse, publiées par M. Pierre Blanchon, 1 vol., Plon, 1909.

Correspondance et fragments inédits, publiés par M. Pierre Blanchon, 1 vol., Plon, 1912.

Un été dans le Sahara, 1 vol., Michel Lévy, 1857.

Une année dans le Sahel, 1 vol., Michel Lévy, 1859.

(Ces deux derniers ouvrages réimprimés aux librairies Lemerre et Plon.)

Les maîtres d'autrefois, 1 vol. Plon, 1876.

Voyage en Égypte, publié par M. J.-M. Carré, 1 vol., Éditions Montaigne, 1935.

A CONSULTER

G. Audiat, *Revue des Charentes*, 30 sept. 1905.

Barbey d'Aurevilly, *Voyageurs et Romanciers*, Lemerre, 1908.

C. Bellaigue, *Correspondant*, 25 juillet 1891, et *Impressions Musicales et Littéraires*, Delagrave, 1900.

A. Bellessort, *Correspondant*, 25 oct. 1920, et *Nouvelles études*, Bloud, 1923.

P. Blanchon, *Lettres de jeunesse de Fromentin*, Plon, 1909; et *Correspondance et fragments inédits*, Plon, 1912.

Brun, *Variétés littéraires*, Calmann-Lévy, 1904.

F. Brunetière, *Revue des Deux-Mondes*, 15 sept. 1900.

H. Bordeaux, *Les écrivains et les mœurs*, 2ᵉ série, Fontemoing, 1903.

A. Chevrillon, *Revue européenne*, mai 1927.

P. Dorbec, *Revue Bleue*, 1920.

E. Faguet, *Revue des Deux-Mondes*, 1ᵉʳ avril 1909.

E. Gaubert, *Mercure de France*, 1ᵉʳ mars 1905.

P. Gaudin, *Eugène Fromentin*, La Rochelle, Siret, 1877.

L. Gillet, *Dominique, Revue de Paris*, 1ᵉʳ août 1905.

L. Gonse, *Eugène Fromentin*, Quantin, 1881.

Intermédiaire des chercheurs et curieux, 10 sept. 1926 : 10 févr. 1927; 10 août 1930.

Ed. Jaloux, *De Pascal à Barrès*, Plon, 1927.

P. Martino, *Revue africaine*, 1914.

H. Massis, *Jugements*, 2ᵉ série, Plon 1924.

Ed. Maynial, *E. Fromentin*, Schepens, 1904.

Pailhès, *Le modèle de Dominique, Revue Bleue*, 13-20 mars 1909.

Ed. Pilon, *Figures françaises et littéraires*, Renaissance du livre, 1921.

C. Reynaud, *La Genèse de Dominique*, Arthaud, Grenoble, 1936.

Sainte-Beuve, *Nouveaux lundis*, t. VII, Michel Lévy, 1879.

Sand, *Correspondance avec Eugène Fromentin* (cf. Blanchon, *Correspondance et fragments inédits.*)

Ed. Scherer, *Études sur la littérature contemporaine*, t. II et V.

H. Talvart, *Annales de l'Académie des Belles-Lettres de La Rochelle*, 1925.

A. Thibaudet, *Intérieurs*, Plon, 1928.

R. de Traz, *Essais et analyses*, Crès, 1926.

J.-L. Vaudoyer, *En France*, Plon, 1932.

On consultera utilement, pour une plus ample information, les 22 pages de références consacrées à l'article *Fromentin*, par M. Hector Talvart, dans la *Bibliographie des Auteurs modernes* de MM. Hector Talvart et Joseph Place, tome VI (Édition des Horizons de France), à laquelle nous empruntons l'essentiel des indications ci-dessus.

NOTE DE L'ÉDITEUR

SUR LA PRÉSENTE ÉDITION

Dᴏᴍɪɴɪǫᴜᴇ a paru pour la première fois dans la *Revue des Deux-Mondes* (15 avril, 1ᵉʳ et 15 mai 1862). L'édition originale a été publiée le 10 janvier 1863, à la librairie Hachette, dans le format in-18 (quelques exemplaires de présent, sur papier de Hollande, in-8º). La librairie Plon fit paraître, en 1876, une « deuxième édition » de l'ouvrage, maintes fois réimprimé depuis sous cette firme, où *Dominique*, à la date où nous écrivons (juillet 1936), en est à sa 99ᵉ édition, sans compter les réimpressions en volumes de luxe et dans des collections populaires, qui en ont été faites chez différents éditeurs, et dont on trouvera les références dans notre Bibliographie.

Nous reproduisons dans ce volume le texte de la 2ᵉ édition (Plon, 1876). C'est le dernier texte qu'Eugène Fromentin a pu revoir. Nous lisons dans une de ses lettres, datée de juillet 1876 : « Je corrige en ce moment les épreuves de *Dominique*... » Il y a apporté un certain nombre de corrections de style et effacé quelques fautes qui lui avaient échappé lors de la publication de l'édition originale, dans laquelle il s'est plaint un jour d'avoir trouvé des « fautes énormes, des corrections faites à l'imprimerie, *après le bon à tirer*, par je ne sais quel correcteur scrupuleux qui s'était permis de substituer des non-sens à certaines hardiesses qui probablement ne lui plaisaient pas. »* Signalons qu'après la publication de *Dominique* dans la *Revue des Deux-Mondes*, George Sand avait conseillé à l'auteur d'apporter quelques modifications à son texte, avant de le faire paraître en librairie. Fromentin nota les conseils de la romancière, et semble avoir d'abord eu l'intention de s'y conformer. Puis il se ravisa, et ayant conclu qu'il valait mieux s'en tenir à ce qu'il avait d'abord écrit, plutôt que de s'exposer à introduire dans son ouvrage des remaniements dont il ne sentait peut-être pas la nécessité, il se borna à modifier quelques détails, que nous signalons dans nos *Notes*, et il laissa paraître, chez Hachette, son livre à peu près tel qu'il l'avait d'abord donné dans la *Revue*. Sur les relations de Fromentin et de George Sand, voir, ci-dessous, page 285, la note 1.

L'édition que nous donnons ici n'est pas une édition critique. Celle-ci reste à faire. Nous avons jugé inutile de relever toutes les variantes secondaires et les menues corrections de mots ou de ponctuation, qui font différer entre eux les trois états de *Dominique*, celui de la *Revue des Deux-Mondes*, celui de l'édition originale, et celui de la 2e édition que nous reproduisons. Signalons toutefois que ces variantes ont été exactement relevées par Mlle C. Reynaud dans son intéressant ouvrage, déjà cité, *La Genèse de Dominique*. Les amateurs de nuances s'y reporteront avec fruit.

---

* Un nouveau tirage de cette édition nous permet de constater avec certitude le bien-fondé de notre observation sur la fameuse faute : « Il sera pédant *et censeur*... », au lieu de : « en sueur ». (Voir p. 294, la note 28.) En effet, nous avons vu à la librairie Lœwy (catalogue n° 1 de 1950) un exemplaire de l'édition originale de *Dominique* d'avant le carton, portant dédicace de l'auteur à M. Larangrady (?), et dans lequel Fromentin a corrigé la faute et rétabli en marge, de sa main, le texte qu'il avait voulu. C'est donc bien « *en sueur* » qu'il faut lire.

DOMINIQUE

A Madame GEORGE SAND

Madame,

    Voici ce petit livre que vous avez lu [1]. *A mon grand regret, je le publie sans y rien changer, c'est-à-dire avec toutes les inexpériences qui peuvent trahir une œuvre d'essai. De pareils défauts m'ont paru sans remède : désespérant de les corriger, je les constate. Si le livre était meilleur, je serais parfaitement heureux de vous l'offrir. Tel qu'il est, me pardonnerez-vous, Madame, comme au plus humble de vos amis, de le placer sous la protection d'un nom qui déjà m'a servi de sauvegarde, et pour lequel j'ai autant d'admiration que de gratitude et de respect ?*

EUG. FROMENTIN.

Paris, novembre 1862.

DOMINIQUE

I

« Certainement je n'ai pas à me plaindre — me
disait celui dont je rapporterai les confidences
dans le récit très-simple et trop peu romanesque
qu'on lira tout à l'heure — car, Dieu merci, je
ne suis plus rien, à supposer que j'aie jamais été
quelque chose, et je souhaite à beaucoup d'ambitieux
de finir ainsi. J'ai trouvé la certitude et le repos,
ce qui vaut mieux que toutes les hypothèses.
Je me suis mis d'accord avec moi-même, ce qui
est bien la plus grande victoire que nous puissions
remporter sur l'impossible. Enfin, d'inutile à tous,
je deviens utile à quelques-uns, et j'ai tiré de ma
vie, qui ne pouvait rien donner de ce qu'on espérait d'elle, le seul acte peut-être qu'on n'en attendît
pas, un acte de modestie, de prudence et de raison.
Je n'ai donc pas à me plaindre. Ma vie est faite
et bien faite selon mes désirs et mes mérites. Elle
est rustique, ce qui ne lui messied pas. Comme
les arbres de courte venue, je l'ai coupée en tête :
elle a moins de port, de grâce et de saillie; on la
voit de moins loin, mais elle n'en aura que plus

de racines et n'en répandra que plus d'ombre autour d'elle. Il y a maintenant trois êtres à qui je me dois et qui me lient par des devoirs précis, par des responsabilités qui n'ont rien de trop lourd, par des attachements sans erreurs ni regrets. La tâche est simple, et j'y suffirai. Et s'il est vrai que le but de toute existence humaine soit moins encore de s'ébruiter que de se transmettre, si le bonheur consiste dans l'égalité des désirs et des forces, je marche aussi droit que possible dans les voies de la sagesse, et vous pourrez témoigner que vous avez vu un homme heureux. »

Quoiqu'il ne fût pas le premier venu autant qu'il le prétendait, et qu'avant de rentrer dans les effacements de sa province, il en fût sorti par un commencement de célébrité, il aimait à se confondre avec la multitude des inconnus, qu'il appelait *les quantités négatives.* A ceux qui lui parlaient de sa jeunesse et lui rappelaient les quelques lueurs assez vives qu'elle avait jetées, il répondait que c'était sans doute une illusion des autres et de lui-même, qu'en réalité il n'était personne, et la preuve, c'est qu'il ressemblait aujourd'hui à tout le monde, résultat de toute équité dont il s'applaudissait comme d'une restitution légitime faite à l'opinion. Il répétait à ce sujet qu'il n'est donné qu'à bien peu de gens de se dire une exception, que ce rôle de privilégié est le plus ridicule, le moins excusable et le plus vain, quand il n'est pas justifié par des dons supérieurs; que l'envie audacieuse de se distinguer du commun de ses semblables n'est le plus souvent qu'une tricherie commise envers la société et une injure impardonnable faite

à tous les gens modestes qui ne sont rien; que
s'attribuer un lustre auquel on n'a pas droit, c'est
usurper les titres d'autrui, et risquer de se faire
prendre tôt ou tard en flagrant délit de pillage
dans le trésor public de la renommée.

Peut-être se diminuait-il ainsi pour expliquer
sa retraite et pour ôter le moindre prétexte de
retour à ses propres regrets comme aux regrets
de ses amis. Était-il sincère ? Je me le suis demandé
souvent, et quelquefois j'ai pu douter qu'un esprit
comme le sien, épris de perfection, fût aussi complètement résigné dans sa défaite. Mais il y a tant de
nuances dans la sincérité la plus loyale ! il y a tant
de manières de dire la vérité sans la dire tout entière !
L'absolu détachement des choses n'admettrait-il
aucun regard jeté de loin sur les choses qu'on
désavoue ? Et quel est le cœur assez sûr de lui
pour répondre qu'il ne se glissera jamais un regret
entre la résignation, qui dépend de nous, et l'oubli,
qui ne peut nous venir que du temps ?

Quoi qu'il en soit de ce jugement porté sur un
passé qui ne s'accordait pas très-bien avec sa vie
présente, à l'époque dont je parle du moins, il
était arrivé à ce degré de démission de lui-même
et d'obscurité qui semblait lui donner tout à fait
raison. Aussi ne fais-je que le prendre au mot en le
traitant à peu près comme un inconnu. Il était
devenu, d'après ses propres termes, si peu quelqu'un,
et tant d'autres que lui pourraient à la rigueur se
reconnaître dans ces pages, que je ne vois pas la
moindre indiscrétion à publier de son vivant le
portrait d'un homme dont la physionomie se prête
à tant de ressemblances. Si quelque chose le dis-

tingue un peu du grand nombre de ceux qui volontiers retrouveraient en lui leur propre image, c'est que, par une exception qui, je le crois, ne fera envie à personne, il avait eu le courage assez rare de s'examiner souvent, et la sévérité plus rare encore de se juger médiocre. Enfin il existe si peu, quoiqu'il existe, qu'il est presque indifférent de parler de lui soit au présent, soit au passé.

La première fois que je le rencontrai, c'était en automne. Le hasard me le faisait connaître à cette époque de l'année qu'il aime le plus, dont il parle le plus souvent, peut-être parce qu'elle résume assez bien toute existence modérée qui s'accomplit ou qui s'achève dans un cadre naturel de sérénité, de silence et de regrets. « Je suis un exemple, m'a-t-il dit maintes fois depuis lors, de certaines affinités malheureuses qu'on ne parvient jamais à conjurer tout à fait. J'ai fait l'impossible pour n'être point un mélancolique, car rien n'est plus ridicule à tout âge et surtout au mien; mais il y a dans l'esprit de certains hommes je ne sais quelle brume élégiaque toujours prête à se répandre en pluie sur leurs idées. Tant pis pour ceux qui sont nés dans les brouillards d'octobre ! » ajoutait-il en souriant à la fois de sa métaphore prétentieuse et de cette infirmité de nature dont il était au fond très-humilié.

Ce jour-là, je chassais aux environs du village qu'il habite [2]. Je m'y trouvais arrivé de la veille et sans aucune autre relation que l'amitié de mon hôte le docteur ***, fixé depuis quelques années seulement dans le pays. Au moment où nous sortions du village, un chasseur parut en même temps que nous sur un coteau planté de vignes qui borne

l'horizon de Villeneuve au levant. Il allait lentement
et plutôt en homme qui se promène, escorté de
deux grands chiens d'arrêt, un épagneul à poils
fauves, un braque à robe noire, qui battaient les
vignes autour de lui. C'étaient ordinairement, je
l'ai su depuis, les deux seuls compagnons qu'il
admît à le suivre dans ces expéditions presque
journalières, où la poursuite du gibier n'était que
le prétexte d'un penchant plus vif, le désir de vivre
au grand air et surtout le besoin d'y vivre seul.

« Ah ! voici M. Dominique qui chasse », me dit le
docteur en reconnaissant à toute distance l'équipage
ordinaire de son voisin. Un peu plus tard, nous
l'entendîmes tirer, et le docteur me dit : « Voilà
M. Dominique qui tire. » Le chasseur battait à
peu près le même terrain que nous et décrivait
autour de Villeneuve la même évolution, déterminée
d'ailleurs par la direction du vent, qui venait de
l'est, et par les remises assez fixes du gibier. Pendant
le reste de la journée, nous l'eûmes en vue, et,
quoique séparés par plusieurs cents mètres d'intervalle, nous pouvions suivre sa chasse comme il
aurait pu suivre la nôtre. Le pays était plat, l'air
très-calme, et les bruits en cette saison de l'année
portaient si loin, que même après l'avoir perdu
de vue, on continuait d'entendre très-distinctement
chaque explosion de son fusil et jusqu'au son de
sa voix quand, de loin en loin, il redressait un
écart de ses chiens ou les ralliait. Mais soit discrétion, soit, comme un mot du docteur me l'avait
fait présumer, qu'il eût peu de goût pour la chasse
à trois, celui que le docteur appelait M. Dominique
ne se rapprocha tout à fait que vers le soir, et la

commune amitié qui s'est formée depuis entre nous
devait avoir ce jour-là pour origine une circonstance
des plus vulgaires. Un perdreau partit à l'arrêt de
mon chien juste au moment où nous nous trouvions
à peu près à demi-portée de fusil l'un de l'autre.
Il occupait la gauche, et le perdreau parut incliner
vers lui.

« A vous, monsieur », lui criai-je.

Je vis, à l'imperceptible temps d'arrêt qu'il mit
à épauler son fusil, qu'il examinait d'abord si rigou-
reusement, ni le docteur ni moi n'étions assez près
pour tirer; puis, quand il se fut assuré que c'était un
coup perdu pour tous s'il ne se décidait pas, il
ajusta lestement et fit feu. L'oiseau, foudroyé en
plein vol, sembla se précipiter plutôt qu'il ne tomba,
et rebondit, avec le bruit d'une bête lourde, sur
le terrain durci de la vigne.

C'était un coq de perdrix rouge magnifique, haut
en couleur, le bec et les pieds rouges et durs comme
du corail, avec des ergots comme un coq et large
de poitrail presque autant qu'un poulet bien nourri.

« Monsieur, me dit en s'avançant vers moi
M. Dominique, vous m'excuserez d'avoir tiré sur
l'arrêt de votre chien; mais j'ai bien été forcé, je
crois, de me substituer à vous pour ne pas perdre
une fort belle pièce, assez peu commune en ce pays.
Elle vous appartient de droit. Je ne me permettrais
pas de vous l'offrir, je vous la rends. »

Il ajouta quelques paroles obligeantes pour me
déterminer tout à fait, et j'acceptai l'offre de
M. Dominique comme une dette de politesse à
payer.

C'était un homme d'apparence encore jeune,

quoiqu'il eût alors passé la quarantaine, assez grand,
à peau brune, un peu nonchalant de tournure,
et dont la physionomie paisible, la parole grave
et la tenue réservée ne manquaient pas d'une certaine
élégance sérieuse. Il portait la blouse et les guêtres
d'un campagnard chasseur. Son fusil seul indiquait
l'aisance, et ses deux chiens avaient au cou un large
collier garni d'argent sur lequel on voyait un chiffre.
Il serra courtoisement la main du docteur et nous
quitta presque aussitôt pour aller, nous dit-il,
rallier ses vendangeurs, qui, ce soir-là même,
achevaient sa récolte.

On était aux premiers jours d'octobre. Les vendanges allaient finir ; il ne restait plus dans la campagne, en partie rendue à son silence, que deux ou
trois groupes de vendangeurs, ce que dans le pays
on appelle des *brigades*, et un grand mât surmonté
d'un pavillon de fête, planté dans la vigne même où
se cueillaient les derniers raisins, annonçait en
effet que la brigade de M. Dominique se préparait
joyeusement à *manger l'oie*, c'est-à-dire à faire le
repas de clôture et d'adieu où, pour célébrer la
fin du travail, il est de tradition de manger, entre
autres plats extraordinaires, une oie rôtie.

Le soir venait. Le soleil n'avait plus que quelques
minutes de trajet pour atteindre le bord tranchant
de l'horizon. Il éclairait longuement, en y traçant
des rayures d'ombre et de lumière, un grand pays
plat, tristement coupé de vignobles, de guérets et
de marécages, nullement boisé, à peine onduleux,
et s'ouvrant de distance en distance, par une lointaine échappée de vue, sur la mer. Un ou deux
villages blanchâtres, avec leurs églises à plates-

formes et leurs clochers saxons [3], étaient posés
sur un des renflements de la plaine, et quelques
fermes, petites, isolées, accompagnées de maigres
bouquets d'arbres et d'énormes meules de fourrage,
animaient seules ce monotone et vaste paysage,
dont l'indigence pittoresque eût paru complète
sans la beauté singulière qui lui venait du climat,
de l'heure et de la saison. Seulement, à l'opposé
de Villeneuve et dans un pli de la plaine, il y avait
quelques arbres un peu plus nombreux qu'ailleurs
et formant comme un très-petit parc autour d'une
habitation de quelque apparence. C'était un pavillon
de tournure flamande, élevé, étroit, percé de rares
fenêtres irrégulières et flanqué de tourelles à pignons
d'ardoise. Aux abords étaient agglomérées quelques
constructions plus récentes, maison de ferme et
bâtiment d'exploitation, le tout au surplus très-
modeste. Un brouillard bleu qui s'élevait à travers
les arbres indiquait qu'il y avait exceptionnellement
dans ce bas-fond du pays quelque chose au moins
comme un cours d'eau; une longue avenue marécageuse, sorte de prairie mouillée bordée de saules,
menait directement de la maison à la mer.

« Ce que vous voyez là, me dit le docteur en
me montrant cet îlot de verdure isolé dans la nudité
des vignobles, c'est le château des Trembles [4]
et l'habitation de M. Dominique. »

Cependant M. Dominique allait rejoindre ses vendangeurs et s'éloignait paisiblement, son fusil désarmé, suivi cette fois de ses chiens à bout de forces;
mais à peine avait-il fait quelques pas dans le sentier
labouré d'ornières qui menait à ses vignes que nous
fûmes témoins d'une rencontre qui me charma.

Deux enfants dont on entendait les voix riantes, une jeune femme dont on voyait seulement la robe d'étoffe légère et l'écharpe rouge, venaient au-devant du chasseur. Les enfants lui faisaient des gestes joyeux et se précipitaient de toute la vitesse de leurs petites jambes; la mère arrivait plus lentement et de la main agitait un des bouts de son écharpe couleur de pourpre. Nous vîmes M. Dominique prendre à son tour chacun de ses enfants dans ses bras. Ce groupe animé de couleurs brillantes demeura un moment arrêté dans le sentier vert, debout au milieu de la campagne tranquille, illuminé des feux du soir et comme enveloppé de toute la placidité du jour qui finissait. Puis la famille au complet reprit le chemin des Trembles, et le dernier rayon qui venait du couchant accompagna jusque chez lui ce ménage heureux.

Le docteur m'apprit alors en quelques mots que M. Dominique de Bray — on l'appelait M. Dominique tout court en vertu d'un usage amical adopté par les familiarités du pays — était un gentilhomme de l'endroit, maire de la commune, et qui devait cette charge de confiance moins encore à son influence personnelle, car il ne l'exerçait que depuis peu d'années, qu'à l'ancienne estime attachée à son nom; qu'il était très-secourable aux malheureux, très-aimé et fort bien vu de tous, quoiqu'il n'eût de ressemblance avec ses administrés que par la blouse, quand il en portait.

« C'est un aimable homme, ajouta le docteur, seulement un peu sauvage, excellent, simple et discret, qui se répand beaucoup en services, peu en paroles. Tout ce que je puis vous dire de lui,

c'est que je lui connais autant d'obligés qu'il y a
d'habitants dans la commune. »

La soirée qui suivit cette journée champêtre fut si
belle et si parfaitement limpide, qu'on aurait pu
se croire encore au milieu de l'été. Je m'en souviens
surtout à cause d'un certain accord d'impressions
qui fixe à la fois les souvenirs, même les moins
frappants, sur tous les points sensibles de la mémoire.
Il y avait de la lune, un clair de lune éblouissant,
et la route crayeuse de Villeneuve, avec ses maisons
blanches, en était éclairée comme en plein midi,
d'un éclat plus doux, mais avec autant de précision.
La grande rue droite qui traverse le village était
déserte. On entendait à peine, en passant devant
les portes, des gens qui soupaient en famille derrière
leurs volets clos. De distance en distance, partout où
les habitants ne dormaient pas, un étroit rayon de
lumière s'échappait par les serrures ou par les
chattières, et jaillissait comme un trait rouge à travers
la blancheur froide de la nuit. Les pressoirs seuls
restaient ouverts pour donner de l'air au plancher
des *treuils*, et d'un bout à l'autre du village une
moiteur de raisins pressés, la chaude exhalaison
des vins qui fermentent, se mêlaient à l'odeur des
poulaillers et des étables. Dans la campagne, il
n'y avait plus de bruit, hormis la voix des coqs
qui se réveillaient de leur premier sommeil, et chantaient pour annoncer que la nuit serait humide.
Des grives que le vent d'est amenait, des oiseaux
de passage qui émigraient du nord au sud, traver-
saient l'air au-dessus du village et s'appelaient
constamment, comme des voyageurs de nuit. Entre
huit et neuf heures, une sorte de rumeur joyeuse

éclata dans le fond de la plaine, et fit aboyer subitement tous les chiens de ferme des environs : c'était la musique aigre et cadencée des cornemuses jouant un air de contredanse.

« On danse chez M. Dominique, me dit le docteur. Bonne occasion pour lui faire visite dès ce soir, si vous le voulez bien, puisque vous lui devez des remercîments. Lorsqu'on danse au *biniou* chez un propriétaire qui fait vendanges, sachez que c'est presque une soirée publique. »

Nous prîmes le chemin des Trembles, et nous nous acheminâmes à travers les vignes, doucement émus par l'influence de cette nuit magnifique. Le docteur, qui la subissait à sa manière, se mit à regarder les rares étoiles que le vif éclat de la lune n'eût pas éclipsées, et se perdit dans des rêveries astronomiques, les seules rêveries qu'un pareil esprit se crût permises.

On dansait devant la grille de la ferme sur une esplanade en forme d'aire, entourée de grands arbres et parmi des herbes mouillées par l'humidité du soir, comme s'il avait plu. La lune illuminait si bien ce bal improvisé, qu'on pouvait se passer d'autres lumières. Il n'y avait guère, en fait de danseurs, que les vendangeurs de la maison, et peut-être un ou deux jeunes gens des environs que le signal de la cornemuse avait attirés. Je ne saurais dire si le musicien qui jouait du biniou s'en acquittait avec talent, mais il en jouait du moins avec une violence telle, il en tirait des sons si longuement prolongés, si perçants, et qui déchiraient avec tant d'aigreur l'air sonore et calme de la nuit, que je ne m'étonnais plus, en l'écoutant,

que le bruit d'un pareil instrument nous fût parvenu
de si loin; à une demi-lieue à la ronde, on pouvait
l'entendre, et les jeunes filles de la plaine devaient,
sans contredit, rêver contredanse dans leur lit. Les
garçons avaient seulement ôté leurs vestes, les
filles avaient changé de coiffes et relevé leurs tabliers
de ratine; mais tous avaient gardé leurs sabots,
disons comme eux leurs *bots*, sans doute pour se
donner plus d'aplomb et pour mieux marquer,
avec ces lourds patins, la mesure de cette lourde
et sautante pantomime appelée la *bourrée*. Pendant
ce temps, dans la cour de la ferme, des servantes
passaient une chandelle à la main, allant et venant
de la cuisine au réfectoire, et quand l'instrument
s'arrêtait pour reprendre haleine, on distinguait
les craquements du treuil où les hommes de corvée
pressaient la vendange.

C'est là que nous trouvâmes M. Dominique, au
milieu de ce laboratoire singulier plein de char-
pentes, de madriers, de cabestans, de roues en
mouvement, qu'on appelle un pressoir. Deux ou
trois lampes dispersées dans ce grand espace,
encombré de volumineuses machines et d'échafau-
dages, l'éclairaient aussi peu que possible On était
en train de couper la *treuillée*, c'est-à-dire qu'on
équarrissait de nouveau la vendange écrasée par
la pression des machines, et qu'on la reconstruisait
en plateau régulier pour en exprimer tout le jus
restant. Le moût, qui ne s'égouttait plus que faiblement, descendait avec un bruit de fontaine épuisée
dans les auges de pierre, et un long tuyau de cuir,
pareil aux tuyaux d'incendie, le prenait aux réser-
voirs et le conduisait dans les profondeurs d'un

cellier où la saveur sucrée des raisins foulés se changeait en odeur de vin, et aux approches duquel la chaleur était très-forte. Tout ruisselait de vin nouveau. Les murs transpiraient humeĉtés de vendanges. Des vapeurs capiteuses formaient un brouillard autour des lampes. M. Dominique était parmi ces vignerons, montés sur les étais du treuil, et les éclairant lui-même avec une lampe de main qui nous le fit découvrir dans ces demi-ténèbres. Il avait gardé sa tenue de chasse, et rien ne l'eût distingué des hommes de peine, si chacun d'eux ne l'eût appelé monsieur notre maître.

« Ne vous excusez pas, dit-il au doĉteur qui lui demandait grâce pour l'heure et le moment choisi de notre visite, sans quoi j'aurais trop moi-même à m'excuser. »

Et je crois bien, tant il fut parfaitement aisé et poli en nous faisant, sa lampe à la main, les honneurs de son pressoir, qu'il n'éprouva d'autre embarras que celui de nous faire asseoir commodément en pareil lieu.

Je n'ai rien à dire de notre entretien, le premier qui m'ait fait écouter un homme avec lequel j'ai beaucoup causé depuis. Je me souviens seulement qu'après avoir parlé vendange, récolte, chasse et campagne, seuls sujets qui nous fussent communs, le nom de Paris se présenta tout à coup comme une inévitable antithèse à toutes les simplicités comme à toutes les ruĉticités de la vie.

« Ah ! c'était le beau temps ! dit le doĉteur, que ce nom de Paris réveillait toujours en sursaut.

— Encore des regrets ! » répondit M. Dominique. Et cela fut dit avec un accent particulier, plus

significatif que les paroles, et qui me donna l'envie
d'en chercher le sens.

Nous sortîmes au moment où les vendangeurs
allaient souper. Il était tard; nous n'avions plus
qu'à regagner Villeneuve. M. Dominique nous fit
parcourir l'allée tournante d'un jardin dont les
limites se confondaient vaguement avec les arbres
du parc, puis une longue terrasse en tonnelle [5]
occupant toute la façade de la maison, et à l'extrémité de laquelle on voyait la mer. En passant devant
une chambre éclairée, dont la fenêtre était ouverte
à l'air tiède de la nuit, j'aperçus la jeune femme à
l'écharpe rouge, assise et brodant près de deux
lits jumeaux. Nous nous séparâmes à la grille. La
lune éclairait en plein la large cour d'honneur, où le
mouvement de la ferme ne parvenait plus. Les chiens,
las d'une journée de chasse, y dormaient devant
leurs niches, la chaîne au cou, étendus à plat sur
le sable. Des oiseaux se remuaient dans des massifs de
lilas, comme si la grande clarté de la nuit leur eût fait
croire à la venue du jour. On n'entendait plus rien
du bal interrompu par le souper; la maison des
Trembles et les environs reposaient déjà dans le
plus grand silence, et cette absence de tout bruit
soulageait du bruit du biniou.

Très-peu de jours après, nous trouvions, en rentrant
au logis, deux cartes de M. Dominique de Bray, qui
s'était présenté dans la journée pour nous faire sa visite, et le lendemain même un billet d'invitation nous
arrivait des Trembles. C'était une prière aimable si-
gnée du mari, mais écrite au nom de Mme de Bray; il
s'agissait d'un dîner de famille offert en voisins, et
qu'on serait heureux de nous voir accepter de même.

Cette nouvelle entrevue, la première, à vrai dire, qui m'ait donné entrée dans la maison des Trembles, n'eut rien non plus de bien mémorable, et je n'en parlerais pas si je n'avais à dire un mot tout de suite de la famille de M. Dominique. Elle se composait des trois personnes dont j'avais déjà vu de loin la silhouette fugitive au milieu des vignes : une petite fille brune qu'on appelait Clémence, un garçon blond, fluet, grandissant trop vite et qui déjà promettait de porter avec plus de distinction que de vigueur le nom moitié féodal et moitié campagnard de Jean de Bray. Quant à leur mère, c'était une femme et une mère dans la plus excellente acception de ces deux mots, ni matrone ni jeune fille, très-jeune d'âge peut-être, avec la maturité et la dignité puisées dans le sentiment bien compris de son double rôle ; de très-beaux yeux dans un visage indécis, beaucoup de douceur, je ne sais quoi d'ombrageux d'abord qui tenait sans doute à l'isolement accoutumé de sa vie, mais avec infiniment de grâce et de manières.

Cette année-là, nos relations n'allèrent pas beaucoup plus loin : une ou deux chasses auxquelles M. de Bray me pria de prendre part, quelques visites reçues ou rendues, et qui me firent mieux connaître les chemins de son village qu'elles ne m'ouvrirent les avenues discrètes de son amitié. Puis novembre arriva, et je quittai Villeneuve sans avoir autrement pénétré dans l'intimité de l'heureux ménage : c'est ainsi que le docteur et moi nous désignions dorénavant les châtelains des Trembles.

II

L'ABSENCE a des effets singuliers. J'en fis l'épreuve pendant cette première année d'éloignement qui me sépara de M. Dominique, sans qu'aucun souvenir direct parût nous rappeler l'un à l'autre. L'absence unit et désunit, elle rapproche aussi bien qu'elle divise, elle fait se souvenir, elle fait oublier; elle relâche certains liens très-solides, elle les tend et les éprouve au point de les briser; il y a des liaisons soi-disant indestructibles dans lesquelles elle fait d'irrémédiables avaries; elle accumule des mondes d'indifférence sur des promesses de souvenirs éternels. Et puis d'un germe imperceptible, d'un lien inaperçu, d'un *adieu, monsieur,* qui ne devait pas avoir de lendemain, elle compose, avec des riens, en les tissant je ne sais comment, une de ces trames vigoureuses sur lesquelles deux amitiés viriles peuvent très-bien se reposer pour le reste de leur vie, car ces attaches-là sont de toute durée. Les chaînes composées de la sorte à notre insu, avec la substance la plus pure et la plus vivace de nos sentiments, par cette mystérieuse ouvrière, sont comme un insaisissable rayon qui va de l'un à l'autre, et ne craignent plus rien, ni des distances ni du temps. Le temps les fortifie, la distance peut les prolonger indéfiniment sans les rompre. Le regret n'est, en pareil cas, que le mouvement un peu rude de ces fils invisibles attachés dans les profondeurs du cœur et de l'esprit, et dont l'extrême tension fait souffrir. Une année se passe. On s'est quitté sans se dire au revoir; on se retrouve, et pendant ce temps l'amitié a fait en nous de tels progrès que toutes les barrières sont tombées, toutes les précautions ont disparu. Ce long intervalle de douze mois, grand espace de vie et d'oubli, n'a pas contenu un seul jour inutile, et ces douze mois de silence vous ont donné tout à coup le besoin mutuel des confidences, avec le droit plus surprenant encore de vous confier.

Il y avait juste un an que j'avais mis le pied dans Villeneuve pour la première fois, quand j'y revins attiré par une lettre du docteur, qui m'écrivait : « On parle de vous dans le voisinage, et l'automne est superbe, venez. » J'arrivai sans me faire attendre, et quand un soir de vendanges, par une journée tiède, par un soleil doux, au milieu des mêmes bruits, je montai sans être annoncé le perron des Trembles, je vis bien que l'union dont je parle était formée, et que l'ingénieuse absence avait agi sans nous et pour nous.

J'étais un hôte attendu qui revenait, qui devait revenir, et qu'un usage ancien avait rendu le familier de la maison. Ne m'y trouvais-je pas moi-même on ne peut plus à l'aise ? Cette intimité qui commençait à peine était-elle ancienne ou nouvelle ? C'était à ne plus le savoir, tant l'intuition des choses m'avait longuement fait vivre avec elles, tant le soupçon que j'avais d'elles ressemblait d'avance à des habitudes. Bientôt les gens de service me con-

nurent; les deux chiens n'aboyèrent plus quand je
parus dans la cour; la petite Clémence et Jean
s'habituèrent vite à me voir, et ne furent pas les
derniers à subir l'effet certain du retour et l'inévitable séduction des faits qui se répètent.

Plus tard on m'appela par mon nom, sans suppri-
mer tout à fait la formule de *monsieur*, mais en la
négligeant fréquemment. Puis il arriva qu'un jour
M. *de Bray* (je disais ordinairement M. de Bray) ne
se trouva plus d'accord avec le ton de nos entretiens, et chacun de nous s'en aperçut à la fois, comme
d'une note qui résonnait faux. En réalité, rien aux
Trembles ne paraissait changé, ni les lieux, ni nous-
mêmes, et nous avions l'air, tant autour de nous
tout se trouvait identique, les choses, l'époque, la
saison et jusqu'aux plus petits incidents de la vie,
de fêter jour par jour l'anniversaire d'une amitié
qui n'avait plus de date.

Les vendanges se firent et s'achevèrent comme les
précédentes, accompagnées des mêmes danses, des
mêmes festins, au son de la même cornemuse maniée
par le même musicien. Puis, la cornemuse remise au
clou, les vignes désertes, les celliers fermés, la maison
rentra dans son calme ordinaire. Il y eut un mois
pendant lequel les bras se reposèrent un peu et les
champs chômèrent. Ce fut ce mois de répit et comme
de vacances rurales qui s'écoule d'octobre à novembre entre la dernière récolte et les semailles. Il
résume à peu près les derniers beaux jours. Il conduit,
comme une défaillance aimable de la saison, des
chaleurs tardives aux premiers froids. Puis un matin
les charrues sortirent; mais rien ne ressemblait
moins aux bruyantes bacchanales des vendanges

que le morne et silencieux monologue du bouvier conduisant ses bœufs de labour, et ce grand geste sempiternel du semeur semant son grain dans des lieues de sillons.

La propriété des Trembles était un beau domaine, d'où Dominique tirait une bonne partie de sa fortune, et qui le faisait riche. Il l'exploitait lui-même, aidé de Mme de Bray, qui, disait-il, possédait tout l'esprit de chiffres et d'administration qui lui manquait. Pour auxiliaire secondaire, avec moins d'importance et presque autant d'action, dans ce mécanisme compliqué d'une exploitation agricole, il avait un vieux serviteur hors rang dans le nombre de ses domestiques, qui remplissait en fait les fonctions de régisseur ou d'intendant des fermes. Ce serviteur, dont le nom reviendra plus tard dans ce récit, s'appelait André[6]. En qualité d'enfant du pays et je crois bien d'enfant de la maison, il avait, vis-à-vis de son maître, autant de privautés que de tendresse. « Monsieur notre maître », disait-il toujours, soit qu'il parlât de lui ou qu'il lui parlât, et le maître à son tour le tutoyait par une habitude qu'il avait gardée de sa jeunesse et qui perpétuait des traditions domestiques assez touchantes entre le jeune chef de famille et le vieux André. André était donc, après le maître et la maîtresse du logis, le principal personnage des Trembles et le mieux écouté. Le reste du personnel, assez nombreux, se distribuait dans les multiples recoins de la maison et de la ferme. Le plus souvent tout paraissait vide, excepté la basse-cour, où remuaient tout le jour durant des troupeaux de poules, le grand jardin où les filles de la ferme ramassaient des faix d'herbes, et la terrasse exposée au midi, où, quand il faisait beau, Mme de Bray et ses enfants se tenaient dans l'ombre, chaque matin plus rare, des treilles, dont les pampres tombaient. Quelquefois des journées entières se passaient sans qu'on entendît quoi que ce fût qui rappelât la vie dans cette maison où tant de gens vivaient cependant dans l'activité des soins ou du travail.

La mairie n'était point aux Trembles, quoique depuis deux ou trois générations les de Bray eussent toujours été, comme par un droit acquis, maires de la commune. Les archives étaient déposées à Villeneuve. Une maison de paysan des plus rustiques servait à la fois d'école primaire et de maison communale. Dominique s'y rendait deux fois par mois pour présider le conseil et de loin en loin pour les mariages. Ce jour-là, il partait avec son écharpe dans sa poche, et la ceignait en entrant dans la salle des séances. Il accompagnait volontiers les formalités légales d'une petite allocution qui produisait d'excellents effets. Il me fut donné de l'entendre à l'époque dont je parle, deux fois de suite dans la même semaine. Les vendanges amènent infailliblement les mariages; c'est, avec les veillées de carême, la saison de l'année qui rend les garçons entreprenants, attendrit le cœur des filles et fait le plus d'amoureux.

Quant aux distributions de bienfaisance, c'était Mme de Bray qui en avait tout le soin. Elle tenait les clefs de la pharmacie, du linge, du gros bois, des sarments; les bons de pain, signés du maire, étaient écrits de sa main. Et si elle ajoutait du sien aux libéralités officielles de la commune, personne

n'en savait rien; et les pauvres en recueillaient
les bénéfices sans jamais apercevoir la main qui
donnait. De vrais pauvres d'ailleurs, grâce à un
pareil voisinage, il n'y en avait que très-peu dans
la commune. Les ressources de la mer voisine qui
venaient en aide à la charité publique, les levées
de marais et quelques prairies banales où les plus
gênés menaient pacager leurs vaches, un climat
très-doux qui rendait les hivers supportables, tout
cela faisait que les années passaient sans trop de
détresse, et que personne ne se plaignait du sort qui
l'avait fait naître à Villeneuve.

Telle était à peu près la part que Dominique
prenait à la vie publique de son pays : administrer
une très-petite commune perdue loin de tout grand
centre, enfermée de marais, acculée contre la mer
qui rongeait ses côtes et lui dévorait chaque année
quelques pouces de territoire; veiller aux routes,
aux dessèchements; tenir les levées en état; penser
aux intérêts de beaucoup de gens dont il était au
besoin l'arbitre, le conseil et le juge; empêcher les
procès et les discordes aussi bien que les disputes;
prévenir les délits; soigner de ses mains, aider de
sa bourse; donner de bons exemples d'agriculture;
tenter des essais ruineux pour encourager les
petites gens à en faire d'utiles; expérimenter à tout
risque, avec sa terre et ses capitaux, comme un
médecin essaye des médicaments sur sa santé, et
tout cela le plus simplement du monde, non pas
même comme une servitude, mais comme un devoir
de position, de fortune et de naissance.

Il s'éloignait aussi peu que possible du cercle
étroit de cette existence active et cachée qui ne

mesurait pas une lieue de rayon. Aux Trembles, il recevait peu, sinon quelques voisins de campagne, venus pour chasser des extrêmes limites du département, et le docteur et le curé de Villeneuve, pour lesquels il y avait le dîner régulier des dimanches.

Quand il avait, dès son lever, expédié les affaires de la commune, s'il lui restait une heure ou deux pour s'occuper de ses propres affaires, il donnait un coup d'œil à ses charrues, distribuait le blé des semailles, faisait livrer le fourrage, ou bien il montait à cheval, lorsqu'une nécessité de surveillance l'appelait un peu plus loin. A onze heures, la cloche des Trembles annonçait le déjeuner : c'était le premier moment de la journée qui réunît la famille au complet et mît les deux enfants sous les yeux de leur père. L'un et l'autre apprenaient à lire, modeste début surtout pour un garçon dont Dominique avait, je crois, l'ambition de faire la réussite de sa propre vie manquée.

L'année se trouvait giboyeuse, et nous passions la plupart de nos après-midi à la chasse, ou bien nous faisions dans ces campagnes nues une promenade rapide, sans autre but le plus souvent que de côtoyer la mer. Je remarquais que ces longues chevauchées coupées de silences, dans un pays qui ne prêtait nullement au rire, le rendaient plus sérieux que de coutume. Nous allions au pas, côte à côte, et souvent il oubliait que j'étais là pour suivre dans une sorte de demi-sommeil un peu vague la monotone allure de son cheval ou son piétinement sur les galets roulants du rivage. Des gens de Villeneuve ou d'ailleurs croisaient

notre route et le saluaient. Tantôt c'était M. le
maire et tantôt M. Dominique. La formule variait
avec le domicile des gens, le plus ou moins de
rapports avec le château, ou d'après le degré de
servage.

« Bonjour, monsieur Dominique », lui criait-on à
travers champs. C'étaient des laboureurs, gens de
main-d'œuvre, pliés en deux sur le dos de leurs
sillons. Ils relevaient tant bien que mal leurs reins
faussés, et découvraient de grands fronts frisés de
cheveux courts, bizarrement blancs, dans un visage
embrasé de soleil. Quelquefois un mot dont le
sens n'était nullement défini pour moi, un souvenir
d'un autre temps, rappelé par un de ceux qui l'avaient
vu naître, et qui lui disaient à tout propos : « Vous
souvenez-vous ? » quelquefois, dis-je, un mot suffisait pour le faire changer de visage et le jeter dans
un silence embarrassant.

Il y avait un vieux gardeur de moutons, très-
brave homme, qui tous les jours, à la même heure,
menait ses bêtes brouter les herbes salées de la
falaise. On l'apercevait, quelque temps qu'il fît,
debout comme une sentinelle à deux pieds du bord
escarpé : son chapeau de feutre attaché sous les
oreilles, les pieds dans ses gros sabots remplis de
paille, le dos abrité sous une limousine de feutre
grisâtre. « Quand on pense, m'avait dit Dominique,
qu'il y a trente-cinq ans que je le connais et que je
le vois là ! » Il était grand causeur, comme un
homme qui n'a que de rares occasions de se dédom-
mager du silence, et qui en profite. Presque toujours
il se mettait devant nos chevaux, leur barrait le
passage et très-ingénument nous obligeait à l'écou-

ter. Il avait lui aussi, mais plus que tous les autres,
la manie des *vous souvenez-vous ?* comme si les souvenirs de sa longue vie de gardeur de moutons ne
formaient qu'un chapelet de bonheurs sans mélange.
Ce n'était pas, je l'avais remarqué dès le premier
jour, la rencontre qui plaisait le plus à Dominique.
La répétition de cette même image, à la même
place, le renouvellement des choses mortes, inutiles,
oubliées, venant tous les jours pour ainsi dire à
la même heure se poser indiscrètement devant
lui, tout cela le gênait évidemment comme une
importunité réelle dans ses promenades. Aussi,
quoique excellent pour tous ceux qui l'aimaient,
et le vieux berger l'aimait beaucoup, Dominique
le traitait un peu comme un vieux corbeau bavard.
« C'est bon, c'est bon, père Jacques, lui disait-il,
à demain », et il tâchait de passer outre; mais l'obstination stupide du père Jacques était telle, qu'il
fallait, coûte que coûte, prendre son mal en patience
et laisser souffler les chevaux pendant que le vieux
berger causait.

Un jour, Jacques avait, comme de coutume,
enjambé le talus de la falaise du plus loin qu'il
nous avait aperçus, et, planté comme une borne
sur l'étroit sentier, il nous avait arrêtés court. Il
était plus que jamais en humeur de parler du temps
qui n'est plus, de rappeler des dates : la saveur du
passé lui montait ce jour-là au cerveau comme une
ivresse.

« Salut bien, monsieur Dominique, salut bien,
messieurs, nous dit-il en nous montrant toutes les
rides de son visage dévasté épanouies par la satisfaction de vivre. Voilà du beau temps, comme on

n'en voit pas souvent, comme on n'en a pas vu peut-être depuis vingt ans. Vous souvenez-vous, monsieur Dominique, il y a vingt ans ?... Ah! quelles vendanges, quelle chaleur pour ramasser,... et que le raisin *moûtait* comme une éponge et qu'il était doux comme du sucre, et qu'on ne suffisait pas à cueillir tout ce que le sarment portait !... »

Dominique écoutait impatiemment, et son cheval se tourmentait sous lui comme s'il eût été piqué par les mouches.

« C'était l'année où il y avait tout ce monde au château, vous savez... Ah! comme... »

Mais un écart du cheval de Dominique coupa la phrase et laissa le père Jacques tout ébahi. Dominique cette fois avait passé quand même. Il partait au galop et cinglait son cheval avec sa cravache, comme pour le corriger d'un vice subit ou le punir d'avoir eu peur. Pendant le reste de la promenade, il fut distrait, et garda le plus longtemps possible une allure rapide.

Dominique avait assez peu de goût pour la mer : il avait grandi, disait-il, au milieu de ses gémissements, et s'en souvenait avec déplaisir, comme d'une complainte amère; c'était faute d'autres promenades plus riantes que nous avions adopté celle-ci. D'ailleurs, vu de la côte élevée que nous suivions, ce double horizon plat de la campagne et des flots devenait d'une grandeur saisissante à force d'être vide. Et puis, dans ce contraste du mouvement des vagues et de l'immobilité de la plaine, dans cette alternative de bateaux qui passent et de maisons qui demeurent, de la vie aventureuse et de la vie fixée, il y avait une intime analogie

dont il devait être frappé plus que tout autre, et
qu'il savourait secrètement, avec l'âcre jouissance
propre aux voluptés d'esprit qui font souffrir. Le
soir approchant, nous revenions au petit pas, par
des chemins pierreux enclavés entre des champs
fraîchement remués dont la terre était brune. Des
alouettes d'automne se levaient à fleur de sol et
fuyaient avec un dernier frisson de jour sur leurs
ailes. Nous atteignions ainsi les vignes, l'air salé
des côtes nous quittait. Une moiteur plus molle
et plus tiède s'élevait du fond de la plaine. Bientôt
après nous entrions dans l'ombre bleue des grands
arbres, et le plus souvent le jour était fini quand
nous mettions pied à terre au perron des Trembles.

  La soirée nous réunissait de nouveau, en famille,
dans un grand salon garni de meubles anciens, où
l'heure monotone était marquée par une longue
horloge, au timbre éclatant, dont la sonnerie retentissait jusque dans les chambres hautes. Il était
impossible de se soustraire à ce bruit, qui nous
réveillait la nuit, en plein sommeil, non plus qu'à la
mesure battue bruyamment par le balancier, et
quelquefois nous nous surprenions, Dominique et
moi, écoutant sans mot dire ce murmure sévère
qui, de seconde en seconde, nous entraînait d'un
jour dans un autre. Nous assistions au coucher des
enfants, dont la toilette de nuit se faisait, par indulgence, au salon, et que leur mère emportait tout
enveloppés de blanc, les bras morts de sommeil
et les yeux clos. Vers dix heures, on se séparait.
Je rentrais alors à Villeneuve, ou bien plus tard,
quand les soirées devinrent pluvieuses, les nuits
plus sombres, les chemins moins faciles, quelque-

fois on me gardait aux Trembles pour la nuit.
J'avais ma chambre au second étage, à l'angle du
pavillon touchant à la tourelle. Dominique l'avait
occupée autrefois pendant une grande partie de
sa jeunesse. De la fenêtre on découvrait toute la
plaine, tout Villeneuve et jusqu'à la haute mer, et
j'entendais en m'endormant le bruit du vent dans
les arbres et ce ronflement de la mer dont l'enfance
de Dominique avait été bercée. Le lendemain, tout
recommençait comme la veille, avec la même plénitude de vie, la même exactitude dans les loisirs et
dans le travail. Les seuls accidents domestiques
dont j'eusse encore été témoin, c'étaient, pour ainsi
dire, des accidents de saison qui troublaient la
symétrie des habitudes, comme par exemple un
jour de pluie venant quand on avait pris quelques
dispositions en vue du beau temps.

Ces jours-là, Dominique montait à son cabinet.
Je demande pardon au lecteur de ces menus détails,
et de ceux qui vont suivre; mais ils feront pénétrer
peu à peu, et par les voies indirectes qui m'y condui-
sirent moi-même, de la vie banale du gentilhomme
fermier dans la conscience même de l'homme, et
peut-être y trouvera-t-on des particularités moins
vulgaires. Ces jours-là, dis-je, Dominique montait
à son cabinet, c'est-à-dire qu'il revenait de vingt-
cinq ou trente ans en arrière, et cohabitait pour
quelques heures avec son passé[7]. Il y avait là
quelques miniatures de famille, un portrait de lui,
jeune visage au teint rosé, tout papilloté de boucles
brunes, qui n'avait plus un trait reconnaissable,
quelques cartons étiquetés parmi des monceaux
de papiers, et une double bibliothèque, l'une

ancienne, l'autre entièrement moderne, et qui mani-
festait par un certain choix de livres les prédilections qu'il appliquait en fait dans sa vie. Un petit
meuble enseveli dans la poussière contenait uniquement ses livres de collège, livres d'études et
livres de prix. Joignez encore un vieux bureau
criblé d'encre et de coups de canif, une fort belle
mappemonde datant d'un demi-siècle, et sur laquelle
étaient tracés à la main de chimériques itinéraires
à travers toutes les parties du monde. Outre ces
témoignages de sa vie d'écolier, respectés et conservés, je le crois, avec attachement par l'homme
qui se sentait vieillir, il y avait d'autres attesta-
tions de lui-même, de ce qu'il avait été, de ce qu'il
avait pensé, et que je dois faire connaître, quoique
le caractère en fût bizarre autant que puéril. Je
veux parler de ce qu'on voyait sur les murs, sur
les boiseries, sur les vitres, et des innombrables
confidences qu'on pouvait y lire.

On y lisait surtout des dates, des noms de jours
avec la mention précise du mois et de l'année.
Quelquefois la même indication se reproduisait
en série avec des dates successives quant à l'année,
comme si, plusieurs années de suite, il se fût astreint,
jour par jour, peut-être heure par heure, à constater je ne sais quoi d'identique, soit sa présence
physique au même lieu, soit plutôt la présence de
sa pensée sur le même objet. Sa signature était
ce qu'il y avait de plus rare; mais, pour demeurer
anonyme, la personnalité qui présidait à ces sortes
d'inscriptions chiffrées n'en était pas moins évidente. Ailleurs il y avait seulement une figure
géométrique élémentaire. Au-dessous, la même

figure était reproduite, mais avec un ou deux traits
de plus qui en modifiaient le sens sans en changer
le principe, et la figure arrivait ainsi, et en se répétant avec des modifications nouvelles, à des significations singulières qui impliquaient le triangle ou
le cercle originel, mais avec des résultats tout différents. Au milieu de ces allégories dont le sens n'était
pas impossible à deviner, il y avait certaines maximes
courtes et beaucoup de vers, tous à peu près contemporains de ce travail de réflexion sur l'identité
humaine dans le progrès. La plupart étaient écrits
au crayon, soit que le poète eût craint, soit qu'il
eût dédaigné de leur donner trop de permanence
en les gravant à perpétuité dans la muraille. Des
chiffres enlacés, mais très-rares, où une même
majuscule se nouait avec un D, accompagnaient
presque toujours quelques vers d'une acception
mieux définie, souvenirs d'une époque évidemment
plus récente. Puis tout à coup, et comme un retour
vers un mysticisme plus douloureux ou plus hautain,
il avait écrit — sans doute par une rencontre fortuite
avec le poète Longfellow — *Excelsior ! Excelsior !
Excelsior !* répétés avec un nombre indéfini de points
d'exclamation. Puis, à dater d'une époque qu'on
pouvait calculer approximativement par un rapprochement facile avec son mariage, il devenait évident
que, soit par indifférence, soit plutôt résolument,
il avait pris le parti de ne plus écrire. Jugeait-
il que la dernière évolution de son existence était
accomplie ? Ou pensait-il avec raison qu'il n'avait
plus rien à craindre désormais pour cette identité
de lui-même qu'il avait pris jusque-là tant de soin
d'établir ? Une seule et dernière date très-apparente

existait à la suite de toutes les autres, et s'accordait exactement avec l'âge du premier enfant qui lui était né : son fils Jean.

Une grande concentration d'esprit, une active et intense observation de lui-même, l'instinct de s'élever plus haut, toujours plus haut, et de se dominer en ne se perdant jamais de vue, les transformations entraînantes de la vie avec la volonté de se reconnaître à chaque nouvelle phase, la nature qui se fait entendre, des sentiments qui naissent et attendrissent ce jeune cœur égoïstement nourri de sa propre substance, ce nom qui se double d'un autre nom et des vers qui s'échappent comme une fleur de printemps fleurit, des élans forcenés vers les hauts sommets de l'idéal, enfin la paix qui se fait dans ce cœur orageux, ambitieux peut-être, et certainement martyrisé de chimères ; voilà, si je ne me trompe, ce qu'on pouvait lire dans ce registre muet, plus significatif dans sa mnémotechnie confuse que beaucoup de mémoires écrits. L'âme de trente années d'existence palpitait encore émue dans cette chambre étroite, et quand Dominique était là, devant moi, penché vers la fenêtre, un peu distrait et peut-être encore poursuivi par un certain écho des rumeurs anciennes, c'était une question de savoir s'il venait là pour évoquer ce qu'il appelait l'ombre de lui-même ou pour l'oublier.

Un jour il prit un paquet de plusieurs volumes déposés dans un coin obscur de sa bibliothèque ; il me fit asseoir, ouvrit un des volumes, et sans autre préambule se mit à lire à demi-voix. C'étaient des vers sur des sujets trop épuisés [8] depuis de longues années, de vie champêtre, de sentiments blessés ou de passions triſtes. Les vers étaient bons, d'un mécanisme ingénieux, libre, imprévu, mais peu lyriques en somme, quoique les intentions du livre le fussent beaucoup. Les sentiments étaient fins, mais ordinaires, les idées débiles. Cela ressemblait, moins la forme, qui, je le répète, à cause de qualités rares, formait un désaccord assez frappant avec la faiblesse inconteſtable du fond, cela ressemblait, dis-je, à tout essai de jeune homme qui s'épanouit sous forme de vers, et qui se croit poète parce qu'une certaine musique intérieure le met sur la voie des cadences et l'invite à parler en mots rimés. Telle était du moins mon opinion, et, sans avoir à ménager l'auteur, dont j'ignorais le nom, je la fis connaître à Dominique aussi crûment que je l'écris.

« Voilà le poète jugé, dit-il, et bien jugé, ni plus ni moins que par lui-même. Auriez-vous eu la même franchise, ajouta-t-il, si vous aviez su que ces vers sont de moi ?

— Absolument, lui répondis-je, un peu déconcerté.

— Tant mieux, reprit Dominique, cela me prouve qu'en bien comme en mal vous m'eſtimez ce que je vaux. Il y a là deux volumes de pareille force. Ils sont de moi. J'aurais le droit de les désavouer, puisqu'ils ne portent point de nom; mais ce n'eſt pas à vous que je tairai des faiblesses, tôt ou tard il faudra que vous les sachiez toutes. Je dois peut-être à ces essais manqués, comme beaucoup d'autres, un soulagement et des leçons utiles. En me démontrant que je n'étais rien, tout ce que j'ai fait m'a donné la mesure de ceux qui sont

quelque chose. Ce que je dis là n'est qu'à demi
modeste; mais vous me pardonnerez de ne plus
distinguer la modestie de l'orgueil, quand vous
saurez à quel point il m'est permis de les confondre. »

Il y avait deux hommes en Dominique, cela
n'était pas difficile à deviner. « Tout homme porte
en lui un ou plusieurs morts », m'avait dit senten-
cieusement le docteur, qui soupçonnait aussi des
renoncements dans la vie du campagnard des
Trembles. Mais celui qui n'existait plus avait-il du
moins donné signe de vie ? Dans quelle mesure ?
à quelle époque ? N'avait-il jamais trahi son inco-
gnito que par deux livres anonymes et ignorés ?

Je pris ceux des volumes que Dominique n'avait
point ouverts : cette fois le titre m'en était connu.
L'auteur, dont le nom estimé n'avait pas eu le temps
de pénétrer bien avant dans la mémoire des gens qui
lisent, occupait avec honneur un des rangs moyens
de la littérature politique d'il y a quinze ou vingt
ans. Aucune publication plus récente ne m'avait
appris qu'il vécût ou écrivît encore. Il était du
petit nombre de ces écrivains discrets qu'on ne
connaît jamais que par le titre de leurs ouvrages,
dont le nom entre dans la renommée sans que leur
personne sorte de l'ombre, et qui peuvent parfaitement disparaître ou se retirer du monde sans que
le monde, qui ne communique avec eux que par
leurs écrits, sache ce qu'il est arrivé d'eux.

Je répétai le titre des volumes et le nom de
l'auteur, et je regardai Dominique, qui se mit à
sourire en comprenant que je le devinais.

« Surtout, me dit-il, ne flattez pas le publiciste
pour consoler la vanité du poète. La plus réelle

différence peut-être qu'il y ait entre les deux, c'est
que la publicité s'est occupée du premier, tandis
qu'elle n'a pas fait le même honneur au second.
Elle a eu raison de se taire avec celui-ci; n'a-t-elle
pas eu tort de si bien accueillir l'autre ? J'avais
plusieurs motifs, continua-t-il, pour changer de
nom comme j'en avais eu de graves d'abord pour
garder tout à fait l'anonyme, des raisons diverses
et qui toutes ne tenaient pas seulement à des considérations de prudence littéraire et de modestie
bien entendue. Vous voyez que j'ai bien fait, puisque
nul ne sait aujourd'hui que celui qui signait mes
livres a fini platement par se faire maire de sa
commune et vigneron.

— Et vous n'écrivez plus ? lui demandai-je.

— Oh! pour cela, non, c'est fini! D'ailleurs,
depuis que je n'ai plus rien à faire, je puis dire que
je n'ai plus le temps de rien. Quant à mon fils,
voici quelles sont mes idées sur lui. Si j'avais été
ce que je ne suis pas, j'estimerais que la famille des
de Bray a assez produit, que sa tâche est faite, et que
mon fils n'a plus qu'à se reposer; mais la Providence
en a décidé autrement, les rôles sont changés.
Est-ce tant mieux ou tant pis pour lui ? Je lui
laisse l'ébauche d'une vie inachevée, qu'il accomplira,
si je ne me trompe. Rien ne finit, reprit-il, tout se
transmet, même les ambitions. »

Une fois descendu de cette chambre dangereuse,
hantée de fantômes, où je sentais que les tentations
devaient l'assiéger en foule, Dominique redevenait
le campagnard ordinaire des Trembles. Il adressait
un mot tendre à sa femme et à ses enfants, prenait
son fusil, sifflait ses chiens, et, si le ciel s'embellissait,

nous allions achever la journée dans la campagne
trempée d'eau.

Cette existence intime dura jusqu'en novembre,
facile, familière, sans grands épanchements, mais
avec l'abandon sobre et confiant que Dominique
savait mettre en toutes choses où sa vie intérieure
n'était pas mêlée. Il aimait la campagne en enfant
et ne s'en cachait pas; mais il en parlait en homme
qui l'habite, jamais en littérateur qui l'a chantée.
Il y avait certains mots qui ne sortaient jamais de
sa bouche, parce que, plus qu'aucun autre homme
que j'aie connu, il avait la pudeur de certaines
idées, et l'aveu des sentiments dits poétiques était
un supplice au-dessus de ses forces. Il avait donc
pour la campagne une passion si vraie, quoique
contenue dans la forme, qu'il demeurait à ce sujet-là
plein d'illusions volontaires, et qu'il pardonnait
beaucoup aux paysans, même en les trouvant pétris
d'ignorance et de défauts, quand ce n'est pas de
vices. Il vivait avec eux dans de continuels contacts, quoiqu'il ne partageât, bien entendu, ni leurs
mœurs, ni leurs goûts, ni aucun de leurs préjugés.
La simplicité extrême de sa mise, celle de ses manières
et de toute sa vie auraient au besoin servi d'excuses
à des supériorités que personne au surplus ne
soupçonnait. Tous à Villeneuve l'avaient vu naître,
grandir, puis, après quelques années d'absence,
revenir au pays et s'y fixer. Il y avait des vieillards
pour lesquels, à quarante-cinq ans tout à l'heure,
il était encore le petit Dominique, et parmi ceux
qui passaient près des Trembles et reconnaissaient
au second étage, à droite, la chambre qui avait été
la sienne, nul assurément ne s'était jamais douté

du monde d'idées et de sentiments qui la séparait d'eux.

J'ai parlé des visites que Dominique recevait aux Trembles, et je dois y revenir à cause d'un événement dont je fus en quelque sorte témoin et qui le frappa profondément.

Au nombre des amis qui se réunirent aux Trembles cette année-là et selon l'usage, pour fêter la Saint-Hubert, se trouvait un de ses plus anciens camarades, fort riche, et qui vivait retiré, disait-on, sans famille, dans un château éloigné d'une douzaine de lieues. On l'appelait d'Orsel [9]. Il était du même âge que Dominique, quoique sa chevelure blonde et son visage presque sans barbe lui donnassent par moments des airs de jeunesse qui pouvaient faire croire à quelques années de moins. C'était un garçon de bonne tournure, très-soigné de tenue, de formes séduisantes et polies, avec je ne sais quel dandysme invétéré dans les gestes, les paroles et l'accent, qui, au milieu d'un certain monde un peu blasé, n'eût pas manqué d'un attrait réel. Il y avait en lui beaucoup de lassitude, ou beaucoup d'indifférence, ou beaucoup d'apprêt. Il aimait la chasse, les chevaux. Après avoir adoré les voyages, il ne voyageait plus. Parisien d'adoption, presque de naissance, un beau jour on avait appris qu'il quittait Paris, et, sans qu'on pût déterminer le vrai motif d'une pareille retraite, il était venu s'ensevelir, au fond de ses marais d'Orsel, dans la plus inconcevable solitude. Il y vivait bizarrement, comme en un lieu de refuge et d'oubli, se montrant peu, ne recevant pas du tout, et dans les obscurités de je ne sais quel parti pris morose qui ne s'expliquait que par

un acte de désespoir de la part d'un homme jeune,
riche, à qui l'on pouvait supposer sinon de grandes
passions, du moins des ardeurs de plus d'un genre.
Très-peu lettré, quoiqu'il eût passablement appris
par ouï-dire, il témoignait un certain mépris hautain
pour les livres et beaucoup de pitié pour ceux qui
se donnaient la peine de les écrire. A quoi bon ?
disait-il; l'existence était trop courte et ne méritait
pas qu'on en prît tant de souci. Et il soutenait alors,
avec plus d'esprit que de logique, la thèse banale
des découragés, quoiqu'il n'eût jamais rien fait
qui lui donnât le droit de se dire un des leurs. Ce
qu'il y avait de plus sensible dans ce caractère un
peu effacé comme sous des poussières de solitude,
et dont les traits originaux commençaient à sentir
l'usure, c'était comme une passion à la fois mal
satisfaite et mal éteinte pour le grand luxe, les
grandes jouissances et les vanités artificielles de
la vie. Et l'espèce d'hypocondrie froide et élégante
qui perçait dans toute sa personne prouvait que
si quelque chose survivait au découragement de
beaucoup d'ambitions si vulgaires, c'était à la
fois le dégoût de lui-même avec l'amour excessif
du bien-être. Aux Trembles, il était toujours le
bienvenu, et Dominique lui pardonnait la plupart
de ses bizarreries en faveur d'une ancienne amitié
dans laquelle d'Orsel mettait au surplus tout ce
qu'il avait de cœur.

Pendant les quelques jours qu'il passa aux
Trembles, il se montra ce qu'il savait être dans
le monde, c'est-à-dire un compagnon aimable,
beau chasseur, bon convive, et, sauf un ou deux
écarts de sa réserve ordinaire, rien à peu près ne

parut de tout ce que contenait l'homme ennuyé.

Mme de Bray avait entrepris de le marier, entreprise chimérique, car rien n'était plus difficile que de l'amener à discuter raisonnablement des idées pareilles. Sa réponse ordinaire était qu'il avait passé l'âge où l'on se marie par entraînement, et que le mariage, comme tous les actes capitaux ou dangereux de la vie, demandait un grand élan d'enthousiasme.

« C'est un jeu, le plus aléatoire de tous, disait-il, qui n'est excusable que par la valeur, le nombre, l'ardeur et la sincérité des illusions qu'on y engage, et qui ne devient amusant que lorsque de part et d'autre on y joue gros jeu. »

Et comme on s'étonnait de le voir s'enfermer à Orsel, dans une inaction dont ses amis s'affligeaient, à cette observation, qui n'était pas nouvelle, il répondit :

« Chacun fait selon ses forces. »

Quelqu'un dit :

« C'est de la sagesse.

— Peut-être, reprit Orsel. En tout cas, personne ne peut dire que ce soit une folie de vivre paisiblement sur ses terres et de s'en trouver bien.

— Cela dépend, dit Mme de Bray.

— Et de quoi, je vous prie, madame ?

— De l'opinion qu'on a sur les mérites de la solitude, et d'abord du plus ou moins de cas qu'on fait de la famille, ajouta-t-elle en regardant involontairement ses deux enfants et son mari.

— Vous saurez, interrompit Dominique, que ma femme considère une certaine habitude sociale, souvent discutée d'ailleurs, et par de très-bons

esprits, comme un cas de conscience et comme un
acte obligatoire. Elle prétend qu'un homme n'est
pas libre, et qu'il est coupable de se refuser à faire
le bonheur de quelqu'un quand il le peut.

— Alors vous ne vous marierez jamais ? reprit
encore Mme de Bray.

— C'est probable, dit d'Orsel sur un ton beaucoup plus sérieux. Il y a tant de choses que j'aurais
dû faire avec moins de dangers pour d'autres et
d'appréhensions pour moi-même et que je n'ai pas
faites ! Risquer sa vie n'est rien, engager sa liberté,
c'est déjà plus grave; mais épouser la liberté et le
bonheur d'une autre !... Il y a quelques années que
je réfléchis là-dessus, et la conclusion, c'est que je
m'abstiendrai. »

Le soir même de cette conversation, qui mettait
en relief une partie des sophismes et des impuissances
de M. d'Orsel, celui-ci quitta les Trembles. Il partit
à cheval, suivi de son domestique. La nuit était
claire et froide.

« Pauvre Olivier ! » dit Dominique en le voyant
s'éloigner au galop de chasse dans la direction
d'Orsel [10].

Quelques jours plus tard, un exprès, accouru
d'Orsel à toute bride, remit à Dominique une
lettre cachetée de noir dont la lecture le bouleversa,
lui, si parfaitement maître de ses émotions.

Olivier venait d'éprouver un grave accident. De
quelle nature ? Ou le billet tristement scellé ne le
disait pas, ou Dominique avait un motif particulier
pour ne l'expliquer qu'à demi. A l'instant même il
fit atteler sa voiture, envoya prévenir le docteur en
le priant de se tenir prêt à l'accompagner; et, moins

d'une heure après l'arrivée de la mystérieuse dépêche, le docteur et M. de Bray prenaient en grande hâte la route d'Orsel.

Ils ne revinrent qu'au bout de plusieurs jours, vers le milieu de novembre, et leur retour eut lieu pendant la nuit. Le docteur, qui le premier me donna des nouvelles de son malade, fut impénétrable, comme il convient aux hommes de sa profession. J'appris seulement que les jours d'Olivier n'étaient plus en danger, qu'il avait quitté le pays, que sa convalescence serait longue et l'obligerait probablement à un séjour prolongé dans un climat chaud. Le docteur ajoutait que cet accident aurait au surplus pour résultat d'arracher cet incorrigible solitaire à l'affreux isolement de son château, de le faire changer d'air, de résidence et peut-être d'habitudes.

Je trouvai Dominique fort abattu, et la plus vive expression de chagrin se peignit sur son visage au moment où je me permis de lui adresser quelques questions de sincère intérêt sur la santé de son ami.

« Je crois inutile de vous tromper, me dit-il. Tôt ou tard la vérité se fera jour sur une catastrophe trop facile à prévoir et malheureusement impossible à conjurer. »

Et il me remit la lettre même d'Olivier.

« Orsel, novembre 18...

« Mon cher Dominique,

« C'est bien véritablement un mort qui t'écrit. Ma vie ne servait à personne, on me l'a trop répété, et ne pouvait plus qu'humilier tous ceux qui m'aiment. Il était temps de l'achever moi-même.

Cette idée, qui ne date pas d'hier, m'est revenue l'autre soir en te quittant. Je l'ai mûrie pendant la route. Je l'ai trouvée raisonnable, sans aucun inconvénient pour personne, et mon entrée chez moi, la nuit, dans un pays que tu connais, n'était pas une distraction de nature à me faire changer d'avis. J'ai manqué d'adresse, et n'ai réussi qu'à me défigurer. N'importe, j'ai tué *Olivier*. Le peu qui reste de lui attendra son heure. Je quitte Orsel et n'y reviendrai plus. Je n'oublierai pas que tu as été, je ne dirai pas mon meilleur ami, je dis mon seul ami. Tu es l'excuse de ma vie. Tu témoigneras pour elle. Adieu, sois heureux, et si tu parles de moi à ton fils, que ce soit pour qu'il ne me ressemble pas.

OLIVIER. »

Vers midi, la pluie se mit à tomber. Dominique se retira dans son cabinet, où je le suivis. Cette demi-mort d'un compagnon de jeunesse, du seul ami de vieille date que je lui connusse, avait amèrement ravivé certains souvenirs qui n'attendaient qu'une circonstance décisive pour se répandre. Je ne lui demandai point ses confidences; il me les offrit. Et comme s'il n'eût fait que traduire en paroles les mémoires chiffrés que j'avais sous les yeux, il me raconta sans déguisements, mais non sans émotion, l'histoire suivante.

III

Ce que j'ai à vous dire de moi est fort peu de
chose, et cela pourrait tenir en quelques mots :
un campagnard qui s'éloigne un moment de son
village, un écrivain mécontent de lui qui renonce
à la manie d'écrire, et le pignon de sa maison natale
figurant au début comme à la fin de son histoire.
Le plat résumé que voici, le dénouement bourgeois
que vous lui connaissez, c'est encore ce que cette
histoire contiendra de meilleur comme moralité,
et peut-être de plus romanesque comme aventure.
Le reste n'est instructif pour personne, et ne saurait
émouvoir que mes souvenirs. Je n'en fais pas
mystère, croyez-le bien; mais j'en parle le moins
possible, et cela pour des raisons particulières qui
n'ont rien de commun avec l'envie de me rendre
plus intéressant que je ne le suis.

Des quelques personnes qui se trouvent mêlées
à ce récit, et dont je vous entretiendrai presque
autant que de moi-même, l'un est un ami ancien,
difficile à définir, plus difficile encore à juger sans
amertume, et dont vous avez lu tout à l'heure la
lettre d'adieu et de deuil. Jamais il ne se serait
expliqué sur une existence qui n'avait pas lieu de
lui plaire. C'est presque la réhabiliter que de la

mêler à ces confidences. L'autre n'a aucune raison
d'être discret sur la sienne. Il appartient à des
situations qui font de lui un homme public : ou
vous le connaissez, ou il vous arrivera probablement
de le connaître, et je ne crois pas le diminuer du
plus petit de ses mérites en vous avertissant de la
médiocrité de ses origines. Quant à la troisième
personne dont le contact eut une vive influence
sur ma jeunesse, elle est placée maintenant dans des
conditions de sécurité, de bonheur et d'oubli, à
défier tout rapprochement entre les souvenirs de
celui qui vous parlera d'elle et les siens.

Je puis dire que je n'ai pas eu de famille, et ce
sont mes enfants qui me font connaître aujourd'hui
la douceur et la fermeté des liens qui m'ont manqué
quand j'avais leur âge. Ma mère eut à peine la force
de me nourrir et mourut. Mon père vécut encore
quelques années, mais dans un état de santé si
misérable que je cessai de sentir sa présence longtemps avant de le perdre, et que sa mort remonte
pour moi bien au delà de son décès réel, en sorte que
je n'ai pour ainsi dire connu ni l'un ni l'autre, et
que le jour où, en deuil de mon père, qui venait de
s'éteindre, je demeurai seul, je n'aperçus aucun
changement notable qui me fît souffrir. Je n'attachai
qu'un sens des plus vagues au mot d'orphelin qu'on
répétait autour de moi comme un nom de malheur,
et je comprenais seulement, aux pleurs de mes
domestiques, que j'étais à plaindre.

Je grandis au milieu de ces braves gens, surveillé
de loin par une sœur de mon père, Mme Ceyssac [11],
qui ne vint qu'un peu plus tard s'établir aux
Trembles, dès que les soins de ma fortune et de

mon éducation réclamèrent décidément sa présence. Elle trouva en moi un enfant sauvage, inculte, en pleine ignorance, facile à soumettre, plus difficile à convaincre, vagabond dans toute la force du terme, sans nulle idée de discipline et de travail, et qui, la première fois qu'on lui parla d'étude et d'emploi du temps, demeura bouche béante, étonné que la vie ne se bornât pas au plaisir de courir les champs. Jusque-là je n'avais pas fait autre chose. Les derniers souvenirs qui m'étaient restés de mon père étaient ceux-ci : dans les rares moments où la maladie qui le minait lui laissait un peu de répit, il sortait, gagnait à pied le mur extérieur du parc, et là, pendant de longues après-midi de soleil, appuyé sur un grand jonc et avec la démarche lente qui me le faisait paraître un vieillard, il se promenait des heures entières. Pendant ce temps, je parcourais la campagne et j'y tendais mes pièges à oiseaux. N'ayant jamais reçu d'autres leçons, à une légère différence près, je croyais imiter assez exactement ce que j'avais vu faire à mon père. Et quant aux seuls compagnons que j'eusse alors, c'étaient des fils de paysans du voisinage, ou trop paresseux pour suivre l'école, ou trop petits pour être mis au travail de la terre, et qui tous m'encourageaient de leur propre exemple dans la plus parfaite insouciance en fait d'avenir. La seule éducation qui me fût agréable, le seul enseignement qui ne me coutât pas de révolte, et, notez-le bien, le seul qui dût porter des fruits durables et positifs, me venait d'eux. J'apprenais confusément, de routine, cette quantité de petits faits qui sont la science et le charme de la vie de campagne. J'avais,

pour profiter d'un pareil enseignement, toutes les
aptitudes désirables : une santé robuste, des yeux de
paysan, c'est-à-dire des yeux parfaits, une oreille
exercée de bonne heure aux moindres bruits, des
jambes infatigables, avec cela l'amour des choses
qui se passent en plein air, le souci de ce qu'on
observe, de ce qu'on voit, de ce qu'on écoute, peu
de goût pour les histoires qu'on lit, la plus grande
curiosité pour celles qui se racontent; le merveilleux
des livres m'intéressait moins que celui des légendes,
et je mettais les superstitions locales bien au-dessus
des contes de fées.

A dix ans, je ressemblais à tous les enfants de
Villeneuve : j'en savais autant qu'eux, j'en savais
un peu moins que leurs pères; mais il y avait entre
eux et moi une différence, imperceptible alors, et
qui se détermina tout à coup : c'est que déjà je
tirais de l'existence et des faits qui nous étaient
communs des sensations qui toutes paraissaient
leur être étrangères. Ainsi, il est bien évident pour
moi, lorsque je m'en souviens, que le plaisir de
faire des pièges, de les tendre le long des buissons,
de guetter l'oiseau, n'était pas ce qui me captivait
le plus dans la chasse; et la preuve, c'est que le seul
témoignage un peu vif qui me soit resté de ces
continuelles embuscades, c'est la vision très nette
de certains lieux, la note exacte de l'heure et de
la saison, et jusqu'à la perception de certains bruits
qui n'ont pas cessé depuis de se faire entendre.
Peut-être vous paraîtra-t-il assez puéril de me
rappeler qu'il y a trente-cinq ans tout à l'heure,
un soir que je relevais mes pièges dans un guéret
labouré de la veille, il faisait tel temps, tel vent,

que l'air était calme, le ciel gris, que des tourterelles de septembre passaient dans la campagne
avec un battement d'ailes très-sonore, et que tout
autour de la plaine, les moulins à vent, dépouillés
de leur toile, attendaient le vent qui ne venait
pas. Vous dire comment une particularité de si peu
de valeur a pu se fixer dans ma mémoire, avec la
date précise de l'année et peut-être bien du jour,
au point de trouver sa place en ce moment dans la
conversation d'un homme plus que mûr, je l'ignore;
mais si je vous cite ce fait entre mille autres, c'est
afin de vous indiquer que quelque chose se dégageait déjà de ma vie extérieure, et qu'il se formait en
moi je ne sais quelle mémoire spéciale assez peu
sensible aux faits, mais d'une aptitude singulière
à se pénétrer des impressions.

Ce qu'il y avait de plus positif, surtout pour
ceux que mon avenir eût intéressés, c'est que cette
éducation soi-disant vigoureuse était détestable.
Tout dissipé que je fusse, et coudoyé et tutoyé par
des camaraderies de village, au fond j'étais seul,
seul de ma race, seul de mon rang, et dans des
désaccords sans nombre avec l'avenir qui m'attendait. Je m'attachais à des gens qui pouvaient être
mes serviteurs, non mes amis; je m'enracinais sans
m'en apercevoir, et Dieu sait par quelles fibres
résistantes, dans des lieux qu'il faudrait quitter, et
quitter le plus tôt possible; je prenais enfin des
habitudes qui ne menaient à rien qu'à faire de moi
le personnage ambigu que vous connaîtrez plus tard,
moitié paysan et moitié *dilettante*, tantôt l'un, tantôt
l'autre, et souvent les deux ensemble, sans que
jamais ni l'un ni l'autre ait prévalu.

Mon ignorance, je vous l'ai déjà dit, était extrême;
ma tante le sentit; elle se hâta d'appeler aux Trembles
un précepteur, jeune maître d'étude du collège
d'Ormesson [12]. C'était un esprit bien fait, simple,
direct, précis, nourri de lectures, ayant un avis sur
tout, prompt à agir, mais jamais avant d'avoir
discuté les motifs de ses actes, très-pratique et
forcément très-ambitieux. Je n'ai vu personne
entrer dans la vie avec moins d'idéal et plus de
sang-froid, ni envisager sa destinée d'un regard
plus ferme, en y comptant aussi peu de ressources.
Il avait l'œil clair, le geste libre, la parole nette, et
juste assez d'agrément de tournure et d'esprit pour
se glisser inaperçu dans les foules. Il dépendait d'un
tel caractère, aux prises avec le mien, qui lui ressemblait si peu, de me faire beaucoup souffrir; mais
j'ajouterai qu'avec une bonté d'âme réelle, il avait
une droiture de sentiments et une rectitude d'esprit
à toute épreuve. C'était le propre de cette nature
incomplète, et pourtant sans trop de lacunes, de
posséder certaines facultés dominantes qui lui
tenaient lieu des qualités absentes, et de se compléter
elle-même en n'y laissant pas supposer le moindre
vide. On lui eût donné tout près de trente ans,
quoiqu'il en eût tout juste vingt-quatre. Son nom
de baptême était Augustin [13]; jusqu'à nouvel ordre,
je l'appellerai ainsi.

Aussitôt qu'il fut installé près de nous, ma vie
changea, en ce sens du moins qu'on en fit deux
parts. Je ne renonçai point aux habitudes prises,
mais on m'en imposa de nouvelles. J'eus des livres,
des cahiers d'étude, des heures de travail; je n'en
contractai qu'un goût plus vif pour les distractions

permises aux heures de repos, et ce que je puis appeler ma passion pour la campagne ne fit que grandir avec le besoin de divertissements.

La maison des Trembles était alors ce que vous la voyez. Était-elle plus gaie ou plus triste ? Les enfants ont une disposition qui les porte à tellement égayer comme à grandir ce qui les entoure, que plus tard tout diminue et s'attriste sans cause apparente, et seulement parce que le point de vue n'est plus le même. André, que vous connaissez, et qui n'est pas sorti de la maison depuis soixante ans, m'a dit bien souvent que chaque chose s'y passait à peu près comme aujourd'hui. La manie, que je contractai de bonne heure, d'écrire mon chiffre, et à tout propos de poser des scellés commémoratifs, servirait au reste à redresser mes souvenirs, si mes souvenirs sur ce point n'étaient pas infaillibles. Aussi il y a des moments, vous comprenez cela, où les longues années qui me séparent de l'époque dont je vous parle disparaissent, où j'oublie que j'ai vécu depuis, qu'il m'est venu des soins plus graves, des causes de joie ou de tristesse différentes, et des raisons de m'attendrir beaucoup plus sérieuses. Les choses étant demeurées les mêmes, je vis de même ; c'est comme une ancienne ornière où l'on retombe, et, permettez-moi cette image, un peu plus conforme à ce que j'éprouve, comme une ancienne plaie parfaitement guérie, mais sensible, qui tout à coup se ranime, et, si l'on osait, vous ferait crier. Imaginez qu'avant de partir pour le collège, où j'allai tard, pas un seul jour je ne perdis de vue ce clocher que vous voyez là-bas, vivant aux mêmes lieux, dans les mêmes habitudes, que je retrouve aujourd'hui les objets d'autrefois comme autrefois, et dans l'acception qui me les fit connaître et me les fit aimer. Sachez que pas un seul souvenir de cette époque n'est effacé, je devrais dire affaibli. Et ne vous étonnez pas si je divague en vous parlant de réminiscences qui ont la puissance certaine de me rajeunir au point de me rendre enfant. Aussi bien il y a des noms, des noms de lieux surtout, que je n'ai jamais pu prononcer de sang-froid : le nom des Trembles est de ce nombre.

Vous auriez pu connaître les Trembles aussi bien que moi, je n'en aurais pas moins beaucoup de peine à vous faire comprendre ce que j'y trouvais de délicieux. Et pourtant tout y était délicieux, tout, jusqu'au jardin, qui, vous le savez cependant, est bien modeste [14]. Il y avait des arbres, chose rare dans notre pays, et beaucoup d'oiseaux, qui aiment les arbres et qui n'auraient pu se loger ailleurs. Il y avait de l'ordre et du désordre, des allées sablées faisant suite à des perrons, menant à des grilles, et qui flattaient un certain goût que j'ai toujours eu pour les lieux où l'on se promène avec quelque apparat, où les femmes d'une autre époque auraient pu déployer des robes de cérémonie. Puis des coins obscurs, des carrefours humides où le soleil n'arrivait qu'à peine, où toute l'année des mousses verdâtres poussaient dans une terre spongieuse, des retraites visitées de moi seul, avaient des airs de vétusté, d'abandon, et sous une autre forme me rappelaient le passé, impression qui dès lors ne me déplaisait pas. Je m'asseyais, je m'en souviens, sur de hauts buis taillés en banquettes qui garnissaient le bord des allées. Je m'informais

de leur âge, ils étaient horriblement vieux, et
j'examinais avec des curiosités particulières ces
petits arbuStes, aussi âgés, me disait André, que les
plus vieilles pierres de la maison, que mon père
n'avait pas vu planter, ni mon grand-père, ni le
père de celui-ci. Puis, le soir, il arrivait une heure
où tout ébat cessait. Je me retirais au sommet du
perron, et de là je regardais au fond du jardin, à
l'angle du parc, les amandiers, les premiers arbres
dont le vent de septembre enlevât les feuilles, et
qui formaient un transparent bizarre sur la tenture
flamboyante du soleil couchant. Dans le parc,
il y avait beaucoup d'arbres blancs, de frênes et de
lauriers, où les grives et les merles habitaient en
foule pendant l'automne; mais ce qu'on apercevait
de plus loin, c'était un groupe de grands chênes,
les derniers à se dépouiller comme à verdir, qui
gardaient leurs frondaisons roussâtres jusqu'en
décembre et quand déjà le bois tout entier paraissait
mort, où les pies nichaient, où perchaient les oiseaux
de haut vol, où se posaient toujours les premiers
geais et les premiers corbeaux que l'hiver amenait
régulièrement dans le pays.

Chaque saison nous ramenait ses hôtes, et chacun
d'eux choisissait aussitôt ses logements, les oiseaux
de printemps dans les arbres à fleurs, ceux d'automne
un peu plus haut, ceux d'hiver dans les broussailles,
les buissons persistants et les lauriers. Quelquefois
en plein hiver ou bien aux premières brumes, un
matin, un oiseau plus rare s'envolait à l'endroit
du bois le plus abandonné avec un battement
d'ailes inconnu, très-bruyant et un peu gauche,
quoique rapide. C'était une bécasse arrivée la nuit;

elle montait en battant les branches et se glissait
entre les rameaux des grands arbres nus; à peine
apparaissait-elle une seconde, de manière à montrer
son long bec droit. Puis on n'en rencontrait plus
que l'année suivante, à la même époque, au même
lieu, à ce point qu'il semblait que c'était le même
émigrant qui revenait.

Des tourterelles de bois arrivaient en mai, en
même temps que les coucous. Ils murmuraient
doucement à de longs intervalles, surtout par des
soirées tièdes, et quand il y avait dans l'air je ne
sais quel épanouissement plus actif de sève nouvelle
et de jeunesse. Dans les profondeurs de feuillages,
sur la limite du jardin, dans les cerisiers blancs,
dans les troënes en fleur, dans les lilas chargés de
bouquets et d'aromes, toute la nuit, pendant ces
longues nuits où je dormais peu, où la lune éclairait,
où la pluie quelquefois tombait, paisible, chaude et
sans bruit, comme des pleurs de joie, — pour mes
délices et pour mon tourment, toute la nuit les rossi-
gnols chantaient. Dès que le temps était triste, ils
se taisaient; ils reprenaient avec le soleil, avec les
vents plus doux, avec l'espoir de l'été prochain.
Puis, les couvées faites, on ne les entendait plus.
Et quelquefois, à la fin de juin, par un jour brûlant,
dans la robuste épaisseur d'un arbre en pleines
feuilles, je voyais un petit oiseau muet et de couleur
douteuse, peureux, dépaysé, qui errait tout seul
et prenait son vol : c'était l'oiseau du printemps
qui nous quittait.

Au dehors, les foins blondissaient prêts à mûrir.
Le bois des plus vieux sarments éclatait; la vigne
montrait ses premiers bourgeons. Les blés étaient

verts; ils s'étendaient au loin dans la plaine ondu-
leuse, où les sainfoins se teignaient d'amarante, où
les colzas éblouissaient la vue comme des carrés
d'or. Un monde infini d'insectes, de papillons,
d'oiseaux agrestes, s'agitait, se multipliait à ce soleil
de juin dans une expansion inouïe. Les hirondelles
remplissaient l'air, et le soir, quand les martinets
avaient fini de se poursuivre avec leurs cris aigus,
alors les chauves-souris sortaient, et ce bizarre
essaim, qui semblait ressuscité par les soirées
chaudes, commençait ses rondes nocturnes autour
des clochetons. La récolte des foins venue, la vie
des campagnes n'était plus qu'une fête. C'était le
premier grand travail en commun qui fît sortir
les attelages au complet et réunît sur un même point
un grand nombre de travailleurs.

J'étais là quand on fauchait, là quand on relevait
les fourrages, et je me laissais emmener par les
chariots qui revenaient avec leurs immenses charges.
Étendu tout à fait à plat sur le sommet de la charge,
comme un enfant couché dans un énorme lit, et
balancé par le mouvement doux de la voiture
roulant sur des herbes coupées, je regardais de
plus haut que d'habitude un horizon qui me semblait n'avoir plus de fin. Je voyais la mer s'étendre
à perte de vue par-dessus la lisière verdoyante des
champs; les oiseaux passaient plus près de moi; je
ne sais quelle enivrante sensation d'un air plus
large, d'une étendue plus vaste, me faisait perdre
un moment la notion de la vie réelle. Presque aussitôt les foins rentrés, c'étaient les blés qui jaunissaient.
Même travail alors, même mouvement, dans une
saison plus chaude, sous un soleil plus cru : —

des vents violents alternant avec des calmes plats,
des midis accablants, des nuits belles comme
des aurores, et l'irritante électricité des jours orageux. Moins d'ivresse avec plus d'abondance, des
monceaux de gerbes tombant sur une terre lasse
de produire et consumée de soleil : voilà l'été.
Vous connaissez l'automne dans nos pays, c'est la
saison bénie. Puis l'hiver arrivait; le cercle de
l'année se refermait sur lui. J'habitais un peu plus
ma chambre; mes yeux, toujours en éveil, s'exerçaient encore à percer les brouillards de décembre
et les immenses rideaux de pluie qui couvraient la
campagne d'un deuil plus sombre que les frimas.

Les arbres entièrement dépouillés, j'embrassais
mieux l'étendue du parc. Rien ne le grandissait
comme un léger brouillard d'hiver qui en bleuissait
les profondeurs et trompait sur les vraies distances.
Plus de bruit, ou fort peu; mais chaque note plus
distincte. Une sonorité extrême dans l'air, surtout
le soir et la nuit. Le chant d'un roitelet de muraille
se prolongeait à l'infini dans des allées muettes et
vides, sans obstacles au son, imbibées d'air humide
et pénétrées de silence. Le recueillement qui descendait alors sur les Trembles était inexprimable;
pendant quatre mois d'hiver, j'amassais dans ce
lieu où je vous parle, je condensais, je concentrais,
je forçais à ne plus jamais s'échapper, ce monde ailé,
subtil, de visions et d'odeurs, de bruit et d'images
qui m'avait fait vivre pendant les huit autres mois
de l'année d'une vie si active et qui ressemblait
si bien à des rêves.

Augustin s'emparait de moi. La saison lui venait
en aide, je lui appartenais alors presque sans par-

tage, et j'expiais de mon mieux ce long oubli de
tant de jours sans emploi. Étaient-ils sans profit ?

Très-peu sensible aux choses qui nous entouraient,
tandis que son élève en était à ce point absorbé,
assez indifférent au cours des saisons pour se tromper de mois comme il se serait trompé d'heure,
invulnérable à tant de sensations dont j'étais traversé,
délicieusement blessé dans tout mon être, froid,
méthodique, correct et régulier d'humeur autant
que je l'étais peu, Augustin vivait à mes côtés sans
prendre garde à ce qui se passait en moi, ni le
soupçonner. Il sortait peu, quittait rarement sa
chambre, y travaillait depuis le matin jusqu'à la
nuit, et ne se permettait de relâche que dans les
soirées d'été, où l'on ne veillait point, et parce que
la lumière du jour venait à lui manquer. Il lisait,
prenait des notes : pendant des mois entiers, je le
voyais écrire. C'était de la prose, et le plus souvent
de longues pages de dialogues. Un calendrier lui
servait à choisir des séries de noms propres. Il les
alignait sur une page blanche avec des annotations à
la suite; il leur donnait un âge, il indiquait la physionomie de chacun, son caractère, une originalité,
une bizarrerie, un ridicule. C'était là, dans ses combinaisons variables, le personnel imaginé pour des
drames ou des comédies. Il écrivait rapidement,
d'une écriture déliée, symétrique, très-nette à l'œil,
et semblait se dicter à lui-même à demi-voix. Quelquefois il souriait quand une observation plus aiguë
naissait sous sa plume, et après chaque couplet un
peu long, où sans doute un de ses personnages
avait raisonné juste et serré, il réfléchissait un
moment, le temps de reprendre haleine, et je l'enten-

dais qui disait : « Voyons, qu'allons-nous répondre ? »
Lorsque par hasard il était en humeur de confi-
dence, il m'appelait près de lui et me disait : « Écou-
tez donc cela, monsieur Dominique. » Rarement
j'avais l'air de comprendre. Comment me serais-je
intéressé à des personnages que je n'avais pas vus,
que je ne connaissais point ?

Toutes ces complications de diverses existences
si parfaitement étrangères à la mienne me semblaient
appartenir à une société imaginaire où je n'avais
nulle envie de pénétrer. « Allons, vous comprendrez
cela plus tard », disait Augustin. Confusément j'apercevais bien que ce qui délectait ainsi mon jeune
précepteur, c'était le spectacle même du jeu de la
vie, le mécanisme des sentiments, le conflit des
intérêts, des ambitions, des vices ; mais, je le répète,
il était assez indifférent pour moi que ce monde fût
un échiquier, comme me le disait encore Augustin,
que la vie fût une partie jouée bien ou mal, et
qu'il y eût des règles pour un pareil jeu. Augustin
écrivait souvent des lettres. Il en recevait quelquefois ; plusieurs portaient le timbre de Paris. Il déca-
chetait celles-ci avec plus d'empressement, les
lisait à la hâte ; une légère émotion animait un moment son visage, ordinairement très-discret, et la
réception de ces lettres était toujours suivie, soit
d'un abattement qui ne durait jamais plus de
quelques heures, soit d'un redoublement de verve
qui l'entraînait à toute bride pendant plusieurs
semaines.

Une ou deux fois je le vis faire un paquet de
certains papiers, les mettre sous enveloppe avec
l'adresse de Paris et les confier avec des recom-

mandations pressantes au facteur rural de Villeneuve. Il attendait alors dans une anxiété visible
une réponse à son envoi, réponse qui venait ou
ne venait pas; puis il reprenait du papier blanc,
comme un laboureur passe à un nouveau sillon.
Il se levait tôt, courait à son bureau de travail
comme il se serait mis à un établi, se couchait
fort tard, ne regardait jamais à sa fenêtre pour
savoir s'il pleuvait ou s'il faisait beau temps; et je
crois bien que le jour où il a quitté les Trembles
il ignorait qu'il y eût sur les tourelles des girouettes
sans cesse agitées qui indiquaient le mouvement
de l'air et le retour alternatif de certaines influences.
« Qu'est-ce que cela vous fait ? » me disait-il lorsqu'il me voyait m'inquiéter du vent. Grâce à une
prodigieuse activité dont sa santé ne se ressentait
point et qui semblait son naturel élément, il suffisait à tout, à mon travail en même temps qu'au sien.
Il me plongeait dans les livres, me les faisait lire
et relire, me faisait traduire, analyser, copier, et
ne me lâchait en plein air que lorsqu'il me voyait
trop étourdi par cette immersion violente dans
une mer de mots. J'appris avec lui rapidement,
et d'ailleurs sans trop d'ennuis, tout ce que doit
savoir un enfant dont l'avenir n'est pas encore
déterminé, mais dont on veut d'abord faire un
collégien. Son but était d'abréger mes années de
collège en me préparant le plus vite possible aux
hautes classes. Quatre années se passèrent de la
sorte, au bout desquelles il me jugea prêt à me
présenter en seconde. Je vis approcher avec un
inconcevable effroi le moment où j'allais quitter
les Trembles.

Jamais je n'oublierai les derniers jours qui pré-
cédèrent mon départ : ce fut un accès de sensibilité
maladive qui n'avait plus aucune apparence de
raison; un vrai malheur ne l'aurait pas développée
davantage. L'automne était venu; tout y concou-
rait. Un seul détail vous en donnera l'idée.

Augustin m'avait imposé, comme essai définitif
de ma force, une composition latine dont le sujet
était le départ d'Annibal quittant l'Italie[15]. Je
descendis sur la terrasse ombragée de vignes, et
c'est en plein air, sur la banquette même qui borde
le jardin, que je me mis à écrire. Le sujet était du
petit nombre des faits historiques qui, dès lors,
avaient par exception le don de m'émouvoir beaucoup. Il en était ainsi de tout ce qui se rattachait à
ce nom, et la bataille de Zama m'avait toujours causé
la plus personnelle émotion, comme une catastrophe
où je ne regardais que l'héroïsme sans m'occuper
du droit. Je me rappelai tout ce que j'avais lu, je
tâchai de me représenter l'homme arrêté par la
fortune ennemie de son pays, cédant à des fatalités
de race plutôt qu'à des défaites militaires, descendant
au rivage, ne le quittant qu'à regret, lui jetant un
dernier adieu de désespoir et de défi, et tant bien
que mal j'essayai d'exprimer ce qui me paraissait
être la vérité, sinon historique, au moins lyrique.

La pierre qui me servait de pupitre était tiède;
des lézards s'y promenaient à côté de ma main sous
un soleil doux. Les arbres, qui déjà n'étaient plus
verts, le jour moins ardent, les ombres plus longues,
les nuées plus tranquilles, tout parlait, avec le charme
sérieux propre à l'automne, de déclin, de défaillance
et d'adieux. Les pampres tombaient un à un, sans

qu'un souffle d'air agitât les treilles. Le parc était paisible. Des oiseaux chantaient avec un accent qui me remuait jusqu'au fond du cœur. Un attendrissement subit, impossible à motiver, plus impossible encore à contenir, montait en moi comme un flot prêt à jaillir, mêlé d'amertume et de ravissement. Quand Augustin descendit sur la terrasse, il me trouva tout en larmes.

« Qu'avez-vous ? me dit-il. Est-ce Annibal qui vous fait pleurer ? »

Mais je lui tendis, sans répondre, la page que je venais d'écrire.

Il me regarda de nouveau avec une sorte de surprise, s'assura qu'il n'y avait autour de nous personne à qui il pût attribuer l'effet d'une aussi singulière émotion, jeta un coup d'œil rapide et distrait sur le parc, sur le jardin, sur le ciel, et me dit encore :

« Mais qu'avez-vous donc ? »

Puis il reprit la page et se mit à lire.

« C'est bien, me dit-il quand il eut achevé, mais un peu mou. Vous pouvez mieux faire, quoiqu'une pareille composition vous classe à un bon rang dans une seconde de force moyenne. Annibal exprime trop de regrets; il n'a pas assez de confiance dans le peuple qui l'attend en armes de l'autre côté de la mer. Il devinait Zama, direz-vous; mais s'il a perdu Zama, ce n'est pas sa faute. Il l'aurait gagné, s'il avait eu le soleil à dos. D'ailleurs, après Zama, il lui restait Antiochus. Après la trahison d'Antiochus, il avait le poison. Rien n'est perdu pour un homme tant qu'il n'a pas dit son dernier mot. »

Il tenait à la main une lettre tout ouverte qu'il

venait à la minute même de recevoir de Paris. Il
était plus animé que de coutume; une certaine
excitation forte, joyeuse et résolue éclairait ses
yeux, dont le regard était toujours très-direct, mais
qui s'illuminaient peu d'habitude.

« Mon cher Dominique, reprit-il en faisant avec
moi quelques pas sur la terrasse, j'ai une bonne
nouvelle à vous annoncer, une nouvelle qui vous
fera plaisir, car je sais l'amitié que vous avez pour
moi. Le jour où vous entrerez au collège, je parti-
rai pour Paris, Il y a longtemps que je m'y prépare.
Tout est prêt aujourd'hui pour assurer la vie que
je dois y mener. J'y suis attendu. En voici la preuve. »

Et en disant cela il me montrait la lettre.

« Aujourd'hui le succès ne dépend que d'un
petit effort, et j'en ai fait de plus grands; vous êtes
là pour le dire, vous qui m'avez vu à l'œuvre.
Écoutez-moi, mon cher Dominique : dans trois
jours, vous serez un collégien de seconde, c'est-à-
dire un peu moins qu'un homme, mais beaucoup
plus qu'un enfant. L'âge est indifférent. Vous avez
seize ans. Dans six mois, si vous le voulez bien,
vous pouvez en avoir dix-huit. Quittez les Trembles
et n'y pensez plus. N'y pensez jamais que plus tard,
et quand il s'agira de régler vos comptes de fortune.
La campagne n'est pas faite pour vous, ni l'isolement, qui vous tuerait. Vous regardez toujours ou
trop haut ou trop bas. Trop haut, mon cher, c'est
l'impossible; trop bas, ce sont les feuilles mortes.
La vie n'est pas là; regardez directement devant
vous à hauteur d'homme, et vous la verrez. Vous
avez beaucoup d'intelligence, un beau patrimoine,
un nom qui vous recommande; avec un pareil lot

dans son trousseau de collège, on arrive à tout. —
Encore un conseil : attendez-vous à n'être pas
très-heureux pendant vos années d'études. Songez
que la soumission n'engage à rien pour l'avenir,
et que la discipline imposée n'est rien non plus
quand on a le bon esprit de se l'imposer soi-même.
Ne comptez pas trop sur les amitiés de collège,
à moins que vous ne soyez libre absolument de
les choisir; et quant aux jalousies dont vous serez
l'objet, si vous avez des succès, ce que je crois,
prenez-en votre parti d'avance et tenez-les pour
un apprentissage. Maintenant, ne passez pas un
seul jour sans vous dire que le travail conduit au
but, et ne vous endormez pas un seul soir sans
penser à Paris, qui vous attend, et où nous nous
reverrons. »

Il me serra la main avec une autorité de geste
tout à fait virile, et ne fit qu'un bond jusqu'à l'escalier qui menait à sa chambre.

Je descendis alors dans les allées du jardin, où le
vieux André sarclait des plates-bandes.

« Qu'y a-t-il donc, monsieur Dominique ? me
demanda André en remarquant que j'étais dans
le plus grand trouble.

— Il y a que je vais partir dans trois jours pour
le collège, mon pauvre André. »

Et je courus au fond du parc, où je restai caché
jusqu'au soir.

IV

Trois jours après, je quittai les Trembles en
compagnie de Mme Ceyssac et d'Augustin. C'était
le matin de très-bonne heure. Toute la maison
était sur pied. Les domestiques nous entouraient.
André se tenait à la tête des chevaux, plus triste
que je ne l'avais jamais vu depuis le dernier événement qui avait mis la maison en deuil; puis il monta
sur le siège, quoiqu'il ne fût pas dans ses habitudes
de conduire, et les chevaux partirent au grand trot.
En traversant Villeneuve, où je connaissais si
bien tous les visages, j'aperçus deux ou trois de
mes petits compagnons d'autrefois, jeunes garçons,
déjà presque des hommes, qui s'en allaient du côté
des champs, leurs outils de travail sur le dos. Ils
tournèrent la tête au bruit de la voiture, et, comprenant qu'il s'agissait de quelque chose de plus qu'une
promenade, ils me firent des signes joyeux pour
me souhaiter un heureux voyage. Le soleil se levait.
Nous entrâmes en pleine campagne. Je cessai de
reconnaître les lieux; je vis passer de nouveaux
visages. Ma tante avait les yeux sur moi et me considérait avec bonté La physionomie d'Augustin
rayonnait. J'éprouvais presque autant d'embarras
que j'avais de chagrin.

Il nous fallut une longue journée pour faire les douze lieues qui nous séparaient d'Ormesson [16], et le soleil était tout près de se coucher, quand Augustin, qui ne quittait pas la portière, dit brusquement à ma tante :

« Madame, voici qu'on aperçoit les tours de Saint-Pierre. »

Le pays était plat, pâle, fade et mouillé. Une ville basse, hérissée de clochers d'église, commençait à se montrer derrière un rideau d'oseraies. Les marécages alternaient avec des prairies, les saules blanchâtres avec les peupliers jaunissants. Une rivière coulait à droite et roulait lourdement des eaux bourbeuses entre des berges souillées de limon. Au bord et parmi des joncs pliés en deux par le cours de l'eau, il y avait des bateaux amarrés chargés de planches et de vieux chalands échoués dans la vase, comme s'ils n'eussent jamais flotté. Des oies descendaient des prairies vers la rivière et couraient devant la voiture en poussant des cris sauvages. Des brouillards fiévreux enveloppaient de petites métairies qu'on voyait de loin, perdues dans des chanvrières, sur le bord des canaux et une humidité qui n'était plus celle de la mer me donnait le frisson, comme s'il eût fait très-froid. La voiture atteignit un pont que les chevaux passèrent au petit pas, puis un long boulevard où l'obscurité devint complète, et le premier pas des chevaux qui résonna sur un pavé plus dur m'avertit que nous entrions dans la ville. Je calculai que douze heures me séparaient déjà du moment du départ, que douze lieues me séparaient des Trembles; je me dis que tout était fini, irrévocablement fini, et j'entrai dans

la maison de Mme Ceyssac comme on franchit le
seuil d'une prison.

C'était une vaste maison, située dans le quartier
non pas le plus désert, mais le plus sérieux de la
ville, confinant à des couvents, avec un très-petit
jardin qui moisissait dans l'ombre de ses hautes
clôtures, de grandes chambres sans air et sans vue,
des vestibules sonores, un escalier de pierre tournant dans une cage obscure, et trop peu de gens
pour animer tout cela. On y sentait la froideur
des mœurs anciennes et la rigidité des mœurs de
province, le respect des habitudes, la loi de l'éti-
quette, l'aisance, un grand bien-être et l'ennui. A
l'étage supérieur, on avait vue sur une partie de la
ville, c'est-à-dire sur des toitures fumeuses, sur des
dortoirs de couvent et sur des clochers. C'est là
qu'était ma chambre.

Je dormis mal, ou je ne dormis pas. Toutes les
demi-heures, ou tous les quarts d'heure, les horloges sonnaient chacune avec un timbre distinct;
pas une ne ressemblait à la sonnerie rustique de
Villeneuve, si reconnaissable à sa voix rouillée.
Des pas résonnaient dans la rue. Une sorte de
bruit pareil à celui d'une crécelle agitée violem-
ment retentissait dans ce silence particulier des
villes qu'on pourrait appeler le sommeil du bruit,
et j'entendais une voix singulière, une voix d'homme
lente, scandée, un peu chantante, qui disait, en s'éle-
vant de syllabe en syllabe : « Il est une heure, il
est deux heures, il est trois heures, trois heures
sonnées. »

Augustin entra dans ma chambre au petit jour.

« Je désire, me dit-il, vous introduire au collège

et faire entendre au proviseur le bien que je pense de vous. Une pareille recommandation serait nulle, ajouta-t-il avec modestie, si elle ne s'adressait pas à un homme qui m'a témoigné jadis beaucoup de confiance et qui paraissait apprécier mon zèle. »

La visite eut lieu comme il avait dit; mais j'étais absent de moi-même. Je me laissai conduire et ramener, je traversai les cours, je vis les classes d'étude avec une indifférence absolue pour ces sensations nouvelles.

Ce jour-là même, à quatre heures, Augustin, en tenue de voyage, portant lui-même tout son bagage contenu dans une petite valise de cuir, se rendit sur la place, où, tout attelée et déjà prête à partir, stationnait la voiture de Paris.

« Madame, dit-il à ma tante, qui l'accompagnait avec moi, je vous remercie encore une fois d'un intérêt qui ne s'est pas démenti pendant quatre années. J'ai fait de mon mieux pour donner à M. Dominique l'amour de l'étude et les goûts d'un homme. Il est certain de me retrouver à Paris, quand il y viendra, et assuré de mon dévouement, à quelque moment que ce soit, comme aujourd'hui.

— Écrivez-moi, me dit-il en m'embrassant avec une véritable émotion. Je vous promets d'en faire autant. Bon courage et bonnes chances ! Vous les avez toutes pour vous. »

A peine était-il installé sur la haute banquette que le postillon rassembla les rênes.

« Adieu ! » me dit-il encore avec une expression moitié tendre et moitié radieuse.

Le fouet du postillon cingla les quatre chevaux d'attelage, et la voiture se mit à rouler vers Paris.

Le lendemain, à huit heures, j'étais au collège[17]. J'entrai le dernier pour éviter le flot des élèves et ne pas me faire examiner dans la cour de cet œil jamais tout à fait bienveillant dont on regarde les nouveaux venus. J'y marchai droit devant moi, l'œil fixé sur une porte peinte en jaune, au-dessus de laquelle il y avait écrit : *Seconde*. Sur le seuil se tenait un homme à cheveux grisonnants, blême et sérieux, à visage usé, sans dureté ni bonhomie.

« Allons, me dit-il, allons un peu plus vite. »

Ce rappel à l'exactitude, le premier mot de discipline qu'un inconnu m'eût encore adressé, me fit lever la tête et le considérer. Il avait l'air ennuyé, indifférent, et ne songeait déjà plus à ce qu'il m'avait dit. Je me rappelai la recommandation d'Augustin. Un éclair de stoïcisme et de décision me traversa l'esprit.

« Il a raison, pensai-je, je suis d'une demi-minute en retard », et j'entrai.

Le professeur monta dans sa chaire et se mit à dicter. C'était une composition de début. Pour la première fois mon amour-propre avait à lutter contre des ambitions rivales. J'examinai mes nouveaux camarades, et me sentis parfaitement seul. La classe était sombre; il pleuvait. A travers la fenêtre à petits carreaux, je voyais des arbres agités par le vent et dont les rameaux trop à l'étroit se frottaient contre les murs noirâtres du préau. Ce bruit familier du vent pluvieux dans les arbres se répandait comme un murmure intermittent au milieu du silence des cours. Je l'écoutais sans trop d'amertume dans une sorte de tristesse frissonnante et recueillie dont la douceur par moments devenait extrême.

« Vous ne travaillez donc pas ? me dit tout à coup le professeur. Cela vous regarde... »

Puis il s'occupa d'autre chose. Je n'entendis plus que les plumes courant sur des papiers.

Un peu plus tard, l'élève auprès de qui j'étais placé me glissait adroitement un billet. Ce billet contenait une phrase extraite de la dictée, avec ces mots :

« Aidez-moi, si vous le pouvez; tachez de m'épargner un contre-sens. »

Tout aussitôt je lui renvoyai la traduction, bonne ou mauvaise, mais copiée sur ma propre version, moins les termes, avec un point d'interrogation qui voulait dire :

« Je ne réponds de rien, examinez. »

Il me fit un sourire de remercîment, et sans examiner davantage il passa outre. Quelques instants après il m'adressait un second message et celui-ci portait :

« Vous êtes nouveau ? »

La question me prouvait qu'il l'était aussi. J'eus un mouvement de joie véritable en répondant à mon compagnon de solitude :

« Oui. »

C'était un garçon de mon âge à peu près, mais de complexion plus délicate, blond, mince, avec de jolis yeux bleus doucereux et vifs, le teint pâle et brouillé d'un enfant élevé dans les villes, une mise élégante et des habits d'une forme particulière où je ne reconnaissais pas l'industrie de nos tailleurs de province.

Nous sortîmes ensemble.

« Je vous remercie, me dit mon nouvel ami quand

il se trouva seul avec moi. J'ai horreur du collège, et maintenant, je m'en moque. Il y a là toute une rangée de fils de boutiquiers qui ont les mains sales, et dont jamais je ne ferai mes amis. Ils nous prendront en grippe, cela m'est égal. A nous deux nous en viendrons à bout. Vous les primerez, ils vous respecteront. Disposez de moi pour tout ce que vous voudrez, excepté pour vous trouver le sens des phrases. Le latin m'ennuie, et si ce n'était qu'il faut être reçu bachelier, je n'en ferais de ma vie. »

Puis il m'apprit qu'il s'appelait Olivier d'Orsel[18], qu'il arrivait de Paris, que des nécessités de famille l'avaient amené à Ormesson, où il finirait ses études, qu'il demeurait rue des Carmélites avec son oncle et deux cousines, et qu'il possédait à quelques lieues d'Ormesson une terre d'où lui venait son nom d'Orsel.

« Allons, reprit-il, voilà une classe de passée, n'y pensons plus jusqu'à ce soir. »

Et nous nous quittâmes. Il marchait lentement, faisait craquer de fines chaussures en choisissant avec aplomb les pavés les moins boueux, et balançait son paquet de livres au bout d'un lacet de cuir étroit et bouclé comme un bridon anglais.

A part ces premières heures, qui se rattachent, comme vous le voyez, aux souvenirs posthumes d'une amitié contractée ce jour-là, tristement et définitivement morte aujourd'hui, le reste de ma vie d'études ne nous arrêtera guère. Si les trois années qui vont suivre m'inspirent à l'heure qu'il est quelque intérêt, c'est un intérêt d'un autre ordre, où les sentiments du collégien n'entrent pour rien. Aussi, pour en finir avec ce germe insignifiant qu'on appelle un écolier, je vous dirai en termes de classe que je devins un bon élève, et cela malgré moi et impunément, c'est-à-dire sans y prétendre ni blesser personne; qu'on m'y prédit, je crois, des succès futurs; qu'une continuelle défiance de moi, trop sincère et très-visible, eut le même effet que la modestie, et me fit pardonner des supériorités dont je faisais moi-même assez peu de cas; enfin que ce manque total d'estime personnelle annonçait dès lors les insouciances ou les sévérités d'un esprit qui devait s'observer de bonne heure, se priser à sa juste valeur et se condamner.

La maison de Mme Ceyssac n'était pas gaie, je vous l'ai dit, et le séjour d'Ormesson l'était encore moins. Imaginez une très-petite ville, dévote, attristée, vieillotte, oubliée dans un fond de province, ne menant nulle part, ne servant à rien, d'où la vie se retirait de jour en jour, et que la campagne envahissait; une industrie nulle, un commerce mort, une bourgeoisie vivant étroitement de ses ressources, une aristocratie qui boudait; le jour, des rues sans mouvement; la nuit, des avenues sans lumières; un silence hargneux, interrompu seulement par des sonneries d'église; et tous les soirs, à dix heures, la grosse cloche de Saint-Pierre sonnant le couvre-feu sur une ville déjà aux trois quarts endormie plutôt d'ennui que de lassitude. De longs boulevards, plantés d'ormeaux très-beaux, très-sombres, l'entouraient d'une ombre sévère. J'y passais quatre fois par jour, pour aller au collège et pour en revenir. Ce chemin, non pas le plus direct, mais le plus conforme à mes goûts, me rapprochait de la campagne : je la voyais s'étendre au loin dans

la direction du couchant, triste ou riante, verte ou
glacée, suivant la saison. Quelquefois j'allais jusqu'à la rivière, le spectacle n'y variait pas : l'eau
jaunâtre en était constamment remuée en sens
contraire par les mouvements de la marée, qui se
faisait sentir jusque-là. On y respirait, dans les
vents humides, des odeurs de goudron, de chanvre
et de planches de sapin Tout cela était monotone
et laid, et rien au fond ne me consolait des Trembles.

   Ma tante avait le génie de sa province, l'amour des
choses surannées, la peur des changements, l'horreur des nouveautés qui font du bruit. Pieuse et
mondaine, très-simple avec un assez grand air,
parfaite en tout, même en ses légères bizarreries,
elle avait réglé sa vie d'après deux principes qui,
disait-elle, étaient des vertus de famille : la dévotion
aux lois de l'Église, le respect des lois du monde ;
et telle était la grâce facile qu'elle savait mettre dans
l'accomplissement de ces deux devoirs, que sa
piété, très-sincère, semblait n'être qu'un nouvel
exemple de son savoir-vivre. Son salon, comme tout
le reste de ses habitudes, était une sorte d'asile
ouvert et de rendez-vous pour ses réminiscences ou
ses affections héréditaires, chaque jour un peu
plus menacées. Elle y réunissait, particulièrement le
dimanche soir, les quelques survivants de son
ancienne société. Tous appartenaient à la monarchie
tombée, et s'étaient retirés du monde avec elle. La
révolution, qu'ils avaient vue de près, et qui leur
fournissait un fonds commun d'anecdotes et de
griefs, les avait tous aussi façonnés de même en
les trempant dans la même épreuve. On se souvenait des durs hivers passés ensemble dans la cita-

delle de ***, du bois qui manquait, des dortoirs de caserne où on couchait sans lit, des enfants qu'on habillait avec des rideaux, du pain noir qu'on allait acheter en cachette. On se surprenait à sourire de ce qui jadis avait été terrible. La mansuétude de l'âge avait calmé les plus vives colères. La vie avait repris son cours, fermant les blessures, réparant les désastres, amortissant les regrets, ou les apaisant sous des regrets plus récents. On ne conspirait point, on médisait à peine, on attendait. Enfin, dans un coin du salon, il y avait une table de jeu pour les enfants, et c'est là que chuchotaient, tout en remuant les cartes, le parti de la jeunesse et les représentants de l'avenir, c'est-à-dire de l'inconnu.

Le jour même de ma rencontre avec Olivier, en rentrant du collège, je m'étais empressé de dire à ma tante que j'avais un ami.

« Un ami ! m'avait dit Mme Ceyssac; vous vous hâtez peut-être un peu, mon cher Dominique. Savez-vous son nom; quel âge a-t-il ? »

Je racontai ce que je savais d'Olivier, et le peignis sous les couleurs aimables qui à première vue m'avaient séduit; mais le nom seul avait suffi pour rassurer ma tante.

« C'est un des plus anciens noms et des meilleurs de notre pays, me dit-elle. Il est porté par un homme pour lequel j'ai moi-même beaucoup d'estime et d'amitié. »

Très-peu de semaines après ce nouveau lien formé, l'union des deux familles était complète, et le premier mois de l'hiver inaugura nos réunions soit chez Mme Ceyssac, soit à l'*hôtel d'Orsel,* comme Olivier disait en parlant de la maison de la rue des Carmé-

lites, habitée sans grand apparat par son oncle
et ses cousines.

De ces deux cousines, l'une était une enfant appelée Julie; l'autre, plus âgée que nous d'un an à
peu près, s'appelait Madeleine [19], et sortait du couvent. Elle en gardait la tenue comprimée, les gau-
cheries de geste, l'embarras d'elle-même; elle en
portait la livrée modeste; elle usait encore, au
moment dont je vous parle, une série de robes
tristes, étroites, montantes, limées au corsage par
le frottement des pupitres, et fripées aux genoux par
les génuflexions sur le pavé de la chapelle. Blanche,
elle avait des froideurs de teint qui sentaient la vie
à l'ombre et l'absence totale d'émotions, des yeux
qui s'ouvraient mal comme au sortir du sommeil,
ni grande, ni petite, ni maigre, ni grasse, avec une
taille indécise qui avait besoin de se définir et de
se former; on la disait déjà fort jolie, et je le répé-
tais volontiers sans y prendre garde et sans y
croire.

Quant à Olivier, que je ne vous ai montré que
sur les bancs, imaginez un garçon aimable, un peu
bizarre, très ignorant en fait de lectures, très-
précoce dans toutes les choses de la vie, aisé de
gestes, de maintien, de paroles, ne sachant rien du
monde et le devinant, le copiant dans ses formes,
en adoptant déjà les préjugés; représentez-vous je
ne sais quoi d'inusité, comme une ardeur un peu
singulière, jamais risible, d'anticiper sur son âge
et de s'improviser un homme à seize ans à peine;
quelque chose de naissant et de mûr, d'artificiel
et de très-séduisant, et vous comprendrez comment
Mme Ceyssac en fut charmée au point de pardonner

à ses défauts d'écolier, comme au seul reste d'en-
fantillage qu'il y eût en lui. Olivier d'ailleurs arrivait de Paris, et c'était là la grande supériorité d'où
lui venaient toutes les autres, et qui, sinon pour
ma tante, au moins pour nous, les résumait toutes.

Aussi loin que je retourne en arrière à travers
ces souvenirs si médiocres à leur source, si tumultueux plus tard, et dont j'ai quelque peine à remonter
le cours, je retrouve à leur place accoutumée, autour
de la table en drap vert, sous le jour des lampes,
ces trois jeunes visages, souriants alors, sans l'ombre
d'un souci réel, et que des chagrins ou des passions
devaient un jour attrister de tant de manières : la
petite Julie avec des sauvageries d'enfant boudeur;
Madeleine encore à demi pensionnaire; Olivier
causeur, distrait, quinteux, élégant sans viser à
l'être, mis avec goût à une époque et dans un pays
où les enfants s'habillaient on ne peut plus mal,
maniant les cartes vivement, prestement, avec
l'aplomb d'un homme qui jouera beaucoup et qui
saura jouer, puis tout à coup, dix fois en deux heures,
quittant le jeu, jetant les cartes, bâillant, disant :
Je m'ennuie, et allant s'enfouir dans une profonde
bergère. On l'appelait, il ne bougeait pas. A quoi
pense Olivier ? disait-on. Il ne répondait à personne,
et continuait de regarder devant lui sans dire un
mot, avec cet air d'inquiétude qui lui-même était
un attrait, et cet étrange regard qui flottait dans
la demi-obscurité du salon comme une étincelle
impossible à fixer. Assez peu régulier d'ailleurs
dans ses habitudes, déjà discret comme s'il avait
eu des mystères à cacher, inexact à nos réunions,
introuvable chez lui, actif, flâneur, toujours par-

tout et nulle part, cette sorte d'oiseau mis en cage
avait trouvé le moyen de se créer des imprévus dans
la vie de province, et de voler comme en plein air
dans sa prison. Il se disait d'ailleurs exilé, et comme
s'il eût quitté la Rome d'Auguste pour venir en
Thrace, il avait appris par cœur quelques lambeaux
d'une latinité de décadence qui le consolaient,
disait-il, d'habiter chez les bergers.

Avec un pareil compagnon, j'étais fort seul. Je
manquais d'air, et j'étouffais dans ma chambre
étroite, sans horizon, sans gaieté, la vue barrée par
cette haute barrière de murailles grises où couraient
des fumées, au-dessus desquelles par hasard des
goélands de rivière volaient. C'était l'hiver, il
pleuvait des semaines entières, il neigeait; puis un
dégel subit emportait la neige, et la ville apparaissait
de plus en plus noire après ce rapide éblouissement
qui l'avait couverte un moment des fantaisies de
cette âpre saison. Un matin, longtemps après, des
fenêtres s'ouvraient et faisaient revivre des bruits;
on entendait des voix s'appeler d'une maison à
l'autre; des oiseaux privés, qu'on exposait à l'air,
chantaient; le soleil brillait; je regardais d'en haut
l'entonnoir de notre petit jardin, des bourgeons
pointaient sur les rameaux couleur de suie. Un paon,
qu'on n'avait pas vu de tout l'hiver, escaladait lentement le faîte d'une toiture et s'y pavanait, le soir
surtout, comme s'il eût choisi pour ses promenades
les tiédeurs modérées d'un soleil bas. Il épanouis-
sait alors sur le ciel la gerbe constellée de sa queue
énorme, et se mettait à crier de sa voix perçante,
enrouée comme tous les bruits qu'on entend dans
les villes. J'apprenais ainsi que la saison changeait.

Le désir de m'échapper ne m'entraînait pas bien loin. Et moi aussi j'avais lu dans les *Tristes* des distiques que je disais tout bas, en passant à Villeneuve, le seul pays que je connusse et qui me laissât des regrets cuisants.

J'étais tourmenté, agité, désœuvré surtout, même en plein travail, parce que le travail occupait un surplus de moi-même qui déjà ne comptait pour rien dans ma vie. J'avais dès lors deux ou trois manies, entre autres celle des catégories et celle des dates. La première avait pour but de faire une sorte de choix dans mes journées, toutes pareilles en apparence, et sans aucun accident notable qui les rendît meilleures ni pires, et de les classer d'après leur mérite. Or le seul mérite de ces longues journées de pur ennui, c'était un degré de plus ou de moins dans les mouvements de vie que je sentais en moi. Toute circonstance où je me reconnaissais plus d'ampleur de forces, plus de sensibilité, plus de mémoire, où ma conscience, pour ainsi dire, était d'un meilleur timbre et résonnait mieux, tout moment de concentration plus intense ou d'expansion plus tendre était un jour à ne jamais oublier. De là cette autre manie des dates, des chiffres, des symboles, des hiéroglyphes, dont vous avez la preuve ici, comme partout où j'ai cru nécessaire d'imprimer la trace d'un moment de plénitude et d'exaltation. Le reste de ma vie, ce qui se dissipait en tiédeurs, en sécheresses, je le comparais à ces bas-fonds taris qu'on découvre dans la mer à chaque marée basse et qui sont comme la mort du mouvement.

Une pareille alternative ressemblait assez aux

feux à éclipse des fanaux tournants, et j'attendais
incessamment je ne sais quel réveil en moi, comme
j'aurais attendu le retour du signal.

Ce que je vous raconte en quelques mots n'est,
bien entendu, que le très-court abrégé de longues,
obscures et multiples souffrances. Le jour où je
trouvai dans des livres, que je ne connaissais pas
alors, le poème ou l'explication dramatique de ces
phénomènes très-spontanés, je n'eus qu'un regret,
ce fut de parodier peut-être en les rapetissant ce
que de grands esprits avaient éprouvé avant moi.
Leur exemple ne m'apprit rien, leur conclusion,
quand ils concluent, ne me corrigea pas non plus.
Le mal était fait, si l'on peut appeler un mal le
don cruel d'assister à sa vie comme à un spectacle
donné par un autre, et j'entrai dans la vie sans la
haïr, quoiqu'elle m'ait fait beaucoup pâtir, avec
un ennemi inséparable, bien intime et positivement
mortel : c'était moi-même.

V

Toute une année s'écoula de la sorte. Du fond
de la ville, je vis l'automne qui rougissait les arbres
et reverdissait les pâturages, et le jour où le collège
se rouvrit, j'y ramenai comme à l'ordinaire un
être agité, malheureux, une sorte d'esprit plié en
deux, comme un fakir attristé qui s'examine.

Cette perpétuelle critique exercée sur moi-même,
cet œil impitoyable, tantôt ami, tantôt ennemi,
toujours gênant comme un témoin et soupçonneux
comme un juge, cet état de permanente indiscrétion vis-à-vis des actes les plus ingénus d'un âge
où d'habitude on s'observe peu, tout cela me jeta
dans une série de malaises, de troubles, de stupeurs
ou d'excitations qui me conduisaient tout droit à
une crise.

Cette crise arriva vers le printemps, au moment
même où je venais d'atteindre mes dix-sept ans [20].

Un jour, c'était vers la fin d'avril, et ce devait
être un jeudi, jour de sortie, je quittai la ville de
bonne heure et m'en allai seul, au hasard, me
promener sur les grandes routes. Les ormeaux
n'avaient point encore de feuilles, mais ils se couvraient de bourgeons; les prairies ne formaient
qu'un vaste jardin fleuri de marguerites; les haies

d'épines étaient en fleur; le soleil, vif et chaud, faisait chanter les alouettes et semblait les attirer plus près du ciel, tant elles pointaient en ligne droite et volaient haut. Il y avait partout des insectes nouveau-nés que le vent balançait comme des atomes de lumière à la pointe des grandes herbes, et des oiseaux qui, deux à deux, passaient à tire-d'aile et se dirigeaient soit dans les foins, soit dans les blés, soit dans les buissons, vers des nids qu'on ne voyait pas. De loin en loin se promenaient des malades ou des vieillards que le printemps rajeunissait ou rendait à la vie; et dans les endroits plus ouverts au vent, des troupes d'enfants lançaient des cerfs-volants à longues banderoles frissonnantes, et les regardaient à perte de vue, fixés dans le clair azur comme des écussons blancs, ponctués de couleurs vives.

Je marchais rapidement, pénétré et comme stimulé par ce bain de lumière, par ces odeurs de végétations naissantes, par ce vif courant de puberté printanière dont l'atmosphère était imprégnée. Ce que j'éprouvais était à la fois très-doux et très-ardent. Je me sentais ému jusqu'aux larmes, mais sans langueur ni fade attendrissement. J'étais poursuivi par un besoin de marcher, d'aller loin, de me briser par la fatigue, qui ne me permettait pas de prendre une minute de repos. Partout où j'apercevais quelqu'un qui pût me reconnaître, je tournais court, prenais un biais, et je m'enfonçais a perte d'haleine dans les sentiers étroits coupant les blés verts, là où je ne voyais plus personne. Je ne sais quel sentiment sauvage, plus fort que jamais, m'invitait à me perdre au sein même de cette grande

campagne en pleine explosion de sève. Je me souviens que d'un peu loin j'aperçus les jeunes gens du
séminaire défilant deux à deux le long des haies
fleuries, conduits par de vieux prêtres qui, tout
en marchant, lisaient leur bréviaire. Il y avait de
longs adolescents rendus bizarres et comme amai-
gris davantage par l'étroite robe noire qui leur
collait au corps, et qui en passant arrachaient des
fleurs d'épines et s'en allaient avec ces fleurs brisées
dans la main. Ce ne sont point des contrastes
que j'imagine, et je me rappelle la sensation que
fit naître en moi en pareille circonstance, à pareille
heure, en pareil lieu, la vue de ces tristes jeunes
gens, vêtus de deuil et déjà tout semblables à des
veufs. De temps en temps je me retournais du côté
de la ville; on ne voyait plus à la limite lointaine des
prairies que la ligne un peu sombre de ses boulevards et l'extrémité de ses clochers d'église. Alors
je me demandais comment j'avais fait pour y
demeurer si longtemps, et comment il m'avait été
possible de m'y consumer sans y mourir; puis
j'entendis sonner les vêpres, et ce bruit de cloches,
accompagné de mille souvenirs, m'attrista, comme
un rappel à des contraintes sévères. Je pensais qu'il
faudrait revenir, rentrer avant la nuit, m'enfermer
de nouveau, et je repris avec plus d'emportement
ma course du côté de la rivière.

Je revins, non pas épuisé, mais plus excité au
contraire par ce vagabondage de plusieurs heures
au grand air, dans la tiédeur des routes, sous
l'âpre et mordant soleil d'avril. J'étais dans une
sorte d'ivresse, rempli d'émotions extraordinaires,
qui sans contredit se manifestaient sur mon

visage, dans mon air, dans toute ma personne.

« Qu'avez-vous, mon cher enfant ? me dit
Mme Ceyssac en m'apercevant.

— J'ai marché très-vite », lui dis-je avec égarement.

Elle m'examina de nouveau, et, par un geste de
mère inquiète, elle m'attira sous le feu de ses yeux
clairs et profonds. J'en fus horriblement troublé ; je
ne pus supporter ni la douceur de leur examen, ni
la pénétration de leur tendresse ; je ne sais quelle
confusion me saisit tout à coup, qui me rendit
la vague interrogation de ce regard insupportable.

« Laissez-moi, je vous prie, ma chère tante », lui
dis-je.

Et je montai précipitamment à ma chambre.

Je la trouvai tout illuminée par les rayons obliques
du soleil couchant, et je fus comme ébloui par le
rayonnement de cette lumière chaude et vermeille
qui l'envahissait comme un flot de vie. Pourtant je
me sentis plus calme en m'y voyant seul, et me mis
à la fenêtre, attendant l'heure salutaire où ce torrent
de clarté allait s'éteindre. Peu à peu la face des hauts
clochers rougit, les bruits devinrent plus distincts
dans l'air un peu humide, des barres de feu se
formèrent au couchant, du côté où s'élevaient, au-
dessus des toitures, les mâts des navires amarrés
dans la rivière. Je restai là jusqu'à la nuit, me demandant ce que j'éprouvais, ne sachant que répondre,
écoutant, voyant, sentant, étouffé par des pulsations
d'une vie extraordinaire, plus émue, plus forte, plus
active, moins compressible que jamais. J'aurais
souhaité que quelqu'un fût là ; mais pourquoi ? Je
n'aurais pu le dire. Et qui ? Je le savais encore

moins. S'il m'avait fallu choisir à l'heure même un confident parmi les êtres qui m'étaient alors le plus chers, il m'eût été impossible de nommer personne.

Quelques minutes seulement avant que le dernier rayon du jour eût disparu, je descendis. Je me glissai par les rues que je savais désertes jusqu'aux endroits du boulevard où l'herbe poussait en pleine solitude. Je longeai la place où j'entendis commencer les premières sonneries de la retraite militaire. Puis le bruit des clairons s'éloigna, et j'en suivis la marche de loin par les rues sinueuses, d'après des échos plus distincts ou plus confus suivant la largeur de l'espace où, dans l'air tranquille du soir, le son se déployait. Seul, tout seul, dans le crépuscule bleu qui descendait du ciel, sous les ormeaux garnis de frondaisons légères, aux lueurs des premières étoiles qui s'allumaient à travers les arbres comme des étincelles de feu semées sur la dentelle des feuillages, je marchais dans la longue avenue, écoutant cette musique si bien rythmée, et me laissant conduire par ses cadences. J'en marquais la mesure; mentalement je la répétai quand elle eut fini de se faire entendre. Il m'en resta dans l'esprit comme un mouvement qui se continua, et cela devint une sorte de mode et d'appui mélodique sur lequel involontairement je mis des paroles. Je n'ai plus aucun souvenir des paroles, ni du sujet, ni du sens des mots, je sais seulement que cette exhalaison singulière sortit de moi, d'abord comme un rythme, puis avec des mots rythmés, et que cette mesure intérieure tout à coup se traduisit, non-seulement par la symétrie des mesures, mais par

la répétition double ou multiple de certaines syl-
labes sourdes ou sonores se correspondant et se
faisant écho. J'ose à peine vous dire que c'étaient
là des vers, et cependant ces paroles chantantes y
ressemblaient beaucoup.

A ce moment même, et pendant que je faisais
cette réflexion, je reconnus devant moi, dans l'allée
que je suivais, notre ami de tous les jours,
M. d'Orsel, et ses deux filles. J'étais trop près d'eux
pour les éviter, et la préoccupation même où j'étais
plongé ne m'en eût pas laissé la force. Je me trouvais donc face à face avec le regard paisible et le
blanc visage de Madeleine.

« Comment ! vous ici ? » me dit-elle.

J'entends encore cette voix nette, aérienne, avec
un léger accent du Midi [21] qui me fit frissonner. Je
pris machinalement la main qu'elle me tendait, sa
petite main fine et fraîche, et la fraîcheur de ce
contact me fit sentir que la mienne était brûlante.
Nous étions si près l'un de l'autre, et je distinguais
si nettement les contours de son visage que je fus
effrayé de penser qu'elle me voyait aussi.

« Nous vous avons fait peur ? » ajouta-t-elle.

Je compris au changement de sa voix à quel
point mon trouble était visible. Et comme rien au
monde n'aurait pu me retenir une seconde de plus
dans cette situation sans issue, je balbutiai je ne
sais quoi de déraisonnable, et, perdant tout à fait
la tête, étourdiment, sottement, je pris la fuite.

Ce soir-là, je ne passai point par le salon de ma
tante, et je m'enfermai dans ma chambre, de peur
qu'on ne m'y surprît. Là, sans réfléchir à quoi que
ce fût, sans le vouloir, absolument comme un homme

attiré par je ne sais quelle irrésistible entreprise qui l'épouvante autant qu'elle le séduit, d'une haleine, sans me relire, presque sans hésiter, j'écrivis toute une série de choses inattendues, qui parurent me tomber du ciel. Ce fut comme un trop-plein qui sortit de mon cœur, et dont il était soulagé au fur et à mesure qu'il se désemplissait. Ce travail fiévreux m'entraîna bien avant dans la nuit. Puis il me sembla que ma tâche était faite; toutes les fibres irritées se calmèrent, et vers le matin, à l'heure où s'éveillent les premiers oiseaux, je m'endormis dans une lassitude délicieuse.

Le lendemain, Olivier me parla de ma rencontre avec ses cousines, de mon embarras, de ma fuite.

« Tu fais le mystérieux, me dit-il, tu as tort; si j'avais un secret, je le partagerais avec toi. »

J'hésitai d'abord à lui dire la vérité. C'était ce qu'il y avait de plus simple, et cela certainement aurait mieux valu; mais il y avait dans un pareil aveu mille embarras réels ou imaginaires, qui me le représentaient comme impossible. En quels termes d'ailleurs lui faire comprendre ce que j'éprouvais depuis longtemps, sans que personne en eût le soupçon? Comment lui parler de sang-froid de ces pudeurs extrêmes que le grand jour offusquait, qui ne supportaient aucun examen, pas plus le mien que celui des autres, et qui demandaient, comme une plaie trop vive ou trop récente, à n'être pas même effleurées du regard? Comment lui raconter cette crise de sensibilité inexplicable et cet ensorcellement de la nuit, dont j'avais trouvé le matin même à mon réveil le témoignage écrit?

Je répondis par un mensonge : j'étais souffrant

depuis quelques jours; la chaleur de la veille m'avait donné une sorte de vertige, et je priais Madeleine d'excuser la sotte figure que j'avais faite en la rencontrant.

« Madeleine! reprit Olivier; mais nous n'avons pas de comptes à rendre à Madeleine... Il y a des choses qui ne la regardent plus. »

Il avait en disant cela un singulier sourire, avec un regard des plus pénétrants et des plus vifs. Quelque effort qu'il fît cependant pour lire au fond de ma pensée, j'étais bien sûr qu'il n'y verrait rien; mais je comprenais aussi qu'il y cherchait quelque chose, et si je ne devinais pas quels étaient les sentiments très-présumables qu'Olivier me supposait en raisonnant d'après lui-même, je me vis l'objet d'une investigation qui me fit réfléchir et d'un soupçon qui m'embarrassa.

J'étais si parfaitement candide et ignorant que le premier éveil qui m'ait surpris au milieu de mes ingénuités me vint ainsi d'un regard inquiet de ma tante, d'un sourire équivoque et curieux d'Olivier. Ce fut l'idée qu'on me surveillait qui me donna le désir d'en chercher la cause, et ce fut un faux soupçon qui pour la première fois de ma vie me fit rougir. Je ne sais quel indéfinissable instinct me gonfla le cœur d'une émotion tout à fait nouvelle. Une lueur bizarre éclaira tout à coup ce verbe enfantin, le premier que nous avons tous conjugué soit en français, soit en latin, dans les grammaires. Deux jours après ce vague avertissement donné par une mère prudente et par un camarade émancipé, je n'étais pas loin d'admettre, tant mon cerveau roulait de scrupules, de curiosités et d'inquiétudes, que

ma tante et Olivier avaient raison en me supposant amoureux, mais de qui ?

La soirée du dimanche suivant nous réunit tous
comme à l'ordinaire dans le salon de Mme Ceyssac.
J'y vis paraître Madeleine avec un certain trouble;
je ne l'avais pas revue depuis le jeudi soir. Sans
doute elle attendait une explication : moins que
jamais je me sentais en disposition de la lui donner,
et je me tus. J'étais affreusement embarrassé de
ma personne et distrait. Olivier, qui ne se croyait
aucune raison d'être charitable, me harcelait de
ses épigrammes. Rien n'était plus inoffensif, et
cependant j'en étais atteint, tant l'état d'extrême
irritabilité nerveuse où je me trouvais depuis quelques jours me rendait vulnérable et me prédispo-
sait à souffrir sans motif. J'étais assis près de Madeleine, d'après une ancienne habitude où la volonté
de l'un et de l'autre n'entrait pour rien. Tout à
coup l'idée me vint de changer de place. Pourquoi ?
Je n'aurais pu le dire. Il me sembla seulement que
la lumière directe des lampes me blessait, et qu'ailleurs je me trouverais mieux. En levant les yeux
qu'elle tenait abaissés sur son jeu, Madeleine me
vit assis de l'autre côté de la table, précisément
vis-à-vis d'elle.

« Eh bien ! » dit-elle avec un air de surprise.

Mais nos yeux se rencontrèrent; je ne sais ce
qu'elle aperçut d'extraordinaire dans les miens qui
la troubla légèrement et ne lui permit pas d'achever.

Il y avait plus de dix-huit mois que je vivais près
d'elle et pour la première fois je venais de la regarder
comme on regarde quand on veut voir. Madeleine
était charmante, mais beaucoup plus qu'on ne le

disait, et bien autrement que je ne l'avais cru. De plus, elle avait dix-huit ans. Cette illumination soudaine, au lieu de m'éclairer peu à peu, m'apprit en une demi-seconde tout ce que j'ignorais d'elle et de moi-même. Ce fut comme une révélation définitive qui compléta les révélations des jours précédents, les réunit pour ainsi dire en un faisceau d'évidences, et, je crois, les expliqua toutes.

VI

Quelques semaines après, M. d'Orsel se rendait à une ville d'eaux, sous prétexte de promenade et de santé, mais en réalité pour des raisons particulières que tout le monde ignorait, et que je ne connus qu'un peu plus tard. Madeleine et Julie l'accompagnaient.

Cette séparation, dont un autre aurait gémi comme d'un déchirement, me délivra d'un grand embarras. Je ne pouvais plus vivre à côté de Madeleine, à cause de timidités soudaines qui toutes me venaient de sa présence. Je la fuyais. L'idée de lever les yeux sur elle était un trait d'audace. A la voir si calme, quand je ne l'étais plus, à la trouver si parfaitement jolie, tandis que j'avais tant de motifs pour me déplaire avec ma tenue de collège et mon teint de campagnard mal débarbouillé, j'éprouvais je ne sais quel sentiment subalterne, comprimé, humiliant, qui me remplissait de défiance et transformait la plus paisible des camaraderies en une sorte de soumission sans douceur et d'asservissement mal enduré. C'était ce qu'il y avait eu de plus clair et de fort troublant dans l'effet instantané produit par la soirée que je vous ai dite. Madeleine en un mot me faisait peur. Elle me dominait avant

de me séduire : le cœur a les mêmes ingénuités
que la foi. Tous les cultes passionnés commencent
ainsi.

Le lendemain de son départ, je courais rue des
Carmélites. Olivier habitait une petite chambre
perdue dans un pavillon élevé de l'hôtel. Habi-
tuellement je venais le prendre aux heures du collège, et l'appelais au jardin pour qu'il descendît.
Je me souvins qu'à pareille heure, presque tous
les jours, une autre voix me répondait, que Madeleine alors mettait la tête à la fenêtre et me disait
bonjour ; je pensais à l'émoi que me causait cette
entrevue quotidienne, autrefois sans charme ni
dangers, devenue si subitement un vrai supplice ;
et j'entrai hardiment, presque joyeux, comme si
quelque chose en moi de craintif et de surveillé
prenait ses vacances.

La maison était vide. Les domestiques allaient
et venaient, comme étonnés, eux aussi de n'avoir
plus à se contraindre. On avait ouvert toutes les
fenêtres, et le soleil de mai jouait librement dans les
chambres, où toutes choses étaient remises en place.
Ce n'était pas l'abandon, c'était l'absence. Je sou-
pirai. Je calculai ce que cette absence devait durer.
Deux mois ! Cela me paraissait tantôt très-long,
tantôt très-court. J'aurais souhaité, je crois, tant
j'avais besoin de m'appartenir, que ce mince répit
n'eût plus de fin.

Je revins le lendemain, les jours suivants : même
silence et même sécurité. Je me promenai dans
toute la maison, je visitai le jardin allée par allée ;
Madeleine était partout [22]. Je m'enhardis jusqu'à
m'entretenir librement avec son souvenir. Je regar-

dai sa fenêtre, et j'y revis sa jolie tête. J'entendis sa
voix dans les allées du parc, et je me mis à fredonner,
pour retrouver comme un écho de certaines romances
qu'elle se plaisait à chanter en plein air, que le vent
rendait si fluides et que le bruit des feuilles accompagnait. Je revis mille choses que j'ignorais d'elle
ou qui ne m'avaient pas frappé, certains gestes
qui n'étaient rien et qui devenaient charmants; je
trouvai pleine de grâce l'habitude un peu négligée
qu'elle avait de tordre ses cheveux en arrière et de
les porter relevés sur la nuque et liés par le milieu
comme une gerbe noire. Les moindres particularités
de sa mise ou de sa tournure, une odeur exotique
qu'elle aimait et qui me l'eût fait reconnaître les yeux
fermés, tout, jusqu'à ses couleurs adoptées depuis
peu, le bleu qui parait si bien et qui faisait valoir
avec tant d'éclat sa blancheur sans trouble, tout
cela revivait avec une lucidité surprenante, mais
en me causant une autre émotion que sa présence,
comme un regret, agréable à caresser, des choses
aimables qui n'étaient plus là. Peu à peu, je me péné-
trai sans beaucoup de chaleur, mais avec un attendrissement continu, de ces réminiscences, le seul
attrait presque vivant qui me restât d'elle, et moins
de quinze jours après le départ de Madeleine ce
souvenir envahissant ne me quittait plus.

Un soir, je montais chez Olivier, et comme à
l'ordinaire je passais devant la chambre de Madeleine. Bien souvent déjà j'en avais trouvé la porte
grande ouverte sans que la pensée me fût jamais
venue d'y pénétrer. Ce soir-là, je m'arrêtai court,
et après quelques hésitations accordées à des scrupules aussi nouveaux que tous les autres sentiments

qui m'agitaient, je cédai à une tentation véritable,
et j'entrai.

Il y faisait presque nuit. Le bois sombre de quelques meubles anciens se distinguait à peine, l'or des
marqueteries luisait faiblement. Des étoffes de couleur sobre, des mousselines flottantes, tout un
ensemble de choses pâles et douces y répandait
une sorte de léger crépuscule et de blancheur de
l'effet le plus tranquille et le plus recueilli. L'air
tiède y venait du dehors avec les exhalaisons du
jardin en fleur; mais surtout une odeur subtile,
plus émouvante à respirer que toutes les autres,
l'habitait comme un souvenir opiniâtre de Madeleine. J'allai jusqu'à la fenêtre : c'était là que Madeleine avait l'habitude de se tenir, et je m'assis dans
un petit fauteuil à dossier bas qui lui servait de
siège. J'y demeurai quelques minutes en proie à
une anxiété des plus vives, retenu malgré moi par
le désir de savourer des impressions dont la nou-
veauté me paraissait exquise. Je ne regardais rien,
pour rien au monde, je n'aurais osé porter la main
sur le moindre des objets qui m'entouraient. Immobile, attentif seulement à me pénétrer de cette
indiscrète émotion, j'avais au cœur des battements si convulsifs, si précipités, si distincts, que
j'appuyais les deux mains sur ma poitrine pour
en étouffer autant que possible les palpitations
incommodes.

Tout à coup j'entendis dans les corridors le pas
rapide et sec d'Olivier. Je n'eus que le temps de
me glisser jusqu'à la porte; il arrivait.

« Je t'attendais », me dit-il assez simplement pour
me persuader, ou qu'il ne m'avait pas vu sortir de

la chambre de Madeleine, ou qu'il n'y trouvait rien à redire.

Il était fort élégamment mis, en tenue légère, avec une cravate un peu lâche et des habits larges, tels qu'il aimait à les porter, surtout en été. Il avait cette démarche aisée, cette façon libre de se mouvoir dans des habits flottants qui lui donnaient à certains moments comme un air fort original de jeune homme étranger, soit anglais, soit créole. C'était l'instinct d'un goût très-sûr qui l'invitait à s'habiller de la sorte. Il en tirait une grâce toute personnelle, et moi qui ai connu ses qualités en même temps que ses faiblesses, je ne puis pas dire qu'il y mît beaucoup de prétention, quoiqu'il en fît l'objet d'une réelle étude. Il considérait la composition d'une toilette, le choix des nuances, les proportions d'un habit comme une chose très-sérieuse dans la conduite générale d'un homme de bon ton; mais une fois la toilette admise il n'y pensait plus, et c'eût été lui faire injure que de le supposer préoccupé de sa mise au delà du temps voulu par les soins ingénieux qu'il y donnait.

« Allons jusqu'aux boulevards, me dit-il en s'emparant de mon bras. Je désire que tu m'accompagnes, et voici la nuit. »

Il marchait vite et m'entraînait comme s'il eût été pressé par l'heure. Il prit le plus court, traversa lestement les allées désertes et me conduisit tout droit vers cette partie des avenues où l'on se promenait l'été à la nuit tombante. Il y avait une certaine foule, ce qu'une très-petite ville comme Ormesson comptait alors de plus mondain, de plus riche et de plus élégant. Olivier s'y glissa sans s'arrêter, les yeux en éveil, excité par une secrète impatience qui l'absorbait au point de lui faire oublier que j'étais là. Tout à coup il ralentit le pas, se raffermit à mon bras pour se contraindre à modérer je ne sais quelle enfantine effervescence qui sans doute aurait manqué de mesure ou d'esprit. Je compris qu'il était au bout de ses recherches.

Deux femmes se dirigeaient vers nous, au bord de l'allée et assez mystérieusement abritées sous le plafond bas des ormeaux. L'une était jeune et remarquablement jolie; ma très-récente expérience m'avait formé le goût sur ces définitions délicates, et je ne m'y trompais plus. J'observais cette façon légère et contenue de fouler à petits pas le gazon qui s'étendait aux pieds des arbres, comme si elle eût marché sur les laines souples d'un tapis. Elle nous regardait fixement, avec moins de charme que Madeleine, plus de volonté que jamais celle-ci n'eût osé le faire, et, de loin, se préparait par un sourire insolite à répondre au salut d'Olivier. Ce salut fut échangé d'aussi près que possible avec la même grâce un peu négligée; et dès que la jeune tête blonde et encore souriante eut disparu dans les dentelles de son chapeau, Olivier se tourna vers moi avec un air d'interrogation audacieuse.

« Tu connais Mme X... ? » me dit-il.

Il me nommait une personne dont on parlait un peu dans le monde où quelquefois j'accompagnais ma tante. Il n'était que très-naturel qu'Olivier lui eût été présenté, et naïvement je le lui dis.

« Précisément, ajouta-t-il, j'ai dansé un soir de cet hiver avec elle, et depuis... »

Il s'interrompit, et après un silence : « Mon cher

Dominique, reprit-il, je n'ai ni père ni mère, tu le sais; je ne suis que le neveu de mon oncle, et de ce côté je n'attends que les affections qui me sont dues, c'est-à-dire une bien petite part dans le patrimoine de tendresse qui revient de droit à mes deux cousines. J'ai donc besoin qu'on m'aime, et autrement que d'une amitié de collège... Ne te récrie pas; je te suis reconnaissant de l'attachement que tu me témoignes, et je suis sûr que tu me le continueras, quoi qu'il arrive. Je te dirai aussi que tu m'es très-cher. Mais enfin tu me permettras de trouver un peu tièdes les affections estimables qui me sont échues. Il y a deux mois qu'un soir, au bal, je parlais à peu près des mêmes choses à la personne que nous venons de rencontrer. Elle s'en est amusée d'abord, n'y voyant que les doléances d'un collégien que le collège ennuie; or, comme j'avais la ferme volonté d'être écouté sérieusement quand je parlais de même, et la certitude qu'on me croirait si je le voulais bien : « Madame, lui « dis-je, ce sera une prière, s'il vous plaît de le prendre « ainsi; sinon, c'est un regret que vous n'entendrez « plus. » Elle me donna deux petits coups d'éventail, sans doute afin de m'interrompre; mais je n'avais plus rien à lui dire, et pour ne pas me démentir je quittai le bal aussitôt. Depuis j'ai tenu parole, je n'ai pas ajouté un mot qui pût lui faire croire que j'eusse ou la moindre espérance ou le moindre doute. Elle ne m'entendra plus ni me plaindre ni la supplier. Je sens qu'en pareil cas j'aurai beaucoup de patience, et j'attendrai. »

En me parlant ainsi, Olivier était très-calme. Un peu plus de brusquerie dans son geste, un certain

accent plus vibrant dans sa voix, c'était le seul
signe perceptible qui trahît le tremblement intérieur, s'il tremblait au fond du cœur, ce dont je
doute. Quant à moi, je l'écoutais avec une réelle
et profonde angoisse. Ce langage était si nouveau,
la nature de ses confidences était telle que je n'en
ressentis d'abord qu'un grand trouble, comme au
contact d'une idée tout à fait incompréhensible.

« Eh bien ! lui dis-je, sans trouver autre chose à
répondre que cette exclamation de naïf ébahisse-
ment.

— Eh bien ! voilà ce que je voulais t'apprendre,
Dominique, ceci et pas autre chose. Lorsqu'à ton
tour tu me diras de t'écouter, je saurai le faire. »
Je lui répondis plus laconiquement encore par
un serrement de main des plus tendres, et nous
nous séparâmes.

Il en fut des confidences d'Olivier comme de
toutes les leçons trop brusques ou trop fortes :
cette infusion capiteuse me fit tourner l'esprit,
et il me fallut beaucoup de méditations violentes
pour démêler les vérités utiles ou non que contenaient des aveux si graves. Au point où j'en étais,
c'est-à-dire osant à peine épeler sans émoi le mot
le plus innocent et le plus usuel de la langue du
cœur, mes prévisions les plus hardies n'auraient
jamais dépassé toutes seules l'idée d'un sentiment
désintéressé et muet. Partir de si peu pour arriver
aux hypothèses ardentes où m'entraînaient les témé-
rités d'Olivier, passer du silence absolu à cette
manière libre de s'exprimer sur les femmes, le
suivre enfin jusqu'au but marqué par son attente,
il y avait là de quoi me beaucoup vieillir en quelques

heures. Cette enjambée exorbitante, je la fis cependant, mais avec des effrois et des éblouissements que je ne saurais vous dire, et ce qui m'étonna le plus quand j'eus acquis le degré de lucidité voulu pour comprendre pleinement les leçons d'Olivier, ce fut de comparer les chaleurs qui m'en venaient avec la froide contenance et les calculs savants de ce soi-disant amoureux.

Quelques jours après il me montrait une lettre sans signature.

« Vous vous écrivez ? lui demandai-je.

— Cette lettre, me dit-il, est le seul billet que j'aie reçu d'elle, et je n'ai pas répondu. »

La lettre était à peu près conçue en ces termes :

« Vous êtes un enfant qui prétendez agir comme un homme, et vous avez doublement tort de vous vieillir. Les hommes, quoi que vous fassiez, seront toujours meilleurs ou pires que vous n'êtes. Je vous crois à plaindre, car vous êtes seul, et je vous estime assez pour admettre que vous devez en effet souffrir d'être privé d'une amitié vigilante et tendre; mais vous feriez mieux de parler à cœur ouvert que de vous confier un jour à l'improviste à quelqu'un qui vous apprécie, et puis de vous taire. Je ne vois ni le bien que j'ai pu vous faire en écoutant vos confidences, ni le but que vous vous proposez en ne les renouvelant plus. Vous avez trop de raison pour un âge dont l'ingénuité est à la fois le seul attrait et la seule excuse, et, si vous aviez autant d'abandon que de sang-froid, vous seriez plus intéressant et surtout plus heureux. »

Malgré ces rares accès de franchise auxquels il cédait par caprice, je n'étais qu'à demi dans les con-

fidences d'Olivier. Quoiqu'à peu près de mon
âge et inférieur à moi sur beaucoup de points
sans doute, il me trouvait un peu jeune, comme il
disait, sur les questions de conduite qui s'agitaient
dans son esprit. C'était à peine si je pouvais accepter
le premier mot du dessein qu'il entendait poursuivre jusqu'à la pleine satisfaction de son amour-
propre ou de son plaisir. Je le voyais toujours
aussi calme, libre d'esprit, prompt à tout, avec
son aimable visage aux accents un peu froids, ses
yeux impertinents pour tous ceux qui n'étaient
pas ses amis, et ce sourire rapide et très-séduisant
dont il savait faire avec tant d'à-propos tantôt une
caresse et tantôt une arme. Il n'était aucunement
triste et pas beaucoup plus distrait, même dans les
circonstances où, de son propre aveu, son imper-
turbable confiance avait un peu souffert. Le dépit
ne se traduisait chez lui que par une sorte d'irritabilité plus aiguë, et ne faisait pour ainsi dire qu'ajouter un ressort de trempe plus sèche à son audace.

« Si tu crois que je vais me rendre malheureux,
tu te trompes, me disait-il à quelque temps de là,
dans un de ces moments de courtes hésitations où,
comme à plaisir, il donnait à ses paroles une expression d'hostilité méchante. Si elle m'aime un jour,
tôt ou tard, ceci n'est rien. Sinon...

— Sinon ? » lui dis-je.

Sans me répondre, il fit tournoyer et siffler
autour de sa tête un petit jonc qu'il tenait à la main,
comme s'il eût voulu trancher quelque chose en
fendant l'air. Puis, tout en continuant de fouetter
le vide avec une véhémence extrême, il ajouta :

« Si je pouvais seulement lire dans ses yeux un

oui ou un non ! Je n'en connais pas d'aussi tour-
mentants ni d'aussi beaux, excepté ceux de mes
deux cousines, qui ne me disent rien. »

Un autre jour, un accident contraire le rendait à
lui-même. Il devenait sensible, agité, légèrement
enthousiaste, en tout beaucoup plus naturel. Il
s'abandonnait à quelques douceurs de gestes et de
langage, qui, quoique toujours fort réservées, m'en
apprenaient assez sur ses espérances.

« Es-tu bien sûr de l'aimer ? » lui demandai-je
enfin, tant cette première condition pour qu'il se
montrât exigeant me semblait indispensable et
cependant douteuse.

Olivier me regarda dans le blanc des yeux, et,
comme si ma question lui paraissait le comble de la
niaiserie ou de la folie, il partit d'un éclat de rire
insolent qui m'ôta toute envie de continuer.

L'absence de Madeleine dura le temps convenu.
Quelques jours avant son retour, en pensant à elle,
et j'y pensais à toutes les minutes, je récapitulai
les changements qui s'étaient opérés en moi depuis
son départ, et j'en fus stupéfait. Le cœur gros de
secrets, l'âme émue d'impulsions hardies, l'esprit
chargé d'expérience avant d'avoir rien connu, je
me vis en un mot tout différent de celui qu'elle
avait quitté. Je me persuadai que cela me servirait à
diminuer d'autant l'ascendant bizarre auquel j'étais
soumis, et cette légère teinte de corruption répandue
sur des sentiments parfaitement candides me donna
comme un semblant d'effronterie, c'est-à-dire tout
juste assez de bravoure pour courir au-devant
de Madeleine sans trop trembler.

Elle arriva vers la fin de juillet. De loin j'entendis

les grelots des chevaux, et je vis approcher, encadrée
dans le rideau vert des charmilles, la chaise de poste,
toute blanche de poussière, qui les amena par le
jardin jusque devant le perron. Ce que j'aperçus
d'abord, ce fut le voile bleu de Madeleine, qui
flottait à la portière de la voiture. Elle en descendit
légèrement et se jeta au cou d'Olivier. Je sentis, à
la vive et fraternelle étreinte de ses deux petites
mains cordialement posées dans les miennes, que
la réalité de mon rêve était revenue; puis, s'emparant avec une familiarité de sœur aînée du bras
d'Olivier et du mien, s'appuyant également sur
l'un et sur l'autre, et versant sur tous les deux comme
un rayon de vrai soleil, la limpide lumière de son
regard direct et franc, comme une personne un
peu lasse, elle monta les escaliers du salon.

Cette soirée-là fut pleine d'effusion. Madeleine
avait tant à nous dire ! Elle avait vu de beaux pays,
découvert toutes sortes de nouveautés, de mœurs,
d'idées, de costumes. Elle en parlait dans le premier
désordre d'une mémoire encombrée de souvenirs
tumultueux, avec la volubilité d'un esprit impatient
de répandre en quelques minutes cette multitude
d'acquisitions faites en deux mois. De temps en
temps elle s'interrompait, essoufflée de parler,
comme si elle l'eût été de monter et de descendre
encore les échelons de montagne où son récit nous
conduisait. Elle passait la main sur son front, sur
ses yeux, relevait en arrière de ses tempes ses épais
cheveux, un peu hérissés par la poussière et le
vent du voyage. On eût dit que ce geste d'une
personne qui marche et qui a chaud rafraîchissait
aussi sa mémoire. Elle cherchait un nom, une date,

perdait et retrouvait sans cesse le fil embrouillé
d'un itinéraire, puis se mettait à rire aux éclats
quand, la confusion s'introduisant dans son récit,
elle était obligée d'appeler à son aide la claire et
sûre mémoire de Julie. Elle exhalait la vie, le plaisir d'apprendre, les curiosités satisfaites. Quoique
brisée par un long voyage en voiture, il lui restait encore de ce perpétuel déplacement une habitude
de se mouvoir vite qui la faisait dix fois de suite
se lever, agir, changer de place, jeter les yeux dans
le jardin, donner un coup d'œil de bienvenue aux
meubles, aux objets retrouvés. Quelquefois elle
nous regardait, Olivier et moi, attentivement,
comme pour être bien assurée de se reconnaître et
mieux constater son retour et sa présence au milieu
de nous; mais soit qu'elle nous trouvât l'un et
l'autre un peu changés, soit que deux mois de
séparation et la vue de tant de figures nouvelles
l'eussent déshabituée de nos visages, je voyais dans
sa physionomie poindre une vague surprise.

« Eh bien ! lui disait Olivier, nous retrouves-tu ?

— Pas tout à fait, disait-elle ingénument; je vous
voyais autrement quand j'étais loin. »

Je restais cloué sur un fauteuil. Je la regardais, je
l'écoutais, et quoi qu'elle pût penser de nous, le
changement que j'apercevais en elle était bien
autrement réel, et sans contredit plus absolu, sinon
plus profond.

Elle avait bruni. Son teint, ranimé par un hâle
léger, rapportait de ses courses en plein air comme
un reflet de lumière et de chaleur qui le dorait. Elle
avait le regard plus rapide avec le visage un peu
plus maigre, les yeux comme élargis par l'effort

d'une vie très-remplie et par l'habitude d'embrasser
de grands horizons. Sa voix, toujours caressante
et timbrée pour l'expression des mots tendres,
avait acquis je ne sais quelle plénitude nouvelle
qui lui donnait des accents plus mûrs. Elle marchait
mieux, d'une façon plus libre; son pied lui-même
s'était aminci en s'exerçant à de longues courses
dans les sentiers difficiles. Toute sa personne avait
pour ainsi dire diminué de volume en prenant
des caractères plus fermes et plus précis, et ses
habits de voyage, qu'elle portait à merveille, achevaient cette fine et robuste métamorphose. C'était
Madeleine embellie, transformée par l'indépendance,
par le plaisir, par les mille accidents d'une existence
imprévue, par l'exercice de toutes ses forces, par
le contact avec des éléments plus actifs, par le
spectacle d'une nature grandiose. C'était toute la
juvénilité de cette créature exquise, avec je ne sais
quoi de plus nerveux, de plus élégant, de mieux
défini, qui marquait un progrès dans la beauté,
mais qui certainement aussi révélait un pas décisif
dans la vie.

Je ne sais pas si je me rendis compte alors de
tout ce que je vous dis là; je sais seulement que je
devinais d'elle à moi des supériorités de plus en plus
manifestes, et jamais encore je n'avais mesuré avec
tant de certitude et d'émotion la distance énorme
qui séparait une fille de dix-huit ans à peu près
d'un écolier de dix-sept ans.

Un autre indice plus positif encore aurait dû dès
ce soir-là m'ouvrir les yeux.

Il y avait parmi les bagages un admirable bouquet
de rhododendrons, arrachés de terre avec leurs

racines, et qu'une main prévoyante avait entourés de fougères et de plantes alpestres encore humides des eaux de la montagne. Ce bouquet, apporté de si loin, et dont M. d'Orsel paraissait prendre un soin particulier, leur avait été envoyé, disait Madeleine, en souvenir d'une excursion faite au pic de *** par un compagnon de voyage qu'on désignait vaguement comme un homme aimable, poli, prévenant, rempli d'égards pour M. d'Orsel. Au moment où Julie défaisait les enveloppes, une carte s'en détacha. Olivier la vit tomber, s'en empara prestement, la retourna une ou deux fois, afin d'en examiner en quelque sorte la physionomie, puis il y lut un nom : *Comte Alfred de Nièvres* [23].

Personne ne releva ce nom, qui résonna sèchement au milieu d'un silence absolu et résolu. Madeleine eut l'air de ne pas entendre. Julie ne sourcilla pas. Olivier se tut. M. d'Orsel prit la carte et la déchira. Quant à moi, le plus intéressé de tous à préciser les moindres circonstances de ce voyage, que vous dirai-je ? J'avais besoin d'être heureux : là est le secret de beaucoup d'aveuglements moins explicables encore que celui-ci.

Entre Madeleine presque femme et l'adolescent à peine émancipé que je vous montre, entre ses brillantes années et les miennes, il y avait mille obstacles connus ou inconnus, flagrants ou cachés, nés ou à naître. N'importe, je m'obstinais à n'en voir aucun. J'avais regretté Madeleine, je l'avais désirée, attendue, et vous devinez que plus d'une fois depuis son départ j'avais maudit le misérable esprit de rébellion qui m'avait aigri contre la plus enviable, la plus douce, et la moins calculée des servitudes.

Elle revenait enfin, affectueuse à me ravir, séduisante à m'émerveiller; je la possédais; et, comme il arrive aux gens dont un excès de lumière a troublé la vue, je n'apercevais rien au delà du confus éblouissement qui m'aveuglait.

Grâce à cette absence de raison, je devrais dire à cette cécité, je me plongeai dans les mois qui suivirent, comme si j'étais entré dans un infini. Imaginez un vrai printemps, rapide et déjà très-ardent, comme toutes les saisons tardives, plein de riantes erreurs, de floraisons généreuses, d'imprévoyances, de joies parfaites. Autant je m'étais étroitement replié sur moi-même avant cette subite éclosion qui me surprenait dans l'engourdissement de la véritable enfance, autant je mis de promptitude à m'épanouir. Je ne demandai point s'il m'était permis de m'offrir; je me donnai sans réserve, et dans des effusions où je prodiguai ce qu'il y avait en moi de sincèrement intelligent, de meilleur, surtout de plus inflammable. Je vous peindrais mal ce rare et court moment de désintéressement total qui peut servir d'excuse à bien des accès d'égoïsme où je tombai depuis, et pendant lequel ma vie brûla tout entière en manière d'offrande, et flamba sous les pieds de Madeleine, pure et seulement parfumée de bons instincts, comme un feu d'autel.

Nous reprîmes nos vieilles habitudes. C'était le cadre ancien embelli par le prodigieux éclat d'une vie nouvelle. Je m'étonnai de trouver tout si dissemblable, et qu'une seule influence eût pu changer la physionomie des choses au point de rajeunir tant de décrépitudes et de remplacer des aspects si moroses par de pareilles gaietés. Les veillées étaient courtes,

les soirées chaudes. On ne se réunissait plus guère
au salon. On veillait soit sous les arbres du jardin
d'Orsel, soit en pleine campagne au bord des prés
humides. Quelquefois je donnai le bras à Julie pendant de lentes promenades faites en commun. Les
grands-parents suivaient. La nuit venait et faisait
descendre entre nous de longs silences, autorisés
par ces heures douteuses où l'on parle moins et
plus bas. La ville enfermait l'horizon de ses
silhouettes graves; le bruit des cloches, des sonneries gothiques accompagnaient ces sortes de promenades allemandes où je n'étais pas Werther, où je
crois que Madeleine aurait valu Charlotte. Je ne
lui parlais point de Klopstock, et jamais ma main
ne se posa sur la sienne autrement que comme une
main de frère.

La nuit, je continuais d'écrire avec fureur, car je
ne faisais plus rien à demi. Il me semblait parfois,
tant je ne sais quel amas d'illusions se donnaient
rendez-vous dans ma tête, que j'étais près d'en-
fanter des chefs-d'œuvre. J'obéissais à une force
étrangère à ma volonté, comme toutes celles qui
me possédaient. Si, avec les souvenirs de cette
époque, j'avais conservé de même la moindre des
ignorances qui la rendirent si belle et si stérile, je
vous dirais que cette faculté singulière, toujours
dominante et jamais soumise, inégale, indiscipli-
nable, impitoyable, venant à son heure et s'en allant
comme elle était venue, ressemblait, à s'y méprendre
à ce que les poètes nomment l'inspiration et per-
sonnifient dans la Muse. Elle était impérieuse et
infidèle, deux traits saillants qui me la firent prendre
pour l'inspiratrice ordinaire des esprits vraiment

doués, jusqu'au jour où, plus tard, je compris
que la visiteuse à qui je dus tant de joies d'abord et
puis tant de mécomptes n'avait rien des caractères de la Muse, sinon beaucoup d'inconstance et
de cruauté.

Cette double vie de fièvre de cœur, de fièvre d'esprit, faisait de moi un être fort équivoque. Je le
sentis. Il y avait là plus d'un danger auquel je
voulus parer, et je crus le moment venu de me débarrasser d'un secret sans valeur, pour en sauver un
plus précieux.

« C'est singulier... me dit Olivier; où cela te
mènera-t-il ?... Au fait, tu as raison, si cette occupation t'amuse. »

Courte réponse qui contenait pas mal de dédain et
peut-être beaucoup d'étonnement.

Au milieu de ces diversions, mes études allaient
comme elles pouvaient. Une grâce d'état continuait
de me donner des succès que je dédaignais en les
comparant à des hauteurs de sentiments qui faisaient de moi un si petit jeune homme et, je l'imaginais, un cœur si grand. De loin en loin cependant je recevais du dehors une impulsion qui me
rendait ces succès moins méprisables. Depuis le
jour où nous nous étions séparés, Augustin ne
m'avait jamais perdu de vue. Autant qu'il le pouvait, il continuait à distance ses enseignements
commencés aux Trembles. Avec la supériorité que
lui donnait l'expérience de la vie abordée par ses
côtés les plus difficiles, sur le plus grand des théâtres,
et d'après les progrès d'esprit qu'il supposait aussi
dans son élève, il avait peu à peu élevé le ton de
ses conseils. Ses leçons devenaient presque des

conversations d'homme à homme. Il me parlait peu de lui, excepté dans des termes vagues et pour me dire qu'il travaillait, qu'il rencontrait de grands obstacles, mais qu'il espérait en venir à bout. Quelquefois un tableau rapide, un aperçu du monde, des faits, des ambitions qui l'entouraient, venait après des encouragements tout personnels, comme pour m'éprouver d'avance et me préparer aux leçons pratiques que j'étais exposé plus tard à recevoir des réalités les plus brutales. Il s'inquiétait de ce que je faisais, de ce que je pensais, et me demandait sans cesse ce que j'avais enfin résolu d'entreprendre après ma sortie de province.

« J'apprends, me disait-il, que vous êtes à la tête de votre classe. C'est bien. Ne faites pas fi de pareils avantages. L'émulation au collège est la forme ingénue d'une ambition que vous connaîtrez plus tard. Habituez-vous à garder le premier rang, et tenez-vous-y, afin de n'être jamais satisfait de vous dans la suite, s'il vous arrivait de n'occuper que le second. Surtout ne vous trompez pas de mobile, et ne confondez pas l'orgueil avec le sentiment modeste de ce que vous pouvez. Ne considérez en toutes choses, surtout dans les choses de l'esprit, que l'extrême élévation du but, la distance où vous en êtes et la nécessité d'en approcher le plus possible; cela vous rendra très-humble et très-fort. L'impossibilité, presque égale pour tous, d'atteindre l'extrémité de certains rêves, vous fera paraître estimable et digne de pitié l'effort que tout homme de bonne foi tentera vers la perfection. Si vous vous en sentez plus près que lui, calculez de nouveau ce qui vous reste à faire, et vos découragements vaudront mieux au point de vue moral, et vous profiteront plus que vos vanités. »

Au reste, laissez-moi vous rapporter quelques extraits des lettres d'Augustin; il vous sera facile, en supposant les réponses, de comprendre l'esprit général de notre correspondance, et vous y verrez plus complètement ce qu'étaient alors sa vie et la mienne.

                                          « Paris, 18...

« Déjà dix-huit mois que je suis ici! Oui, mon cher Dominique, il y a dix-huit mois que je vous ai quitté sur cette petite place où nous nous sommes dit *au revoir*. Vingt-quatre heures après, chacun de nous se mettait à l'œuvre. Je vous souhaite, mon cher ami, d'être plus satisfait de vous que je ne le suis de moi. La vie n'est facile pour personne, excepté pour ceux qui l'effleurent sans y pénétrer. Pour ceux-là, Paris est le lieu du monde où l'on peut le plus aisément avoir l'air d'exister. Il suffit de se laisser aller dans le courant, comme un nageur dans une eau lourde et rapide. On y flotte et l'on ne s'y noie pas. Vous verrez cela un jour, et vous serez témoin de bien des succès qui ne tiennent qu'à la légèreté des caractères, et de certaines catastrophes qui n'auraient point eu lieu avec un poids différent dans les convictions. Il est bon de se familiariser de bonne heure avec le spectacle vrai des causes et des résultats. J'ignore quelles idées vous avez sur tout cela, si même vous en avez. En tout cas, il est peu probable qu'elles soient justes, et ce qu'il y a de plus triste, c'est que vous avez raison. Le monde devrait être tout pareil à ce que vous l'imaginez. Si vous saviez pourtant comme il est différent. En attendant que vous en jugiez par vous-même, accoutumez-vous à ces deux idées : qu'il y a des vérités et qu'il y a des hommes. Ne variez jamais sur le sentiment natif que vous avez des unes; quant aux autres, attendez-vous à tout pour le jour où vous les connaîtrez.

« Écrivez-moi plus souvent. Ne dites pas que je connais d'avance votre vie et que vous n'avez rien à m'en apprendre. A l'âge que vous avez et dans un esprit comme le vôtre, il y a chaque jour du nouveau. Vous souvenez-vous de l'époque où vous mesuriez les feuilles naissantes et me disiez de combien de lignes elles avaient grandi sous l'action d'une nuit de rosée ou d'une journée de fort soleil ? Il en est de même pour les instincts d'un garçon de votre âge. Ne vous étonnez pas de cet épanouissement rapide, qui, si je vous connais bien, doit vous surprendre et peut-être vous effrayer. Laissez agir des forces qui n'auront chez vous rien de dangereux : parlez-moi seulement pour que je vous connaisse; permettez-moi de vous voir tel que vous êtes, et c'est moi, à mon tour, qui vous apprendrai de combien vous aurez grandi. Surtout soyez naïf dans vos sensations. Qu'avez-vous besoin de les étudier ? N'est-ce point assez d'en être ému ? La sensibilité est un don admirable; dans l'ordre des créations que vous devez produire, elle peut devenir une rare puissance, mais à une condition, c'est que vous ne la retournerez pas contre vous-même. Si d'une faculté créatrice, éminemment spontanée et subtile, vous faites un sujet d'observations, si vous raffinez, si vous examinez, si la

sensibilité ne vous suffit pas et qu'il vous faille
encore en étudier le mécanisme, si le spectacle d'une
âme émue est ce qui vous satisfait le plus dans l'émotion, si vous vous entourez de miroirs convergents
pour en multiplier l'image à l'infini, si vous mêlez
l'analyse humaine aux dons divins, si de sensible
vous devenez sensuel, il n'y a pas de limites à de
pareilles perversités, et, je vous en préviens, cela est
très-grave. Il y a dans l'antiquité une fable charmante qui se prête à beaucoup de sens et que je
vous recommande. Narcisse devint amoureux de
son image; il ne la quitta point des yeux, ne put
la saisir et mourut de cette illusion même qui l'avait
charmé. Pensez à cela, et quand il vous arrivera de
vous apercevoir agissant, souffrant, aimant, vivant,
si séduisant que soit le fantôme de vous-même,
détournez-vous.

    « Vous vous ennuyez, dites-vous. Cela veut dire
que vous souffrez : l'ennui n'est fait que pour les
esprit vides et pour les cœurs qui ne sauraient être
blessés de rien; mais de quoi souffrez-vous ? Cela
peut-il se dire ? Si j'étais près de vous, je le saurais. Quand vous m'aurez donné le droit de vous
interroger plus positivement, je vous dirai ce que
j'imagine. Si je ne me trompe pas et s'il est vrai
que vous ignoriez vous-même ce qui commence
à vous faire souffrir, tant mieux, c'est un signe que
votre cœur a retenu toute la naïveté que votre esprit
n'a plus.

    « Ne me demandez pas que je vous parle de moi;
mon moi n'est rien jusqu'à présent. Qui le connaît,
excepté vous ? Il n'est vraiment intéressant pour
personne. Il travaille, il s'efforce, il ne se ménage

point, ne s'amuse guère, espère quelquefois, et quand même continue de vouloir. Cela suffit-il ? Nous verrons...

« J'habite un quartier qui probablement ne sera pas le vôtre, car vous aurez le droit de choisir. Tous ceux qui comme moi partent de rien pour arriver à quelque chose viennent où je suis, dans la ville des livres, en un coin désert, consacré par quatre ou cinq siècles d'héroïsmes, de labeurs, de détresses, de sacrifices, d'avortements, de suicides et de gloire. C'est un très-triste et très-beau séjour. J'aurais été libre que je n'en aurais pas choisi d'autre. Ne me plaignez donc pas d'y vivre, j'y suis à ma place.

« Vous écrivez, cela devait être. Que vous en fassiez un secret pour ceux qui vous entourent, c'est une timidité que je comprends, et je vous sais d'autant plus gré de vous ouvrir à moi. Le jour où votre besoin de confidences ira jusque-là, envoyez-moi les fragments que vous pourrez me communiquer, sans trop effaroucher vos premières pudeurs d'écrivain...

« Autre renseignement qu'il me plairait bien d'avoir : que devient cet ami dont vous ne me parlez presque plus ? Le portrait que vous me faisiez de lui était séduisant. Si je vous ai bien compris, ce doit être un charmant mauvais écolier. Il prendra la vie par les côtés faciles et brillants. Conseillez-lui, dans ce cas, de vivre sans ambition, les ambitions qu'il aurait étant de la pire espèce. Et dites-lui bien qu'il n'a qu'une chose à faire, c'est d'être heureux. Il serait impardonnable d'introduire des chimères dans des satisfactions si positives, et de mêler ce que vous appelez l'idéal à des appétits de pure vanité.

« Votre Olivier ne me déplaît pas; il m'inquiète.
Il est évident que ce jeune homme précoce, positif,
élégant, résolu, peut faire fausse route et passer à
côté du bonheur sans s'en douter. Il aura, lui aussi,
ses fantasmagories, et se créera des impossibilités.
Quelle folie ! Il a du cœur, j'aime à le croire, mais
quel usage en fera-t-il ?... N'a-t-il pas deux cousines,
m'avez-vous dit, ce Chérubin qui aspire à devenir
un don Juan ?... Mais j'oublie, en vous citant ces
deux noms, que vous ne connaissez peut-être encore
ni l'un ni l'autre. Votre professeur de rhétorique
vous a-t-il déjà permis Beaumarchais et le *Festin de
Pierre* ? Quant à Byron, j'en doute, et sans inconvénient vous pouvez attendre... »

Plusieurs mois s'étaient écoulés sans aucun
trouble, l'hiver approchait, quand je crus apercevoir sur le visage de Madeleine une ombre et comme
un souci qui n'y avait jamais paru. Sa cordialité,
toujours égale, contenait autant d'affection, mais
plus de gravité. Une appréhension, un regret peut-
être, quelque chose dont l'effet seul était visible
venait de s'introduire entre nous comme un premier avis de désunion. Rien de net, mais un ensemble de désaccords, d'inégalités, de différences,
qui la transfiguraient en quelque sorte en une personne absente et déjà lui donnaient le charme particulier des choses que le temps ou la raison nous
dispute, et qui s'en vont. Par des silences, par des
retraites soudaines, par de multiples réticences qui
détachaient tout lentement et sans rien briser, on
eût dit qu'elle s'appliquait, avec des ménagements
extrêmes, à dénouer des liens que la familiarité de

nos habitudes avait rendus trop étroits. Je pensais
à son âge; je la comparais à beaucoup de femmes
qui n'avaient pas beaucoup plus d'années. Tout à
coup un souvenir oublié, un nom étranger que je
n'avais entendu qu'une fois, bref une supposition
positive et menaçante me traversait le cœur; puis
cette sensation aiguë se dissipait elle-même au
moindre retour de sécurité, pour revivre l'instant
d'après avec la vivacité d'une évidence.

Un dimanche, on attendit en vain Madeleine et
Julie. Le lendemain, Olivier ne vint point au collège. Trois jours se passèrent ainsi sans nouvelles.
J'étais horriblement inquiet. Le soir, je courus
droit à la rue des Carmélites, et je demandai Olivier.

« M. Olivier est au salon, me dit le domestique.

— Seul ?

— Non, monsieur, il y a quelqu'un.

— Alors je vais l'attendre. »

A peine engagé dans l'escalier qui menait à la
chambre d'Olivier, je n'allai pas plus loin, arrêté
sur place par un battement de cœur inexprimable.
Je redescendis, je traversai sans bruit l'antichambre
déserte, et me glissai par une des allées latérales
qui conduisaient de la cour au jardin. Le salon
s'ouvrait au rez-de-chaussée par trois fenêtres
élevées au-dessus du parterre de toute la hauteur
du perron. Sous chacune des fenêtres, il y avait
un banc de pierre. J'y montai. La nuit était noire;
personne ne pouvait se douter que j'étais là; je
plongeai les yeux dans le salon.

Toute la famille était réunie, toute, y compris
Olivier, qui, droit et ferme, habillé de noir, se
tenait debout près de la cheminée. Deux personnes

se faisaient face au coin du foyer. L'une était
M. d'Orsel; l'autre, un homme jeune encore, grand,
correct, de mine irréprochable; Olivier à trente-
cinq ans, avec moins de finesse et plus de roideur.
Je distinguais le geste un peu lent dont il accompagnait ses paroles et la grâce sérieuse avec laquelle
il se tournait de temps à autre vers Madeleine.
Madeleine était assise près d'une table de travail.
Je la vois encore la tête un peu penchée sur sa
tapisserie, le visage envahi par l'ombre de ses
cheveux bruns, enveloppée dans le reflet rougissant des lampes. Julie, les deux mains posées sur
ses genoux, immobile, avec l'expression de la plus
intense curiosité, tenait ses grands yeux taciturnes
fixés sur l'étranger.

Ce que je vous dis là, je m'en rendis compte en
quelques secondes. Puis il me sembla que les lumières
s'éteignaient. Mes jambes fléchirent. Je tombai sur
le banc. De la tête aux pieds, je fus pris d'un tremblement affreux. Je sanglotais dans un état de douleur à faire pitié, me tordant les mains et répétant :

« Madeleine est perdue, et je l'aime ! »

VII

MADELEINE était perdue pour moi et je l'aimais. Une secousse un peu moins vive ne m'aurait peut-être éclairé qu'à demi sur l'étendue de ce double malheur, mais la vue de M. de Nièvres, en m'atteignant à ce point, m'avait tout appris. Je restai anéanti, n'ayant plus qu'à subir une destinée qui fatalement s'accomplissait, et comprenant trop bien que je n'avais ni le droit d'y rien changer ni le pouvoir de la retarder d'une heure.

Je vous ai dit comment j'aimais Madeleine, avec quelle étourderie de conscience et quel détachement de tout espoir précis. L'idée d'un mariage, idée cent fois déraisonnable d'ailleurs, n'avait pas même encouragé le naïf élan d'une affection qui se suffisait presque à elle-même, se donnait pour se répandre, et cherchait un culte uniquement afin d'adorer. Quels étaient les sentiments de Madeleine ? Je n'y songeais pas non plus. A tort ou à raison, je lui prêtais des indifférences et des impassibilités d'idole; je la supposais étrangère à tous les attachements qu'elle inspirait; je la plaçais ainsi dans des isolements chimériques, et cela suffisait au secret instinct qui, malgré tout, se loge au fond des cœurs les moins occupés d'eux-mêmes,

au besoin d'imaginer que Madeleine était insensible
et n'aimait personne.

Madeleine, j'en étais certain, ne pouvait ressentir
aucun intérêt pour un étranger que le hasard avait
jeté dans sa vie comme un accident. Il était possible qu'elle regrettât son passé de jeune fille, et
qu'elle ne vît pas approcher sans alarmes le moment
d'adopter un parti si grave. Mais il n'était pas douteux non plus, en admettant qu'elle fût libre de
toute affection sérieuse, que le désir de son père,
les considérations de rang, de position, de fortune,
ne la décidassent pour une union où M. de Nièvres
apportait, en outre de tant de convenances, des
qualités sérieuses et attachantes.

Je n'éprouvais contre l'homme qui me rendait si
malheureux ni ressentiment, ni colère, ni jalousie.
Déjà il représentait l'empire de la raison avant de
personnifier celui du droit. Aussi le jour où, dans le
salon de Mme Ceyssac, M. d'Orsel nous présenta
l'un à l'autre en disant de moi que j'étais le meilleur ami de sa fille, je me souviens qu'en serrant
la main de M. de Nièvres, loyalement, je me dis :
Eh bien ! s'il en est aimé, qu'il l'aime ! » Et tout
aussitôt j'allai m'asseoir au fond du salon; et là,
les regardant tous deux, bien convaincu de mon
impuissance, plus que jamais condamné à me taire,
sans aucune irritation contre l'homme qui ne me
prenait rien, puisqu'on ne m'avait rien donné, je
revendiquai pourtant le droit d'aimer comme inséparable du droit de vivre, et je me disais avec
désespoir : « Et moi ! »

A partir de ce jour, je m'isolai beaucoup. Moins
qu'à personne, il m'appartenait de gêner des tête-à-

tête d'où devait sortir l'intelligence de deux cœurs sans doute assez loin de se connaître. Je n'allai plus que le moins possible à l'hôtel d'Orsel. J'y jouais dorénavant un si petit rôle au milieu des intérêts qui s'y débattaient qu'il n'y avait pas le moindre inconvénient à m'y faire oublier.

Aucun de ces changements de conduite n'échappa certainement à Olivier; mais il eut l'air de les trouver tout naturels, ne me parla de rien, ne s'étonna de rien, et ne s'expliqua pas davantage sur les faits qui se passaient dans sa famille. Une seule fois, une fois pour toutes, avec une habileté qui me dispensait presque d'un aveu, il avait établi que nous nous comprenions au sujet de M. de Nièvres.

« Je ne te demande pas, me dit-il, comment tu trouves mon futur cousin. Tout homme, qui dans un petit monde aussi restreint et aussi uni que le nôtre, vient prendre une femme, c'est-à-dire nous enlever une sœur, une cousine, une amie, apporte par cela même un certain trouble, fait un trou dans nos amitiés, et dans aucun cas ne saurait être le bienvenu. Quant à moi, ce n'est pas précisément le mari que j'aurais voulu pour Madeleine. Madeleine est de sa province. M. de Nièvres me semble n'être de nulle part, comme beaucoup de gens de Paris; il la transplantera et ne la fixera pas. A cela près, il est fort bien.

— Fort bien ! lui dis-je : je suis convaincu qu'il fera le bonheur de Madeleine... et c'est après tout...

— Sans doute, reprit Olivier sur un ton de négligence affectée, sans doute, avec désintéressement; c'est tout ce que nous pouvons souhaiter. »

Le mariage avait été fixé pour la fin de l'hiver,

et nous y touchions. Madeleine était sérieuse; mais
cette attitude toute de convenance ne laissait plus le
moindre doute sur l'état de ses résolutions. Elle
gardait seulement cette mesure exquise qui lui
servait à limiter avec tant de finesse l'expression des
sentiments les plus délicats. Elle attendait en pleine
indépendance, au milieu de délibérations loyales,
l'événement qui devait la lier pour toujours et de
son propre aveu. De son côté, pendant cette épreuve
aussi difficile à diriger qu'à subir, M. de Nièvres
avait beaucoup plu et déployé les ressources du
savoir-vivre le plus sûr unies aux qualités du plus
galant homme.

Un soir qu'il causait avec Madeleine, dans l'entraînement d'un entretien à demi-voix, on le vit faire le
geste amical de lui présenter les deux mains. Madeleine jeta alors un rapide regard autour d'elle,
comme pour nous prendre tous à témoin de ce
qu'elle allait faire; puis elle se leva, et, sans prono-
cer une seule parole, mais en accompagnant ce
mouvement d'abandon du plus candide et du plus
beau des sourires, elle posa ses deux mains dégantées
dans les mains du comte.

Ce soir-là même, elle m'appela près d'elle, et,
comme si la netteté de sa situation nouvelle lui
permettait dorénavant de traiter en toute franchise
les questions relatives à des affections secondaires :

« Asseyez-vous là que nous causions, me dit-elle.
Il y a longtemps que je ne vous vois plus. Vous
avez cru devoir vous retirer un peu de nous, ce
dont je suis fâchée pour M. de Nièvres, car, grâce à
votre discrétion vous ne le connaissez guère...
Enfin je me marie dans huit jours, et c'est le moment

ou jamais de nous entendre. M. de Nièvres vous
estime; il sait le prix des affections que je possède;
il est et sera votre ami, vous serez le sien : c'est un
engagement que j'ai pris en votre nom, et que
vous tiendrez, j'en suis certaine... »

Elle continua de la sorte simplement, librement,
sans aucune ambiguïté de langage, parlant du passé,
réglant en quelque sorte les intérêts de notre amitié
future, non pour y mettre des conditions, mais pour
me convaincre que les liens en seraient plus étroits;
puis elle ramenait entre nous le nom de M. de Nièvres
qui, disait-elle, ne désunissait rien, mais consoli-
dait au contraire des relations qu'un autre mariage
peut-être aurait pu briser. Son but évident, en
m'intéressant de la sorte aux garanties offertes par
M. de Nièvres, était d'obtenir de moi quelque
chose comme une adhésion au choix qu'elle avait
fait et de s'assurer que sa détermination, prise en
dehors de tout conseil d'ami, ne me causait aucun
déplaisir.

Je fis de mon mieux pour la satisfaire, je lui promis que rien ne serait changé entre nous, et je lui
jurai de demeurer fidèle à des sentiments mal expri-
més, c'était possible, mais trop évidents pour qu'elle
en doutât. Pour la première fois peut-être j'eus du
sang-froid, de l'audace, et je réussis à mentir impu-
demment. Les mots d'ailleurs se prêtaient à tant
de sens, les idées à tant d'équivoques, qu'en toute
autre circonstance les mêmes protestations auraient
pu signifier beaucoup plus. Elle les prit dans le
sens le plus simple, et m'en remercia si chaudement
qu'elle faillit m'ôter tout courage.

« A la bonne heure. J'aime à vous entendre parler ainsi. Répétez encore ce que vous avez dit, pour que j'emporte de vous ces bonnes paroles qui consolent de vos ennuyeux silences et réparent bien des oublis qui blessent sans que vous le sachiez.»

Elle parlait vite, avec une effusion de gestes et de paroles, une ardeur de physionomie qui rendaient notre entretien des plus dangereux.

« Ainsi voilà qui est convenu, continua-t-elle. Notre bonne et vieille amitié n'a plus rien à craindre. Vous en répondez pour ce qui vous regarde. C'est tout ce que je voulais savoir. Il faut qu'elle nous suive et qu'elle ne se perde pas dans ce grand Paris, qui, dit-on, disperse tant de bons sentiments et rend oublieux les cœurs les plus droits. Vous savez que M. de Nièvres a l'intention de s'y fixer, au moins pendant les mois d'hiver. Olivier et vous, vous y serez à la fin de l'année. J'emmène avec moi mon père et Julie. J'y marierai ma sœur. Oh! j'ai pour elle toutes sortes d'ambitions, les mêmes à peu près que pour vous, dit-elle en rougissant imperceptiblement. Personne ne connaît Julie. C'est encore un caractère fermé, celui-là; mais moi, je la connais. Et maintenant je vous ai dit, je crois, tout ce que j'avais à vous dire, excepté sur un dernier point que je vous recommande. Veillez sur Olivier. Il a le meilleur cœur du monde; qu'il en soit économe, et qu'il le réserve pour les grands moments. — Et ceci est mon testament de jeune fille », ajouta-t-elle assez haut pour que M. de Nièvres l'entendît. Et elle l'invita à se rapprocher.

Très-peu de jours après, le mariage eut lieu [24]. C'était vers la fin de l'hiver, par une gelée rigoureuse. Le souvenir d'une réelle douleur physique se mêle encore aujourd'hui, comme une souffrance ridicule, au sentiment confus de mon chagrin. Je donnais le bras à Julie, et c'est moi qui la conduisis à travers la longue église encombrée de curieux, suivant l'usage importun des provinces. Elle était pâle comme une morte, tremblante de froid et d'émotion. Au moment où fut prononcé le oui irrévocable qui décidait du sort de Madeleine et du mien, un soupir étouffé me tira de la stupeur imbécile où j'étais plongé. C'était Julie qui se cachait le visage dans son mouchoir et qui sanglotait. Le soir, elle était encore plus triste, si c'est possible ; mais elle faisait des efforts inouïs pour se contraindre devant sa sœur.

Quelle étrange enfant c'était alors : brune, menue, nerveuse, avec son air impénétrable de jeune sphinx, son regard qui quelquefois interrogeait, mais ne répondait jamais, son œil absorbant ! Cet œil, le plus admirable et le moins séduisant peut-être que j'aie jamais vu, était ce qu'il y avait de plus frappant dans la physionomie de ce petit être ombrageux, souffrant et fier. Grand, large, avec de longs cils qui n'y laissaient jamais paraître un seul point brillant, voilé d'un bleu sombre qui lui donnait la couleur indéfinissable des nuits d'été, cet œil énigmatique se dilatait sans lumière, et tous les rayonnements de la vie s'y concentraient pour n'en plus jaillir.

« Prenons garde à Madeleine », me disait-elle dans une angoisse où perçaient des perspicacités qui m'effrayaient.

Puis elle essuyait ses joues avec colère, et s'en prenait à moi de cet excès d'insurmontable fai-

blesse contre lequel les vigoureux instincts de
sa nature se révoltaient.

« C'est aussi votre faute si je pleure. Regardez
Olivier, s'il se tient bien. »

Je comparais cette douleur innocente à la mienne,
je lui enviais amèrement le droit qu'elle avait de
la laisser paraître, et ne trouvais pas un mot pour la
consoler.

La douleur de Julie, la mienne, la longueur des
cérémonies, la vieille église où tant de gens indifférents chuchotaient gaiement autour de ma détresse,
la maison d'Orsel transformée, parée, fleurie, pour
cette fête unique, des toilettes, des élégances inu-
sitées, un excès de lumière et d'odeurs troublantes
à me faire évanouir, certaines sensations poignantes
dont le ressentiment a persisté longtemps comme
la trace d'inguérissables piqûres, en un mot les
souvenirs incohérents d'un mauvais rêve : voilà
tout ce qui reste aujourd'hui de cette journée qui
vit s'accomplir un des malheurs de ma vie les moins
douteux. Une figure apparaît distinctement sur le
fond de ce tableau quasi imaginaire et le résume :
c'est le spectre un peu bizarre lui-même de Madeleine, avec son bouquet, sa couronne, son voile et
ses habits blancs. Encore y a-t-il des moments,
tant la légèreté singulière de cette vision contraste
avec les réalités plus crues qui la précèdent et qui
la suivent, où je la confonds pour ainsi dire avec
le fantôme de ma propre jeunesse, vierge, voilée
et disparue.

J'étais le seul qui n'eût point osé embrasser
Mme de Nièvres au retour de l'église. En fit-elle
la remarque ? Y eut-il chez elle un mouvement de

dépit, ou céda-t-elle tout simplement à l'élan plus naturel d'une amitié dont elle avait voulu, quelques jours auparavant, régler elle-même les engagements très-sincères ? Je ne sais ; mais dans la soirée M. d'Orsel vint à moi, me prit par le bras et m'amena plus mort que vif jusque devant Madeleine. Elle était au milieu du salon, debout près de son mari, dans cette tenue éblouissante qui la transfigurait.

« Madame... » lui dis-je.

Elle sourit à ce nom nouveau, et, j'en demande pardon à la mémoire d'un cœur irréprochable [24bis] incapable de détour et de trahison, son sourire avait à son insu des significations si cruelles qu'il acheva de me bouleverser. Elle fit un geste pour se pencher vers moi. Je ne sais plus ni ce que je lui dis, ni ce qu'elle ajouta. Je vis ses yeux effrayants de douceur tout près des miens, puis tout cessa d'être intelligible.

Quand il me fut possible de me reconnaître au milieu d'un cercle d'hommes et de femmes parées qui m'examinaient avec un intérêt indulgent capable de me tuer, je sentis que quelqu'un me saisissait rudement ; je tournai la tête, c'était Olivier.

« Tu te donnes en spectacle ; es-tu fou ? » me dit-il assez bas pour que personne autre que moi ne l'entendît, mais avec une vivacité d'expression qui me remplit d'épouvante.

Je restai quelques instants encore contenu par la violence de son étreinte ; puis je gagnai la porte avec lui. Arrivé là, je me dégageai.

« Ne me retiens pas, lui dis-je, et au nom de ce qu'il y a de plus sacré, ne me parle jamais de ce que tu as vu. »

Il me suivit jusque dans la cour et voulut parler.
« Tais-toi », lui dis-je encore, et je m'échappai.

Aussitôt que je fus rentré dans ma chambre et que
je pus réfléchir, j'eus un accès de honte, de désespoir et de folie amoureuse qui ne me consola pas,
mais qui me soulagea. Je serais bien en peine
de vous dire ce qui se passa en moi pendant ces
quelques heures tumultueuses, les premières qui
me firent connaître avec mille pressentiments de
délices, mille souffrances toutes atroces, depuis
les plus avouables jusqu'aux plus vulgaires. Sensation de ce que je pouvais rêver de plus doux,
crainte effroyable de m'être à jamais perdu, angoisses
de l'avenir, sentiment humiliant de ma vie présente,
tout, je connus tout, y compris une douleur inattendue, très-cuisante, et qui ressemblait beaucoup
à l'âcre frisson de l'amour-propre blessé.

Il était tard, la nuit était profonde. Je vous ai
parlé de ma chambre située dans les combles, sorte
d'observatoire où je m'étais créé, comme aux
Trembles, de continuelles intelligences avec ce qui
m'entourait, soit par la vue, soit par l'habitude constante d'écouter. J'y marchai longtemps (et mes
souvenirs redeviennent ici très-précis) dans un
abattement que je ne saurais vous peindre. Je me
disais : « J'aime une femme mariée ! » Je demeurais
fixé sur cette idée, vaguement aiguillonné par ce
qu'elle avait d'irritant, mais atterré surtout et
fasciné pour ainsi dire par ce qu'elle contenait
d'impossible, et je m'étonnais de répéter le mot
qui m'avait tant surpris dans la bouche d'Olivier :
J'attendrai... Je me demandais : quoi ? Et à cela, je
n'avais rien à répondre, sinon des suppositions

abominables dont l'image de Madeleine me paraissait aussitôt profanée. Puis j'apercevais Paris,
l'avenir, et dans les lointains en dehors de toute
certitude, la main cachée du hasard qui pouvait
simplifier de tant de manières ce terrible tissu de
problèmes, et, comme l'épée du Grec, les trancher,
sinon les résoudre. J'acceptais même une catastrophe,
à la condition qu'elle fût une issue, et peut-être,
avec quelques années de plus, j'aurais lâchement
cherché le moyen de terminer tout de suite une vie
qui pouvait nuire à tant d'autres.

Vers le milieu de la nuit, j'entendis à travers le
toit, à travers la distance, à toute portée de son, un
cri bref, aigu, qui même au plus fort de ces convul-
sions, me fit battre le cœur comme un cri d'ami.
J'ouvris la fenêtre et j'écoutai. C'étaient des courlis
de mer qui remontaient avec la marée haute et se
dirigeaient à plein vol vers la rivière. Le cri se
répéta une ou deux fois, mais il fallut le surprendre
au passage, puis on ne l'entendit plus. Tout était
immobile et sommeillant. Un petit nombre d'étoiles
très-brillantes vibraient dans l'air calme et bleu
de la nuit. A peine avait-on le sentiment du froid,
quoiqu'il fût rendu plus intense encore par la lim-
pidité du ciel et l'absence de vent.

Je pensai aux Trembles; il y avait si longtemps
que je n'y pensais plus ! Ce fut comme une lueur de
salut. Chose bizarre, par un retour subit à des impressions si lointaines, je fus rappelé tout à coup vers
les aspects les plus austères et les plus calmants de
ma vie champêtre. Je revis Villeneuve avec sa longue
ligne de maisons blanches à peine élevées au-dessus
du coteau, ses toits fumants, sa campagne assombrie

par l'hiver, ses buissons de prunelliers roussis par
les gelées et bordant des chemins glacés. Avec la
lucidité d'une imagination surexcitée à un point
extrême, j'eus en quelques minutes la perception
rapide, inftantanée de tout ce qui avait charmé ma
première enfance. Partout où j'avais puisé des
agitations, je ne rencontrais plus que l'immuable
paix. Tout était douceur et quiétude dans ce qui
m'avait autrefois causé les premiers troubles que
j'aie connus. Quel changement! pensai-je, et sous
les incandescences dont j'étais brûlé, je retrouvais
plus fraîche que jamais la source de mes premiers
attachements.

Le cœur eft si lâche, il a si grand besoin de repos,
que, pendant un moment, je me jetai dans je ne sais
quel espoir aussi chimérique que tous les autres de
retraite absolue dans ma maison des Trembles. Personne autour de moi, des années entières de solitude avec une consolation certaine, mes livres, un
pays que j'adore et le travail; toutes ces choses
irréalisables, et cependant cette hypothèse était la
plus douce, et je retrouvai un peu de calme en y
songeant.

Puis les heures voisines du matin se mirent à
sonner. Deux horloges les répétèrent ensemble,
presque à l'unisson, comme si la seconde eût été
l'écho immédiat de la première. C'étaient le séminaire et le collège. Ce brusque rappel aux réalités
dérisoires du lendemain écrasa ma douleur sous
une sensation unique de petitesse, et m'atteignit
en plein désespoir comme un coup de férule.

VIII

Très-certainement il faut que vous ayez beaucoup souffert, m'écrivait Augustin en réponse à
des déclamations fort exaltées [25] que je lui adressais
très-peu de jours après le départ de Madeleine et
de son mari; mais de quoi ? comment ? par qui ?
J'en suis encore à me poser des questions que vous
ne voulez jamais résoudre. J'entends bien en vous
le retentissement de quelque chose qui ressemble
à des émotions très-connues, très-définies, toujours
uniques et sans pareilles pour celui qui les éprouve;
mais cette chose n'a pas encore de nom dans vos
lettres, et vous m'obligez à vous plaindre aussi
vaguement que vous vous plaignez. Ce n'est pourtant pas ce que je voudrais faire. Rien ne me coûte,
vous le savez, quand il s'agit de vous, et vous êtes
dans la situation de cœur ou d'esprit, comme vous
le voudrez, à réclamer quelque chose de plus actif
et de plus efficace que des mots, si compatissants
qu'ils soient. Vous devez avoir besoin de conseils. Je
suis un triste médecin pour les maux dont je vous
crois atteint; je vous conseillerais pourtant un remède
qui s'applique à tout, même à ces maladies de l'imagination que je connais mal : c'est une hygiène.
J'entends par là l'usage des idées justes, des senti-

ments logiques, des affeétions possibles, en un mot
l'emploi judicieux des forces et des aétivités de
la vie. La vie, croyez-moi, voilà la grande antithèse
et le grand remède à toutes les souffrances dont le
principe eft une erreur. Le jour où vous mettrez le
pied dans la vie, dans la vie réelle, entendez-vous
bien; le jour où vous la connaîtrez avec ses lois,
ses nécessités, ses rigueurs, ses devoirs et ses chaînes,
ses difficultés et ses peines, ses vraies douleurs et ses
enchantements, vous verrez comme elle est saine, et
belle, et forte, et féconde, en vertu même de ses
exaétitudes; ce jour-là, vous trouverez que le refte
est faétice, qu'il n'y a pas de fiétions plus grandes,
que l'enthousiasme ne s'élève pas plus haut, que
l'imagination ne va pas au delà, qu'elle comble les
cœurs les plus avides, qu'elle a de quoi ravir les
plus exigeants, et ce jour-là, mon cher enfant, si
vous n'êtes pas incurablement malade, malade à
mourir, vous serez guéri.

« Quant à vos recommandations, je les suivrai. Je
verrai M. et Mme de Nièvres, et je vous sais gré
de me donner cette occasion de m'entretenir de
vous avec des amis qui ne sont pas étrangers, je
suppose, aux agitations que je déplore. Soyez sans
inquiétude, au surplus, j'ai la meilleure des raisons
pour être discret : j'ignore tout. »

Un peu plus tard, il m'écrivait encore :

« J'ai vu Mme de Nièvres; elle a bien voulu me
considérer comme un de vos meilleurs amis. A ce
titre, elle m'a dit à propos de vous et sur vous des
choses affeétueuses qui me prouvent qu'elle vous
aime beaucoup, mais qu'elle ne vous connait pas
très-bien. Or, si votre amitié mutuelle ne vous a

pas mieux éclairés l'un sur l'autre, ce doit être votre faute et non la sienne, ce qui ne prouve pas que vous ayez eu tort de ne vous révéler qu'à demi, mais ce qui me démontrerait au moins que vous l'avez voulu. J'arrive ainsi à des conclusions qui m'inquiètent. Encore une fois, mon cher Dominique, la vie, le possible, le raisonnable ! Je vous en supplie, ne croyez jamais ceux qui vous diront que le raisonnable est l'ennemi du beau, parce qu'il est l'inséparable ami de la justice et de la vérité. »

Je vous rapporte une partie des conseils qu'Augustin m'adressait, sans savoir au juste à quoi les appliquer, mais en le devinant.

Quant à Olivier, le lendemain même de cette soirée, qui devait m'épargner les premiers aveux, à l'heure même où Madeleine et M. de Nièvres partaient pour Paris, il entrait dans ma chambre.

« Elle est partie ? lui dis-je en l'apercevant.

— Oui, me répondit-il, mais elle reviendra; elle est presque ma sœur; tu es plus que mon ami, il faut tout prévoir. »

Il allait continuer, quand le pitoyable état d'abattement où il me vit le désarma sans doute et lui fit ajourner ses explications.

« Nous en recauserons », dit-il.

Puis il tira sa montre, et comme il était tout près de huit heures :

« Allons, Dominique, viens au collège, c'est ce que nous pouvons faire de plus sage. »

Il devait arriver que ni les conseils d'Augustin ni les avertissements d'Olivier ne prévaudraient contre un entraînement trop irrésistible pour être arrêté par des avis. Ils le comprirent et ils firent

comme moi : ils attendirent ma délivrance ou ma
perte de la dernière ressource qui reste aux hommes
sans volonté ou à bout de combinaisons, l'inconnu.

Augustin m'écrivit encore une ou deux fois pour
m'envoyer des nouvelles de Madeleine. Elle avait
visité près de Paris la terre où l'intention de M. de
Nièvres était de passer l'été. C'était un joli château
dans les bois, « le plus romantique séjour, m'écrivait Augustin, pour une femme, qui peut-être par-
tage à sa manière vos regrets de campagnard et vos
goûts de solitaire ». Madeleine écrivait de son côté
à Julie, et sans doute avec des épanchements de sœur
qui ne parvenaient pas jusqu'à moi. Une seule fois,
pendant ces plusieurs mois d'absence, je reçus un
court billet d'elle où elle me parlait d'Augustin. Elle
me remerciait de le lui avoir fait connaître, me disait
le bien qu'elle pensait de lui : que c'était la volonté
même, la droiture et le plus pur courage; et me
donnait à entendre qu'en dehors des besoins du cœur
je n'aurais jamais de plus ferme et de meilleur appui.
Ce billet, signé de son nom de Madeleine, était
accompagné des souvenirs affectueux de son mari.

Ils ne revinrent qu'aux vacances, et très-peu de
jours avant la distribution des prix, dernier acte
de ma vie de dépendance qui m'émancipait.

J'aurais beaucoup mieux aimé, vous le comprendrez, que Madeleine n'assistât pas à cette cérémonie.
Il y avait en moi de telles disparates, ma condition
d'écolier formait avec mes dispositions morales des
désaccords si ridicules, que j'évitais comme une
humiliation nouvelle toute circonstance de nature
à nous rappeler à tous deux ces désaccords. Depuis
quelque temps surtout, mes susceptibilités sur ce

point devenaient très-vives. C'était, je vous l'ai dit, le côté le moins noble et le moins avouable de mes douleurs, et si j'y reviens à propos d'un incident qui fit de nouveau crier ma vanité, c'est pour vous expliquer par un détail de plus la singulière ironie de cette situation.

La distribution avait lieu dans une ancienne chapelle abandonnée depuis longtemps, qui n'était ouverte et décorée qu'une fois par an pour ce jour-là. Cette chapelle était située au fond de la grande cour du collège; on y arrivait en passant sous la double rangée de tilleuls dont la vaste verdure égayait un peu ce froid promenoir. De loin, je vis entrer Madeleine en compagnie de plusieurs jeunes femmes de son monde en toilette d'été, habillées de couleurs claires avec des ombrelles tendues qui se diapraient d'ombre et de soleil. Une fine poussière, soulevée par le mouvement des robes les accompagnait comme un léger nuage, et la chaleur faisait que des extrémités des rameaux déjà jaunis une quantité de feuilles et de fleurs mûres tombaient autour d'elles, et s'attachaient à la longue écharpe de mousseline dont Madeleine était enveloppée. Elle passa, riante, heureuse, le visage animé par la marche, et se retourna pour examiner curieusement notre bataillon de collégiens réunis sur deux lignes et maintenus en bon ordre comme de jeunes conscrits. Toutes ces curiosités de femmes, et celle-ci surtout, rayonnaient jusqu'à moi comme des brûlures. Le temps était admirable; c'était vers le milieu du mois d'août. Les oiseaux familiers s'étaient enfuis des arbres et chantaient sur les toitures où le soleil dardait. Des murmures de foule

suspendaient enfin ce long silence de douze mois,
des gaietés inouïes épanouissaient la physionomie
du vieux collège, les tilleuls le parfumaient d'odeurs
agreſtes. Que n'aurais-je pas donné pour être
déjà libre et pour être heureux !

Les préliminaires furent très-longs, et je comptais les minutes qui me séparaient encore du moment
de ma délivrance. Enfin le signal se fit entendre.
A titre de lauréat de philosophie, mon nom fut
appelé le premier. Je montai sur l'eſtrade ; et quand
j'eus ma couronne d'une main, mon gros livre de
l'autre, debout au bord des marches, faisant face
à l'assemblée qui applaudissait, je cherchai des yeux
Mme Ceyssac : le premier regard que je rencontrai
avec celui de ma tante, le premier visage ami que
je reconnus précisément au-dessous de moi, au premier rang, fut celui de Mme de Nièvres. Éprouva
t-elle un peu de confusion elle-même en me
voyant là dans l'attitude affreusement gauche que
j'essaye de vous peindre ? Eut-elle un contre-coup
du saisissement qui m'envahit ? Son amitié souffrit-
elle en me trouvant risible, ou seulement en devinant
que je pouvais souffrir ? Quels furent au juſte ses
sentiments pendant cette rapide mais très-cuisante
épreuve qui sembla nous atteindre tous les deux à
la fois et presque dans le même sens ? Je l'ignore ;
mais elle devint très-rouge, elle le devint encore
davantage quand elle me vit descendre et m'approcher d'elle. Et quand ma tante, après m'avoir
embrassé, lui passa ma couronne en l'invitant à me
féliciter, elle perdit entièrement contenance. Je ne
suis pas bien sûr de ce qu'elle me dit pour me
témoigner qu'elle était heureuse et me complimenter

suivant l'usage. Sa main tremblait légèrement. Elle essaya, je crois, de me dire :

« Je suis bien fière, mon cher Dominique », ou : « C'est très-bien. »

Il y avait dans ses yeux tout à fait troublés comme une larme ou d'intérêt ou de compassion, ou seulement une larme involontaire de jeune femme timide... Qui sait ! Je me le suis demandé souvent, et je ne l'ai jamais su.

Nous sortîmes. Je jetai mes couronnes dans la cour des classes avant d'en franchir le seuil pour la dernière fois. Je ne regardai pas seulement en arrière, pour rompre plus vite avec un passé qui m'exaspérait. Et si j'avais pu me séparer de mes souvenirs de collège aussi précipitamment que j'en dépouillai la livrée, j'aurais eu certainement à ce moment-là des sensations d'indépendance et de virilité sans égales.

« Maintenant qu'allez-vous faire ? me demanda Mme Ceyssac à quelques heures de là.

— Maintenant ? lui dis-je, je n'en sais rien. »

Et je disais vrai, car l'incertitude où j'étais s'étendait à tout, depuis le choix d'une position qu'elle espérait et voulait brillante jusqu'à l'emploi d'une autre partie de mes ardeurs qu'elle ignorait.

Il était convenu que Madeleine irait d'abord se fixer à Nièvres [26], puis qu'elle reviendrait achever l'hiver à Paris. Quant à nous, nous devions nous y rendre directement, de manière qu'elle nous y trouvât déjà établis et dans des habitudes de travail dont le choix dépendait de nous-mêmes, mais dont la direction regarderait beaucoup Augustin. Ces dispositions de départ et ces sages projets

nous occupèrent ensemble une partie de ces dernières vacances; et cependant cette idée de travail,
de but à poursuivre, ce programme très-vague
dont le premier article était encore à formuler,
n'avaient pas de sens bien défini, ni pour Olivier,
ni pour moi. Dès le lendemain de ma liberté, j'avais
complètement oublié mes années de collège; c'était
la seule époque de mon passé qui me laissât l'âme
froide, le seul souvenir de moi-même qui ne me
rendît pas heureux. Quant à Paris, j'y pensais avec
la confuse appréhension qui s'attache à des nécessités prévues, inévitables, mais peu riantes, et
qu'on connaîtra toujours assez tôt. Olivier, à mon
grand étonnement, ne témoignait aucune espèce de
regret de s'éloigner.

« Maintenant, me dit-il avec beaucoup de sang-
froid, quelques jours seulement avant notre départ,
je n'ai plus rien qui me retienne en province. »

En avait-il donc si vite épuisé toutes les joies ?

IX

Nous arrivâmes à Paris le soir [27]. Partout ailleurs il eût été tard. Il pleuvait; il faisait froid. Je n'aperçus d'abord que des rues boueuses, des pavés mouillés, luisants sous le feu des boutiques, le rapide et continuel éclair de voitures qui se croisaient en s'éclaboussant, une multitude de lumières étincelant comme des illuminations sans symétrie dans de longues avenues de maisons noires dont la hauteur me parut prodigieuse. Je fus frappé, je m'en souviens, des odeurs de gaz qui annonçaient une ville où l'on vivait la nuit autant que le jour, et de la pâleur des visages qui m'aurait fait croire qu'on s'y portait mal. J'y reconnus le teint d'Olivier, et je compris mieux qu'il avait une autre origine que moi.

Au moment où j'ouvrais ma fenêtre pour entendre plus distinctement la rumeur inconnue qui grondait au-dessus de cette ville si vivante en bas, et déjà par ses sommets tout entière plongée dans la nuit, je vis passer au-dessous de moi, dans la rue étroite, une double file de cavaliers portant des torches, et escortant une suite de voitures aux lanternes flamboyantes attelées chacune de quatre chevaux et menées presque au galop.

« Regarde vite, me dit Olivier, c'est le roi. »

Confusément je vis miroiter des casques et des lames de sabre. Ce défilé retentissant d'hommes armés et de grands chevaux chaussés de fer fit rendre au pavé sonore un bruit de métal, et tout se confondit au loin dans le brouillard lumineux des torches.

Olivier s'assura de la direction que prenaient les attelages ; puis, quand la dernière voiture eut disparu :

« C'est bien cela, dit-il avec la satisfaction d'un homme qui connaît bien son Paris et qui le retrouve : le roi va ce soir aux Italiens. »

Et malgré la pluie qui tombait, malgré le froid blessant de la nuit, quelque temps encore il resta penché sur cette fourmilière de gens inconnus qui passaient vite, se renouvelaient sans cesse, et que mille intérêts pressants semblaient tous diriger vers des buts contraires.

« Es-tu content ? » lui dis-je.

Il poussa une sorte de soupir de plénitude, comme si le contact de cette vie extraordinaire l'eût tout à coup rempli d'aspirations démesurées.

« Et toi ? » me dit-il.

Puis sans attendre ma réponse :

« Oh ! parbleu, toi, tu regardes en arrière. Tu n'es pas plus à Paris que je n'étais à Ormesson. Ton lot est de regretter toujours, de ne désirer jamais. Il faudrait en prendre ton parti, mon cher. C'est ici qu'on envoie, au moment de leur majorité, les garçons dont on veut faire des hommes. Tu es de ce nombre, et je ne te plains pas ; tu es riche, tu n'es pas le premier venu, et tu aimes ! » ajouta-t-il en me parlant aussi bas que possible.

Et avec une effusion que je ne lui avais jamais connue, il m'embrassa et me dit :

« A demain, cher ami, à toujours ! »

Une heure après, le silence était aussi profond qu'en pleine campagne. Cette suspension de vie, l'engourdissement subit et absolu de cette ville enfermant un million d'hommes, m'étonna plus encore que son tumulte. Je fis comme un résumé des lassitudes que supposait cet immense sommeil, et je fus saisi de peur, moins par un manque de bravoure que par une sorte d'évanouissement de ma volonté.

Je revis Augustin avec bonheur. En lui serrant la main, je sentis que je m'appuyais sur quelqu'un. Il avait déjà vieilli, quoiqu'il fût très-jeune encore. Il était maigre et fort blême. Ses yeux avaient plus d'ouverture et plus d'éclat. Sa main toute blanche, à peau plus fine, s'était épurée pour ainsi dire et comme aiguisée dans ce travail exclusif du maniement de la plume. Personne n'aurait pu dire, à voir sa tenue, s'il était pauvre ou riche. Il portait des habits très-simples et les portait modestement, mais avec la confiance aisée venue du sentiment assez fier que l'habit n'est rien.

Il accueillit Olivier pas tout à fait comme un ami, mais plutôt comme un jeune homme à surveiller et avec lequel il est bon d'attendre avant d'en faire un autre soi-même. Olivier, de son côté, ne se livra qu'à demi, soit que l'enveloppe de l'homme lui parût bizarre, soit qu'il sentît par-dessous la résistance d'une volonté tout aussi bien trempée que la sienne et formée d'un métal plus pur.

« J'avais deviné votre ami, me dit Augustin, au

physique comme au moral. Il est charmant. Il fera, je ne dis pas des dupes, il en est incapable, mais des victimes, et cela dans le sens le plus élevé du mot. Il sera dangereux pour les êtres plus faibles que lui qui sont nés sous la même étoile. »

Quand je questionnai Olivier sur Augustin, il se borna à me répondre :

« Il y aura toujours chez lui du précepteur et du parvenu. Il sera pédant et en sueur [28], comme tous les gens qui n'ont pour eux que le vouloir et qui n'arrivent que par le travail. J'aime mieux des dons d'esprit ou de la naissance, ou, faute de cela, j'aime mieux rien. »

Plus tard leur opinion changea. Augustin finit par aimer Olivier, mais sans jamais l'estimer beaucoup. Olivier conçut pour Augustin une estime véritable, mais ne l'aima point.

Notre vie fut assez vite organisée. Nous occupions deux appartements voisins, mais séparés. Notre amitié très-étroite et l'indépendance de chacun devaient se trouver également bien de cet arrangement. Nos habitudes étaient celles d'étudiants libres à qui leurs goûts ou leur position permettent de choisir, de s'instruire un peu au hasard et de puiser à plusieurs sources avant de déterminer celle où leur esprit devra s'arrêter.

Très-peu de jours après, Olivier reçut de sa cousine une lettre qui nous invitait l'un et l'autre à nous rendre à Nièvres.

C'était une habitation ancienne, entièrement enfouie dans de grands bois de châtaigniers et de chênes. J'y passai une semaine de beaux jours froids et sévères, au milieu des futaies presque

dépouillées, devant des horizons qui ne me firent
point oublier ceux des Trembles, mais qui m'empê-
chèrent de les regretter, tant ils étaient beaux;
et qui semblaient destinés, comme un cadre grandiose, à contenir une existence plus robuste et des
luttes beaucoup plus sérieuses. Le château, dont
les tourelles ne dépassaient que de très-peu sa
ceinture de vieux chênes, et qu'on n'apercevait
que par des coupures faites à travers le bois, avec
sa façade grise et vieillie, ses hautes cheminées
couronnées de fumée, ses orangeries fermées, ses
allées jonchées de feuilles mortes, le château lui-
même résumait en quelques traits saisissants ce
caractère attristé de la saison et du lieu. C'était
toute une existence nouvelle pour Madeleine, et
pour moi c'était aussi quelque chose de bien nouveau que de la trouver transportée si brusquement
dans des conditions plus vastes, avec la liberté d'allures, l'ampleur d'habitudes, ce je ne sais quoi de
supérieur et d'assez imposant que donnent l'usage et
la responsabilité d'une grande fortune.

Une seule personne au château de Nièvres paraissait regretter encore la rue des Carmélites : c'était
M. d'Orsel. Quant à moi, les lieux ne m'étaient
plus rien. Un même attrait confondait aujourd'hui
mon présent et mon passé. Entre Madeleine et
Mme de Nièvres il n'y avait que la différence d'un
amour impossible à un amour coupable; et quand
je quittai Nièvres, j'étais persuadé que cet amour,
né rue des Carmélites, devait, quoi qu'il dût arriver,
s'ensevelir ici.

Madeleine ne vint point à Paris de tout l'hiver,
diverses circonstances ayant retardé l'établissement

que M. de Nièvres projetait d'y faire. Elle était
heureuse, entourée de tout son monde; elle avait
Julie, son père; il lui fallait un certain temps pour
passer sans trop de secousse, de sa modeste et
régulière existence de province, aux étonnements
qui l'attendaient dans la vie du monde, et cette
demi-solitude au château de Nièvres était une
sorte de noviciat qui ne lui déplaisait pas. Je la
revis une ou deux fois dans l'été, mais à de longs
intervalles et pendant de très-courts moments,
lâchement surpris à l'impérieux devoir qui me recommandait de la fuir.

J'avais eu l'idée de profiter de cet éloignement
très-opportun pour tenter franchement d'être
héroïque et pour me guérir. C'était déjà beaucoup
que de résister aux invitations qui constamment
nous arrivaient de Nièvres. Je fis davantage, et
je tâchai de n'y plus penser. Je me plongeai dans le
travail. L'exemple d'Augustin m'en aurait donné
l'émulation, si, naturellement, je n'en avais pas eu
le goût. Paris développe au-dessus de lui cette
atmosphère particulière aux grands centres d'activité, surtout dans l'ordre des activités de l'esprit;
et, si peu que je me mêlasse au mouvement des
faits, je ne refusais pas, tant s'en faut, de vivre
dans cette atmosphère.

Quant à la vie de Paris [29], telle que l'entendait
Olivier, je ne me faisais point d'illusions, et ne la
considérais nullement comme un secours. J'y comptais un peu pour me distraire, mais pas du tout
pour m'étourdir, et encore moins pour me consoler.
Le campagnard en outre persistait et ne pouvait se
résoudre à se dépouiller de lui-même, parce qu'il

avait changé de milieu. N'en déplaise à ceux qui pourraient nier l'influence du terroir, je sentais qu'il y avait en moi je ne sais quoi de local et de résistant que je ne transplanterais jamais qu'à demi, et si le désir de m'acclimater m'était venu, les mille liens indéracinables des origines m'auraient averti par de continuelles et vaines souffrances que c'était peine inutile. Je vivais à Paris comme dans une hôtellerie où je pouvais demeurer longtemps, où je pourrais mourir, mais où je ne serais jamais que de passage. Ombrageux, retiré, sociable seulement avec les compagnons de mes habitudes, dans une constante défiance des contacts nouveaux, le plus possible j'évitais ce terrible frottement de la vie parisienne qui polit les caractères et les aplanit jusqu'à l'usure. Je ne fus pas davantage aveuglé par ce qu'elle a d'éblouissant, ni troublé par ce qu'elle a de contradictoire, ni séduit par ce qu'elle promet à tous les jeunes appétits, comme aux naïves ambitions. Pour me garantir contre ses atteintes, j'avais d'abord un défaut qui valait une qualité, c'était la peur de ce que j'ignorais, et cet incorrigible effroi des épreuves me donnait pour ainsi dire toutes les perspicacités de l'expérience.

J'étais seul ou à peu près, car Augustin ne s'appartenait guère, et dès le premier jour j'avais bien compris qu'Olivier n'était pas homme à m'appartenir longtemps. Tout de suite il avait pris des habitudes qui ne gênaient en rien les miennes, mais n'y ressemblaient nullement. Je fouillais les bibliothèques, je pâlissais de froid dans de graves amphithéâtres, et m'enfouissais le soir dans des cabinets de lecture où des misérables, condamnés à mourir

de faim, écrivaient, la fièvre dans les yeux, des livres
qui ne devaient ni les illustrer, ni les enrichir. Je
devinais là des impuissances et des misères physiques et morales dont le voisinage était loin de
me fortifier. J'en sortais navré. Je m'enfermais
chez moi, j'ouvrais d'autres livres et je veillais.
J'entendis ainsi passer sous mes fenêtres toutes
les fêtes nocturnes du carnaval. Quelquefois, en
pleine nuit, Olivier frappait à ma porte. Je reconnaissais le son bref du pommeau d'or de sa canne.
Il me trouvait à ma table, me serrait la main et
gagnait sa chambre en fredonnant un air d'opéra.
Le lendemain, je recommençais sans ostentation,
sans viser au martyre, avec la conviction ingénue que
cet austère régime était excellent.

Au bout de quelques mois passés ainsi, je n'en
pouvais plus. Mes forces étaient épuisées, et comme
un édifice élevé par miracle, un matin, en m'éveillant, je sentis mon courage s'écrouler. Je voulus
retrouver une idée poursuivie la veille, impossible!
Je me répétai vainement certains mots de discipline qui m'aiguillonnaient quelquefois, comme
on stimule avec des locutions convenues les chevaux de trait qui lâchent pied. Un immense dégoût
me vint aux lèvres rien qu'à la pensée de reprendre
un seul jour de plus cet affreux métier de fouilleur
de livres. L'été était venu. Il y avait un joyeux
soleil dans les rues. Des martinets tourbillonnaient
gaiement autour d'un clocher pointu qu'on voyait
de ma fenêtre. Sans hésiter une seule minute et sans
réfléchir que j'allais perdre en un instant le bénéfice
de tant de mois de sagesse, j'écrivis à Madeleine.
Ce que je lui disais était insignifiant. De courts billets

que j'avais reçus d'elle avaient établi une fois pour
toutes le ton de notre correspondance. Je ne mis
dans celui-ci rien de plus ni rien de moins, et cependant, la lettre partie, j'attendis la réponse comme
un événement.

Il y a dans Paris un grand jardin [30] fait pour les
ennuyés : on y trouve une solitude relative, des
arbres, des gazons verts, des plates-bandes fleuries,
des allées sombres, et une foule d'oiseaux qui
paraissent s'y plaire presque autant que dans un
séjour champêtre. J'y courus. J'y errai pendant
le reste de la journée, étonné d'avoir secoué mon
joug, et plus étonné encore de l'extrême intensité
d'un souvenir que j'avais eu la bonne foi de croire
assoupi. Peu à peu, comme une flamme qui se
rallume, je sentis naître en moi cet ardent réveil.
Je marchais sous les arbres, discourant tout seul,
et faisant sans le vouloir le mouvement d'un homme
enchaîné longtemps qui se délivre.

« Comment ! me disais-je, elle ne saura pas même
que je l'ai aimée ! elle ignorera que pour elle, à
cause d'elle, j'ai usé ma vie et tout sacrifié, tout,
jusqu'au bonheur si innocent de lui montrer ce que
j'ai fait dans l'intérêt de son repos ! Elle croira que
j'ai passé à côté d'elle sans la voir, que nos deux existences auront coulé bord à bord sans se confondre
ni même se toucher, pas plus que deux ruisseaux
indifférents ! Et le jour où plus tard je lui dirai :
« Madeleine, savez-vous que je vous ai beaucoup
« aimée ? » elle me répondra : « Est-ce possible ? » Et
ce ne sera plus l'âge où elle aurait pu me croire ! »

Puis je sentais qu'en effet nos deux destinées
étaient parallèles, très-rapprochées, mais irrécon-

ciliables, qu'il fallait vivre côte à côte et séparés
et que c'était fini de moi. Alors j'imaginais des
hypothèses. Il y avait des : Qui sait ? qui surgis-
saient aussitôt comme des tentations. A quoi je
répondais : Non, cela ne sera jamais ! Mais de ces
suppositions insensées il me restait je ne sais quelle
saveur horriblement douce dont le peu de volonté
que j'avais était enivré; puis je pensais que c'était
bien la peine d'avoir si courageusement lutté pour
en arriver là.

Je découvrais en moi une telle absence d'énergie
et je concevais un tel mépris de moi-même, que ce
jour-là très-sérieusement je désespérai de ma vie.
Elle ne me semblait plus bonne à rien, pas même
à être employée à des travaux vulgaires. Personne
n'en voulait, et je n'y tenais plus. Des enfants
vinrent jouer sous les arbres. Des couples heureux
passèrent étroitement liés. J'évitai leur approche,
et je m'éloignai, cherchant où je pourrais aller, moi,
pour n'être plus seul. Je revins par des rues désertes.
Il y avait là de grands ateliers d'industrie, clos et
bruyants, des usines dont les cheminées fumaient,
où l'on entendait bouillonner des chaudières, gron-
der des rouages. Je pensai à ces effervescences qui
me consumaient depuis plusieurs mois, à ce foyer
intérieur toujours allumé, toujours brûlant, mais
pour une application qui n'était pas prévue. Je
regardai les vitres noires, le reflet des fourneaux;
j'écoutai le bruit des machines.

« Qu'est-ce qu'on fait là dedans ? me disais-je.
Qui sait ce qui doit en sortir, si c'est du bois ou
du métal, du grand ou du petit, du très-utile ou
du superflu ? » — Et l'idée qu'il en était ainsi de

mon esprit n'ajouta rien à un découragement
déjà complet, mais le confirma.

J'avais couvert des rames de papier. Il y en
avait une montagne accumulée sur ma table de
travail. Je ne les considérais jamais avec beaucoup
d'orgueil; j'évitais ordinairement d'y jeter les yeux
de trop près, et je vivais au jour le jour des illusions
de la veille. Dès le lendemain, j'en fis justice. J'en
feuilletai au hasard des lambeaux : une fade odeur
de médiocrité me souleva le cœur. Je pris le tout
et le mis au feu. J'étais assez calme en exécutant
ce sacrifice, qui, en toute autre circonstance m'aurait
coûté quelques regrets. En ce moment même la
réponse de Madeleine arriva. Sa lettre était ce qu'elle
devait être, cordiale, tendre, exquise, et pourtant je restai stupéfait de me sentir au cœur un
espoir déçu. Le flamboiement de tant de paperasses
brûlées éclairait encore ma chambre, et j'étais debout,
tenant à la main la lettre de Madeleine, comme un
homme qui se noie tient un fil brisé, quand par
hasard Olivier rentra.

Il vit cet amas de cendres fumantes et comprit;
il jeta un rapide coup d'œil sur la lettre.

« On se porte bien à Nièvres ? » me dit-il froidement.

Pour prévenir le moindre soupçon, je lui tendis
la lettre; mais il affecta de ne point la lire, et comme
s'il eût décidé que le moment était venu de me parler
raison et de débrider largement une plaie qui lan-
guissait sans résultat :

« Ah çà ! me dit-il, où en es-tu ? Depuis six mois,
tu veilles, tu te morfonds; tu mènes une vie de
séminariste qui a fait des vœux, de bénédictin qui

prend des bains de science pour calmer la chair;
où cela t'a-t-il mené ?

— A rien, lui dis-je.

— Tant pis, car toute déception prouve au moins
une chose : c'est qu'on s'est trompé sur les moyens
de réussir. Tu t'es imaginé que la solitude, quand
on doute de soi, est le meilleur des conseillers.
Qu'en penses-tu aujourd'hui ? Quel conseil t'a-t-elle
donné, quel avis qui te serve, quelle leçon de conduite ?

— De me taire toujours, lui dis-je avec désespoir.

— Si telle est la conclusion, je t'engage alors à
changer de système. Si tu attends tout de toi, si
tu as assez d'orgueil pour supposer que tu vien-
dras à bout d'une situation qui en a découragé
de plus forts, et que tu pourras demeurer sans
broncher debout sur cette difficulté effroyable où
tant de braves cœurs ont défailli, tant pis encore
une fois, car je te crois en danger, et sur l'honneur
je ne dormirai plus tranquille.

— Je n'ai ni orgueil ni confiance, et tu le sais
aussi bien que moi. Ce n'est pas moi qui veux; c'est,
comme tu le dis, une situation qui me commande.
Je ne puis empêcher ce qui est, je ne puis prévoir
ce qui doit être. Je reste où je suis, sur un danger,
parce qu'il m'est défendu d'être ailleurs. Ne plus
aimer Madeleine ne m'est pas possible, l'aimer autrement ne m'est pas permis. Le jour où sur cette
difficulté, d'où je ne puis descendre, la tête me
tournera, eh bien ! ce jour-là tu pourras me pleurer
comme un homme mort.

— Mort ! non, reprit Olivier, mais tombé de

haut. N'importe, ceci est funèbre. Et ce n'est point
ainsi que j'entends que tu finisses. C'est bien assez
que la vie nous tue tous les jours un peu : pour Dieu,
ne l'aidons pas à nous achever plus vite. Prépare-
toi, je te prie, à entendre des choses très-dures, et
si Paris te fait peur comme un mensonge, habitue-
toi du moins à causer en tête-à-tête avec la vérité.

— Parle, lui dis-je, parle. Tu ne me diras rien
que je ne me sois mille fois répété.

— C'est une erreur. J'affirme que tu ne t'es jamais
tenu le langage suivant : Madeleine est heureuse,
elle est mariée ; elle aura l'une après l'autre les joies
légitimes de la famille, sans en excepter aucune,
je le désire et je l'espère. Elle peut donc se passer
de toi. Elle ne t'est rien qu'une amie fort tendre, tu
n'es rien non plus pour elle qu'un excellent camarade qu'elle serait désespérée de perdre comme
ami, impardonnable de prendre pour amant. Ce
qui vous unit n'est donc qu'un lien, charmant
s'il n'est qu'un lien, horrible s'il devenait une
chaîne. Tu lui es nécessaire dans la mesure où
l'amitié compte et pèse dans la vie ; tu n'as en
aucun cas le droit de faire de toi un embarras.
Je ne parle pas de mon cousin, qui, s'il était con-
sulté, ferait valoir ses droits suivant les formes
connues et avec les arguments des maris menacés
dans leur honneur, ce qui est déjà grave, et dans
leur bonheur, ce qui est beaucoup plus sérieux.
Voilà pour Mme de Nièvres. En ce qui te regarde,
la position n'est pas moins simple. Le hasard, qui
t'a fait rencontrer Madeleine, t'avait fait naître
aussi six ou huit ans trop tard, ce qui est certainement un grand malheur pour toi et peut-être un

accident regrettable pour elle. Un autre est venu
qui l'a épousée. M. de Nièvres n'a donc pris que ce
qui n'était à personne : aussi n'as-tu jamais pro-
testé, parce que tu as beaucoup de sens, même en
ayant beaucoup de cœur. Après avoir décliné toute
prétention sur Madeleine comme mari, voudrais-
tu, peux-tu y prétendre autrement ? Et pourtant tu
continues de l'aimer. Tu n'as pas tort, parce qu'un
sentiment comme le tien n'a jamais tort; mais tu
n'es pas dans le vrai, parce qu'une impasse ne
mène à rien. Cependant, comme il n'y a dans la
vie la plus bouchée que de fausses impasses, comme
des carrefours les plus étroits il faut sortir en définitive, bon gré, mal gré, sinon sans avaries, tu sor-
tiras de celui-ci, et tu n'y laisseras rien, je l'espère,
ni ton honneur ni ta vie. Encore un mot, et ne
t'en offense pas : Madeleine n'est pas la seule femme
en ce monde qui soit bonne, ni qui soit jolie, ni
qui soit sensible, ni qui soit faite pour te comprendre
et pour t'estimer. Suppose un hasard différent :
Madeleine serait une autre femme, que tu aimerais
de même exclusivement, et dont tu dirais pareillement : Elle, et pas une autre ! Il n'y a donc de nécessaire et d'absolu qu'une chose, le besoin et la force
d'aimer. Ne t'occupe pas de savoir si je raisonne
en logicien, et ne dis pas que mes théories sont
affreuses. Tu aimes et tu dois aimer, le reste est
le fait de la chance. Je ne connais pas de femme,
pourvu que je la suppose digne de toi, qui ne
soit en droit de te dire : Le véritable et l'unique
objet de vos sentiments, c'est moi !

   — Ainsi, m'écriai-je, il faudrait ne plus aimer ?

   — Au contraire, mais une autre.

— Ainsi il faudrait l'oublier ?

— Non, mais la remplacer.

— Jamais ! lui dis-je.

— Ne dis pas : Jamais; dis : Pas maintenant. »
Et là-dessus Olivier sortit.

J'avais les yeux secs, mais une atroce douleur
me tenaillait le cœur. Je relus la lettre de Madeleine;
il s'en exhalait cette vague tiédeur des amitiés vulgaires, désespérante à sentir quand on voudrait plus.
« Il a raison, cent fois raison », pensais-je en me
répétant comme un arrêt sans appel l'agaçante
argumentation d'Olivier. Et tout en repoussant
ses conclusions de toute l'horreur d'un cœur passionnément épris, je me disais cette vérité irréfu-
table : « Je ne suis rien à Madeleine, rien qu'un
obstacle, une menace, un être inutile ou dangereux ! »

Je regardai ma table vide. Un monceau de cendres
noires encombrait le foyer. Cette destruction d'une
autre partie de moi-même, cette ruine totale et de
mes efforts et de mon bonheur m'abattit enfin sous
la sensation sans pareille d'un néant complet.

« A quoi donc suis-je bon ? » m'écriai-je.

Et le visage caché dans mes mains, je restai là,
les yeux dans le vide, ayant devant moi toute ma
vie, immense, douteuse et sans fond comme un
précipice.

Au bout d'une heure, Olivier me retrouva dans
le même état, c'est-à-dire inerte, immobile et consterné. Très-amicalement il me posa la main sur
l'épaule et me dit :

« Veux-tu m'accompagner ce soir au théâtre ?

— Y vas-tu seul ? » lui demandai-je.

Il sourit et me répondit :

« Non.

— Alors tu n'as pas besoin de moi », lui dis-je,
et je lui tournai le dos.

« Soit ! » dit-il avec un accent d'impatience.

Puis se ravisant tout à coup :

« Tu es stupide, injuste et insolent, reprit-il en se
posant carrément devant moi. Que crois-tu donc ?
que je veux te surprendre ? Joli métier que tu m'at-
tribues ! Non, mon cher, je ne préparerai jamais
la plus innocente épreuve où ta probité de cœur
puisse être engagée. Ce serait un vilain calcul et de
plus un procédé maladroit. Ce que je veux, m'en-
tends-tu ? c'est que tu sortes de ta tanière, esprit
chagrin, pauvre cœur blessé. Tu t'imagines que
la terre a pris le deuil et que la beauté s'est voilée,
et que tous les visages sont en larmes, et qu'il n'y
a plus ni espérances, ni joies, ni vœux comblés,
parce que dans ce moment la destinée te maltraite.
Regarde donc un peu autour de toi, et mêle-toi
à la foule des gens qui sont heureux ou qui croient
l'être. Ne leur envie pas l'insouciance, mais apprends
d'eux ceci : c'est que la Providence, en qui tu crois,
a pourvu à tout, qu'elle a tout proportionné et
qu'elle a disposé d'inépuisables ressources pour
les besoins des cœurs affamés. »

Je ne fus point ébranlé par ce flux de paroles,
mais je finis par les écouter. L'affectueuse exaspération d'Olivier agit comme un calmant sur mes
nerfs affreusement tendus, et les attendrit. Je lui
pris la main. Je le fis asseoir près de moi. Je lui
demandai pardon d'un mot dit étourdiment, qui
ne contenait nulle défiance. Je le suppliai de laisser
passer cette crise de défaillance, qui ne durerait

pas, lui disais-je, et qui résultait de longues fatigues.
Je lui promis d'ailleurs de changer de conduite.
Nous avions le même monde, j'avais le plus grand
tort de n'y jamais aller. Il était de mon devoir de
m'y faire connaître et de ne pas me singulariser par
un éloignement systématique. Je lui dis une foule
de choses sensées, comme si la raison m'était subitement revenue. Et comme il subissait lui-même
l'influence d'un épanchement qui semblait nous
rendre tous les deux ensemble plus souples, plus
conciliants et meilleurs, je parlai de lui, de sa vie
presque entièrement passée loin de moi, et me
plaignis de ne pas mieux savoir ni ce qu'il faisait,
ni s'il avait des raisons d'être satisfait.

« Satisfait est le mot, me dit-il avec une expression à moitié comique. Chaque homme a le vocabulaire de ses ambitions. Oui, je suis à peu près
satisfait dans ce moment, et si je m'en tiens à des
satisfactions qui n'ont rien de chimérique, ma vie se
passera dans un équilibre parfait et sera comblée
jusqu'à satiété.

— As-tu des nouvelles d'Ormesson ? lui demandai-je.

— Aucune. Tu sais comment l'histoire a fini.

— Par une rupture ?

— Par un départ, ce qui n'est pas la même chose,
car nous avons gardé l'un de l'autre le seul regret
qui ne gâte jamais les souvenirs.

— Et maintenant ?

— Maintenant ! Est-ce que tu sais ?...

— Je ne sais rien ; mais j'imagine que tu as dû
faire ce que tu me recommandes.

— C'est vrai », dit-il en souriant.

Puis il devint sérieux, et me dit :

« Dans tout autre moment, je te raconterais, mais pas aujourd'hui. L'air de cette chambre est plein d'une émotion respectable. Il n'y a pas de promiscuité permise entre la femme dont j'aurais à t'entretenir et celle dont il ne faut pas même prononcer le nom lorsqu'il est question de la première. »

Le bruit d'un pas dans l'antichambre l'interrompit. Mon domestique annonça Augustin, qui venait rarement à pareille heure. La vue de cette ardente et inflexible physionomie me rendit en quelque sorte une lueur de courage. Il me semblait que c'était un renfort que le hasard m'envoyait dans un moment où j'en avais si grand besoin.

« Vous venez à propos, lui dis-je en faisant bonne contenance. Tenez, c'était bien la peine de me donner tant de mal. J'ai tout détruit. »

Je lui parlais toujours un peu comme un ex-disciple à son ancien maître, et je lui reconnaissais le droit de m'interroger sur mon travail.

« C'est à recommencer, dit-il sans s'émouvoir autrement; je connais cela. »

Olivier se taisait. Après quelques minutes de silence, il passa la main dans ses cheveux bouclés, bâilla doucement et nous dit :

« Je m'ennuie, et je vais au bois. »

X

« Est-ce qu'il travaille ? me demanda Augustin
quand Olivier nous eut quittés.

— Fort peu, et cependant il apprend comme s'il
travaillait.

— Tant mieux; il a séduit la fortune. Si la vie
n'était qu'une loterie, reprit Augustin, ce jeune
homme rêverait toujours les numéros gagnants. »

Augustin n'était pas de ceux qui séduisent la fortune, ni qu'un numéro rêvé doit enrichir. Ce que je
vous ai dit de lui peut vous faire comprendre qu'il
n'était pas né pour les faveurs du hasard, et que,
dans toutes les combinaisons où jusqu'à présent
il avait mis sa volonté pour enjeu, l'enjeu représentait beaucoup plus que le gain. Depuis le jour
où vous l'avez vu quitter les Trembles, tenant à
la main une lettre reçue de Paris, comme un jeune
soldat muni de sa feuille de route, ses espérances
avaient, je crois, reçu plus d'un échec, mais sans
diminuer sa foi robuste ni le faire douter une seule
minute que le succès, sinon la gloire, ne fût à Paris
même et juste au bout du chemin qu'il y suivait.
Il ne se plaignait point, n'accusait personne, ne
désespérait de rien. Il avait, sans aucune illusion,
la ténacité des espoirs aveugles, et ce qui chez

d'autres aurait pu passer pour de l'orgueil n'existait chez lui que comme un sentiment très-exactement
déterminé de son droit. Il appréciait les choses avec le
sang-froid d'un lapidaire essayant des bijoux de qualité douteuse, et se trompait rarement sur le choix de
celles qui méritaient de lui de la peine et du temps.

Il avait eu des protecteurs. Il ne trouvait pas
que solliciter fût un déshonneur, parce qu'il ne
proposait alors qu'un échange de valeurs équiva-
lentes, et que de pareils contrats, disait-il, n'humi-
lient jamais celui qui, pour sa part de société,
apporte l'appoint de son intelligence, de son zèle
et de son talent. Il n'affectait pas de mépriser l'argent, dont il avait grand besoin, je le savais, sans
qu'il en parlât. Il n'en dédaignait point les résultats, mais le mettait beaucoup au-dessous d'un
capital d'idées que, selon lui, rien ne saurait ni
présumer ni payer.

« Je suis un ouvrier, disait-il, qui travaille avec
des outils fort peu coûteux, c'est vrai ; mais ce qu'ils
produisent est sans prix, quand cela est bon. »

Il ne se considérait donc comme l'obligé de
personne. Les services qu'on avait pu lui rendre,
il les avait achetés et bien payés. Et dans ces sortes
de marchés, qui de sa part excluaient, sinon tout
savoir-vivre, du moins toute humilité, il avait une
manière de s'offrir qui marquait au plus juste le
haut prix qu'il entendait y mettre.

« Du moment qu'on traite avec l'argent, disait-il,
ce n'est plus qu'une affaire où le cœur n'entre pour
rien, et qui n'engage aucunement la reconnaissance.
Donnant, donnant. Le talent même en pareil cas
n'est qu'une obligation de probité. »

Il avait essayé de beaucoup de situations, tenté déjà beaucoup d'entreprises, non par aptitude, mais par nécessité. N'ayant pas le choix des moyens, il avait l'application plus encore que la souplesse qui permet de les employer tous. A force de volonté, de clairvoyance, d'ardeurs, il suppléait presque aux qualités naturelles dont il se savait privé. Sa volonté seule, appuyée sur un rare bon sens, sur une droiture parfaite, sa volonté faisait des miracles. Elle prenait toutes les formes, jusqu'aux plus élevées, jusqu'aux plus nobles, quelquefois jusqu'aux plus brillantes. Il ne sentait pas tout, mais il n'y avait rien qu'il ne comprît. Il approchait ainsi de l'imagination par la tension d'un esprit sans cesse en contaĉt avec ce que le monde des idées contient de meilleur et de plus beau, et touchait au pathétique par la connaissance parfaite des duretés de la vie et par l'ambition dévorante d'en gagner les joies légitimes, fût-ce au prix de beaucoup de combats.

Après avoir à ses débuts abordé le théâtre, pour lequel il ne se jugeait ni assez recommandé ni assez mûr, il s'était jeté dans le journalisme. Quand je dis jeté, le mot n'eĉt pas exaĉt pour un homme qui ne faisait rien à l'étourdie, et qui se présentait sur le champ de bataille avec cette hardiesse mêlée de prudence qui ne risque beaucoup que pour réussir. Plus récemment, il venait d'entrer comme secrétaire dans le cabinet d'un homme politique éminent [31].

« J'y suis, me disait-il, au centre d'un mouvement qui ne m'édifie point, mais qui m'intéresse et qui m'éclaire. La politique, à l'heure qu'il eĉt, touche à tant d'idées, élabore tant de problèmes, qu'il n'y

a pas d'étude plus instructive, ni de meilleur carre-
four pour une ambition qui cherche un débouché. »

Sa situation matérielle m'était inconnue. Je la supposais difficile; mais c'était un des rares sujets sur
lesquels il me paraissait interdit de l'interroger.

Quelquefois seulement cet inébranlable courage
trahissait non l'hésitation, mais la souffrance. Le
stoïque Augustin n'en disait rien. Son attitude était
la même, sa ferme raison toujours aussi claire. Il
continuait d'agir, de penser, de résoudre, comme
s'il n'avait jamais reçu la moindre atteinte; mais il
y avait en lui je ne sais quoi, comme ces taches
rouges qu'on voit apparaître sur les habits d'un
soldat blessé. Longtemps je m'étais demandé quelle
partie vulnérable, dans cette organisation de fer,
un mal quelconque avait pu frapper; puis je m'étais
aperçu qu'Augustin, tout comme les autres, avait un
cœur, et j'avais enfin compris que c'était ce pauvre
et vaillant cœur qui saignait.

Dès qu'il se fut assis, et que je le vis croiser ses
jambes l'une sur l'autre dans l'attitude d'un homme
qui n'a rien à dire et qui entre en oubliant l'objet de
sa visite, je m'aperçus bien qu'il n'était pas, lui non
plus, dans des dispositions riantes.

« Et vous aussi, mon cher Augustin, lui dis-je,
vous n'êtes pas heureux ?

— Vous le devinez, me dit-il, avec un peu d'amertume.

— Il le faut bien, puisque vous avez l'orgueil de
ne pas l'avouer.

— Mon cher enfant, reprit-il dans ces formes un
peu paternelles qu'il n'abandonnait pas et qui donnaient un certain charme à la roideur de ses conseils,

la question n'est pas de savoir si l'on est heureux,
mais de savoir si l'on a tout fait pour le devenir.
Un honnête homme mérite incontestablement d'être
heureux, mais il n'a pas toujours le droit de se
plaindre quand il ne l'est pas encore. C'est une
affaire de temps, de moment et d'à-propos. Il y a
beaucoup de manières de souffrir : les uns souffrent
d'une erreur, les autres d'une impatience. Pardonnez-moi ce peu de modestie, je suis peut-être seulement trop impatient.

— Impatient ? et de quoi ? Peut-on le savoir ?

— De n'être plus seul, me dit-il avec une singulière émotion, afin que, si j'ai jamais quelque nom,
je n'en sois pas réduit à ce triste résultat d'en cou-
ronner mon égoïsme. »

Puis il ajouta :

« Ne parlons pas de ces choses-là trop tôt. Vous
serez le premier que j'en instruirai quand le moment
sera venu. »

« Ne restons pas ici, me dit-il au bout d'un instant, cela sent la déroute. Ce n'est pas qu'on s'y
ennuie, mais on y contracte des envies de se laisser aller. »

Nous sortîmes ensemble, et chemin faisant je le
mis au courant des motifs particuliers de lassitude et de découragement que j'avais. Mes lettres
l'avaient averti, et le reste lui était devenu bien clair
le jour où Mme de Nièvres et lui s'étaient rencontrés. Je n'avais donc pas eu l'embarras de lui expliquer les difficultés d'une situation qu'il connaissait
aussi bien que moi, ni les perplexités d'un esprit
dont il avait mesuré toutes les résistances comme
toutes les faiblesses.

« Il y a quatre ans que je vous sais amoureux, me
dit-il au premier mot que je prononçai.

— Quatre ans ? lui dis-je, mais je ne connaissais
pas alors Mme de Nièvres.

— Mon ami, me dit-il, vous rappelez-vous le
jour où je vous ai surpris pleurant sur les malheurs
d'Annibal ? Eh bien ! je m'en suis étonné d'abord,
n'admettant pas qu'une composition de collège
pût émouvoir personne à ce point. Depuis, j'ai
bien pensé qu'il n'y avait rien de commun entre
Annibal et votre émotion ; en sorte qu'à la première
ouverture de vos lettres, je me suis dit : Je le savais ;
et, à la première vue de Mme de Nièvres, j'ai compris qu'il s'agissait d'elle. »

Quant à ma conduite, il la jugeait difficile, mais
non pas impossible à diriger. Avec des points de
vue très-différents de ceux d'Olivier, il me conseillait aussi de me guérir, mais par des moyens qui
lui semblaient les seuls dignes de moi.

Nous nous séparâmes après de longs circuits
sur les quais de la Seine. Le soir venait. Je me
retrouvai seul au milieu de Paris à une heure
inaccoutumée, sans but, n'ayant plus d'habitudes,
plus de liens, plus de devoirs, et me disant avec
anxiété : « Que vais-je faire ce soir ? que ferai-je
demain ? » J'oubliais absolument que depuis des
mois, pendant un long hiver, les trois quarts du
temps je n'avais pas eu de compagnon. Il me sembla
que, celui qui agissait en moi m'ayant quitté, il
ne me restait plus d'auxiliaire aujourd'hui pour
se charger d'une vie qui désormais allait m'accabler
de son vide et de son désœuvrement. L'idée de
rentrer chez moi ne me vint même pas, et la

pensée d'aller feuilleter des livres m'aurait rendu
malade de dégoût.

Je me rappelai qu'Olivier devait être au théâtre.
Je savais à quel théâtre et dans quelle compagnie.
N'ayant plus à me roidir contre une lâcheté de
plus, je pris une voiture et m'y fis conduire. Je
louais une stalle obscure, d'où j'espérais découvrir
Olivier sans être aperçu. Je ne le vis dans aucune des
loges qui me faisaient face. J'en conclus ou qu'il avait
changé de projet ou qu'il était placé juste au-dessus
de moi dans cette autre partie de la salle qui m'était
cachée. Ce désir bizarre et indiscret que j'avais eu
de le surprendre en partie galante étant déçu, je me
demandai ce que j'étais venu faire en pareil lieu.
J'y restai cependant, et j'aurais de la peine à vous
expliquer pourquoi, tant le désordre de mon esprit
se compliquait de chagrin, d'ennuis, de faiblesses
et de curiosités perverses. Je plongeais les yeux
dans toutes les loges peuplées de femmes; cela
formait, vu d'en bas, une irritante exposition de
bustes à peu près sans corsage et de bras nus gantés
très-court. J'examinais les chevelures, le teint, les
yeux, les sourires; j'y cherchais des comparaisons
persuasives qui pourraient nuire au souvenir si
parfait de Madeleine. Je n'avais plus qu'une idée,
l'impétueuse envie de me soustraire quand même
à la persécution de ce souvenir unique. Je l'avilis-
sais à plaisir et le déshonorais, espérant par là
le rendre indigne d'elle et m'en débarrasser par des
salissures. A la sortie du théâtre et comme je tra-
versais le péristyle, une voix que j'entendis dans la
foule me fit reconnaître Olivier. Il passa tout près
de moi sans me voir. Je pus à peine apercevoir la

personne élégante et de grande allure qu'il accompagnait. Nous rentrâmes pour ainsi dire ensemble,
et j'étais encore en tenue de sortie quand il parut
au seuil de ma chambre.

« D'où viens-tu ? » me dit-il.

— Du théâtre. »

Je lui nommai lequel.

« M'as-tu cherché ?

— Je n'y suis point allé pour te chercher, lui
dis-je, mais pour te voir.

— Je ne te comprends pas, me dit-il; dans tous
les cas, ce sont des enfantillages ou des taquineries
qu'un autre que moi ne te pardonnerait pas; mais
tu es malade, et je te plains. »

Je ne le vis plus pendant deux ou trois jours. Il
eut la sévérité de me tenir rigueur. Il s'informa de
moi près de mon domestique, et je sus qu'il se préoc-
cupait de mon état et me surveillait sans en avoir
l'air. Chaque journée d'inaction m'épuisait et me
démoralisait davantage. Je ne prenais aucun parti
décisif, mais il me semblait que ma faiblesse allait
s'abattre devant le premier accident qui la ferait
broncher.

Très-peu de jours après, dans une avenue du bois
où je me promenais seul en désespéré, je vis venir
une voiture légère menée doucement et parfaitement
attelée. Elle contenait trois personnes : deux jeunes
femmes en compagnie d'Olivier [32]. Olivier me
découvrit à l'instant même où je le reconnus. Il fit
arrêter, sauta lestement dans l'allée, me prit par le
bras, et sans dire un mot, me poussa dans la voiture;
puis, après s'être assis à côté de moi, comme s'il se fût
agi d'un enlèvement, il dit au cocher : « Continuez. »

Je me sentis perdu, et je l'étais en effet, au moins pour quelque temps.

Des deux mois que dura cet inutile égarement, car il dura deux mois tout au plus, je vous dirai seulement l'incident facile à prévoir qui le termina. D'abord j'avais cru oublier Madeleine, parce que, chaque fois que son souvenir me revenait, je lui disais : « Va-t'en ! » comme on dérobe à des yeux respectés la vue de certains tableaux blessants ou honteux. Je ne prononçai pas une seule fois son nom. Je mis entre elle et moi un monde d'obstacles et d'indignités. Olivier put croire un moment que c'était bien fini ; mais la personne avec qui je tâchais de tuer cette mémoire importune ne s'y trompa pas. Un jour j'appris par une étourderie d'Olivier, qui s'observait un peu moins à mesure qu'il se croyait plus sûr de ma raison, j'appris que des nécessités d'affaires rappelaient M. d'Orsel en province, et que tous les habitants de Nièvres allaient bientôt partir pour Ormesson. A la minute même, ma détermination fut prise, et je voulus rompre.

« Je viens vous dire adieu, dis-je en entrant dans un appartement où je ne devais plus remettre les pieds.

— Ce que vous faites, je l'aurais fait un peu plus tard, mais bientôt, me dit-elle, sans marquer ni surprise ni contrariété.

— Alors vous ne m'en voulez pas ?

— Aucunement. Vous ne vous appartenez pas. »

Elle était à sa toilette et s'y remit.

« Adieu », reprit-elle, sans tourner la tête.

Elle me regarda dans son miroir et sourit. Je la quittai sans aucune explication.

« Encore une sottise ! me dit Olivier quand il fut informé de ce que j'avais fait.

— Sottise ou non, me voilà libre, lui dis-je. Je pars pour les Trembles, et je t'emmène. Il ne sera pas difficile de les déterminer tous à venir y passer les vacances.

— Aux Trembles avec toi, Madeleine aux Trembles ! reprenait Olivier, dont cette brusque et téméraire décision renversait tous les plans de conduite.

— Cher ami, lui dis-je en me jetant follement dans ses bras, ne me dis rien, n'objecte rien ; je serai sage, je serai prudent, mais je serai heureux ; accorde-moi ces deux mois qui ne reviendront plus, que je ne retrouverai jamais ; c'est bien court, et c'est peut-être tout ce que j'aurai de bonheur dans ma vie. »

Je lui parlai dans l'entraînement d'un désir si vrai, il me vit si ranimé, si transformé par la perspective inattendue de ce voyage, qu'il se laissa séduire, et qu'il eut la faiblesse et la générosité de consentir à tout.

« Soit, dit-il. En définitive, cela vous regarde. Je n'ai pas charge d'âmes, et c'est trop d'avoir à gouverner tout seul deux fous comme toi et moi. »

XI

Ces deux mois de séjour avec Madeleine dans notre maison solitaire [33], en pleine campagne, au bord de notre mer si belle en pareille saison, ce séjour unique dans mes souvenirs fut un mélange de continuelles délices et de tourments où je me purifiai. Il n'y a pas un jour qui ne soit marqué par une tentation petite ou grande, pas une minute qui n'ait eu son battement de cœur, son frisson, son espérance ou son dépit. Je pourrais vous dire aujourd'hui, moi, dont c'est la grande mémoire, la date et le lieu précis de mille émotions bien légères, et dont la trace est cependant restée. Je vous montrerais tel coin du parc, tel escalier de la terrasse, tel endroit des champs, du village, de la falaise, où l'âme des choses insensibles a si bien le souvenir de Madeleine et le mien, que si je l'y cherchais encore, et Dieu m'en garde, je l'y retrouverais aussi reconnaissable qu'au lendemain. de notre départ.

Madeleine n'était jamais venue aux Trembles, et ce séjour un peu triste et fort médiocre lui plaisait pourtant. Quoiqu'elle n'eût pas les mêmes raisons que moi pour l'aimer, elle m'en avait si souvent entendu parler, que mes propres souvenirs en faisaient pour elle une sorte de pays de

connaissance et l'aidaient sans doute à s'y trouver
bien.

« Votre pays vous ressemble, me disait-elle. Je
me serais doutée de ce qu'il était, rien qu'en vous
voyant. Il est soucieux, paisible et d'une chaleur
douce. La vie doit y être très-calme et réfléchie.
Et je m'explique maintenant beaucoup mieux certaines bizarreries de votre esprit, qui sont les vrais
caractères de votre pays natal. »

Je trouvais le plus grand plaisir à l'introduire
ainsi dans la familiarité de tant de choses étroitement liées à ma vie. C'était comme une suite de
confidences subtiles qui l'initiaient à ce que j'avais
été, et l'amenaient à comprendre ce que j'étais.
Outre la volonté de l'entourer de bien-être, de
distractions et de soins, il y avait aussi ce secret
désir d'établir entre nous mille rapports d'éducation, d'intelligence, de sensibilité, presque de
naissance et de parenté, qui devaient rendre notre
amitié plus légitime en lui donnant je ne sais combien d'années de plus en arrière.

J'aimais surtout à essayer sur Madeleine l'effet de
certaines influences plutôt physiques que morales
auxquelles j'étais moi-même si continuellement
assujetti. Je la mettais en face de certains tableaux
de la campagne choisis parmi ceux qui, invariablement composés d'un peu de verdure, de beaucoup de
soleil et d'une immense étendue de mer, avaient le
don infaillible de m'émouvoir. J'observais dans quel
sens elle en serait frappée, par quels côtés d'indigence ou de grandeur ce triste et grave horizon
toujours nu pourrait lui plaire. Autant que cela
m'était permis, je l'interrogeais sur ces détails de

sensibilité tout extérieure. Et lorsque je la trouvais d'accord avec moi, ce qui arrivait beaucoup plus souvent que je ne l'eusse espéré, lorsque je distinguais en elle l'écho tout à fait exact et comme l'unisson de la corde émue qui vibrait en moi, c'était une conformité de plus dont je me réjouissais comme d'une nouvelle alliance.

Je commençais ainsi à me laisser voir sous beaucoup d'aspects qu'elle avait pu soupçonner, mais sans les comprendre. En jugeant à peu près des habitudes normales de mon existence, elle arrivait à connaître assez exactement quel était le fond caché de ma nature. Mes prédilections lui révélaient une partie de mes aptitudes, et ce qu'elle appelait des bizarreries lui devenait plus clair à mesure qu'elle en découvrait mieux les origines. Rien de tout cela n'était un calcul; j'y cédais assez ingénument pour n'avoir aucun reproche à me faire, si tant est qu'il y eût là la moindre apparence de séduction; mais que ce fût innocemment ou non, j'y cédais. Elle en paraissait heureuse. De mon côté, grâce à ces continuelles communications qui créaient entre nous d'innombrables rapports, je devenais plus libre, plus ferme, plus sûr de moi dans tous les sens, et c'était un grand progrès, car Madeleine y voyait un pas fait dans la franchise. Cette fusion complète, et de tous les instants, dura sans aucun accident pendant deux grands mois. Je vous cache les blessures secrètes, sans nombre, infinies; elles n'étaient rien, si je les compare aux consolations qui aussitôt les guérissaient. Somme toute, j'étais heureux; oui, je crois que j'étais heureux, si le bonheur consiste à vivre rapidement, à aimer de toutes ses forces, sans aucun sujet de repentir et sans espoir.

M. de Nièvres était chasseur, et c'est à lui que
je dois de l'être devenu. Il me dirigeait avec beaucoup de cordialité dans ces premiers essais d'un
exercice que depuis j'ai passionnément aimé.
Quelquefois Mme de Nièvres et Julie nous accompagnaient à distance ou nous attendaient sur les
falaises pendant que nous faisions de longues
battues dans la direction de la mer. On les apercevait
de loin, comme de petites fleurs brillantes posées
sur les galets, tout à fait au bord des flots bleus.
Quand le hasard de la chasse nous avait entraînés
trop avant dans la campagne ou retenus trop tard,
alors on entendait la voix de Madeleine qui nous
invitait au retour. Elle appelait tantôt son mari,
tantôt Olivier ou moi. Le vent nous apportait
ces appels alternatifs de nos trois noms. Les notes
grêles de cette voix, lancée du bord de la mer dans
de grands espaces, s'affaiblissaient à mesure en
volant au-dessus de ce pays sans écho. Elles ne
nous arrivaient plus que comme un souffle un peu
sonore, et quand j'y distinguais mon nom, je ne
puis vous dire la sensation de douceur et de tristesse infinies que j'en éprouvais. Quelquefois le
soleil se couchait que nous étions encore assis
sur la côte élevée, occupés à regarder mourir à nos
pieds les longues houles qui venaient d'Amérique.
Des navires passaient tout empourprés des lueurs
du soir. Des feux s'allumaient à fleur d'eau : soit
la vive étincelle des phares, soit le fanal rougeâtre
des bateaux mouillés en rade, ou le feu résineux des
canots de pêche. Et le vaste mouvement des eaux,
qui continuait à travers la nuit et ne se révélait plus

que par ses rumeurs, nous plongeait dans un silence où chacun de nous pouvait recueillir un monde incalculable de rêveries.

A l'extrémité du pays, sur une sorte de presqu'île caillouteuse battue de trois côtés par les lames, il y avait un phare, aujourd'hui détruit, entouré d'un très-petit jardin, avec des haies de tamarix plantés si près du bord qu'ils étaient noyés d'écume à chaque marée un peu forte. C'était assez ordinairement le lieu choisi pour les rendez-vous de chasse dont je vous parle. L'endroit était particulièrement désert, la falaise y était plus haute, la mer plus vaste et plus conforme à l'idée qu'on se fait de ce bleu désert sans limites et de cette solitude agitée. L'horizon circulaire qu'on embrassait de ce point culminant du rivage, même sans quitter le pied de la tour, offrait une surprise grandiose dans un pays si pauvrement dessiné qu'il n'a presque jamais ni contours ni perspectives.

Je me souviens qu'un jour Madeleine et M. de Nièvres voulurent monter au sommet du phare [34]. Il faisait du vent. Le bruit de l'air, que l'on n'entendait point en bas, grandissait à mesure que nous nous élevions, grondait comme un tonnerre dans l'escalier en spirale, et faisait frémir au-dessus de nous les parois de cristal de la lanterne. Quand nous débouchâmes à cent pieds du sol, ce fut comme un ouragan qui nous fouetta le visage, et de tout l'horizon s'éleva je ne sais quel murmure irrité dont rien ne peut donner l'idée quand on n'a pas écouté la mer de très-haut. Le ciel était couvert. La marée basse laissait apercevoir entre la lisière écumeuse des flots et le dernier échelon de la falaise

le morne lit de l'Océan pavé de roches et tapissé
de végétations noirâtres. Des flaques d'eau miroi-
taient au loin parmi les varechs, et deux ou trois
chercheurs de crabes, si petits qu'on les aurait
pris pour des oiseaux pêcheurs, se promenaient
au bord des vases, imperceptibles dans la prodigieuse étendue des lagunes. Au delà commençait
la grande mer, frémissante et grise, dont l'extrémité
se perdait dans les brumes. Il fallait y regarder
attentivement pour comprendre où se terminait
la mer, où le ciel commençait, tant la limite était
douteuse, tant l'un et l'autre avaient la même
pâleur incertaine, la même palpitation orageuse
et le même infini. Je ne puis vous dire à quel point
ce spectacle de l'immensité répétée deux fois, et
par conséquent double d'étendue, aussi haute
qu'elle était profonde, devenait extraordinaire, vu
de la plate-forme du phare, et de quelle émotion
commune il nous saisit. Chacun de nous en fut
frappé diversement sans doute; mais je me souviens qu'il eut pour effet de suspendre aussitôt
tout entretien, et que le même vertige physique
nous fit subitement pâlir et nous rendit sérieux.
Une sorte de cri d'angoisse s'échappa des lèvres
de Madeleine, et, sans prononcer une parole,
tous accoudés sur la légère balustrade qui seule
nous séparait de l'abîme, sentant très-distinctement
l'énorme tour osciller sous nos pieds à chaque
impulsion du vent, attirés par l'immense danger,
et comme sollicités d'en bas par les clameurs de la
marée montante, nous restâmes longtemps dans la
plus grande stupeur, semblables à des gens qui, le
pied posé sur la vie fragile, par miracle, auraient

un jour l'aventure inouïe de regarder et de voir au delà.

C'était là comme une place marquée.

Je sentis parfaitement que, sous un pareil frisson, une corde humaine devait se briser. Il fallait que l'un de nous cédât; sinon le plus ému, du moins le plus frêle. Ce fut Julie.

Elle était immobile à côté d'Olivier, sa petite main tremblante placée tout près de la main du jeune homme et fortement crispée sur la rampe, la tête penchée vers la mer, avec des yeux demi-fermés, cette expression d'égarement que donne le vertige, et presque la pâleur d'un enfant qui va mourir. Olivier s'aperçut le premier qu'elle allait s'évanouir, il la prit dans ses bras. Quelques secondes après, elle revint à elle en poussant un soupir d'angoisse qui souleva son mince corsage.

« Ce n'est rien », dit-elle en réagissant aussitôt contre cet irrésistible accès de défaillance, et nous descendîmes.

On n'eut plus à parler de cet incident, qui fut oublié sans doute comme beaucoup d'autres. Je me le rappelle aujourd'hui, en vous parlant de nos promenades au phare, comme étant la première indication de certains faits très-obscurs qui devaient avoir leur dénouement beaucoup plus tard.

Quelquefois, quand le temps était particulièrement calme et beau, un bateau venait nous prendre à la côte au bout de la prairie et nous conduisait assez loin en mer. C'était un bateau de pêche, et dès qu'il avait gagné le large, on amenait les voiles; puis, dans une mer lourde, plate et blanche au soleil comme de l'étain, le patron de la barque

laissait tomber des filets plombés. D'heure en heure
on retirait les filets, et nous voyions apparaître
toute sorte de poissons aux vives écailles et de
produits étranges, surpris dans les eaux les plus
profondes ou arrachés pêle-mêle avec des algues
du fond de leurs retraites sous-marines. Chaque
nouveau sondage amenait une surprise; puis on
rejetait le tout à la mer, et le bateau s'en allait à la
dérive, maintenu seulement par le gouvernail et
légèrement incliné du côté où les filets plongeaient.
Nous passions ainsi des journées entières à regarder
la mer, à voir s'amincir ou s'élever la terre éloignée,
à mesurer l'ombre du soleil qui tournait autour du
mât comme autour de la longue aiguille d'un
cadran, affaiblis par la pesanteur du jour, par le
silence, éblouis de lumière, privés de conscience et
pour ainsi dire frappés d'oubli par ce long bercement sur des eaux calmes. Le jour finissait, et quelquefois c'était en pleine nuit que la marée du soir
nous ramenait à la côte et nous déposait de plain-
pied sur les galets.

   Rien n'était plus innocent pour tous, et cependant
je me rappelle aujourd'hui ces heures de prétendu
repos et de langueur comme les plus belles et les plus
dangereuses peut-être que j'aie traversées dans ma
vie. Un jour entre autres le bateau ne marchait
presque plus. D'insensibles courants le conduisaient
en le faisant à peine osciller. Il filait droit et très-
lentement, comme s'il eût glissé sur un plan solide;
le bruit du sillage était nul, tant l'eau se déchirait
doucement sous la quille. Les matelots se taisaient,
réunis dans le faux pont, et tous mes compagnons,
hormis Julie, sommeillaient sur les planches chaudes

de la barque, à l'abri de la voile étendue sur l'arrière en forme de tente. Rien ne bougeait à bord. La mer était figée comme du plomb à demi fondu. Le ciel, limpide et décoloré par l'éclat de midi, s'y reproduisait comme dans un miroir terni. Il n'y avait pas un bateau de pêche en vue. Seulement, au large et déjà coupé à demi par la ligne de l'horizon, un navire, toutes voiles déployées, attendait le retour de la brise de terre, et s'y préparait, comme un oiseau de grand vol, en ouvrant ses hautes ailes blanches.

Madeleine, à demi couchée, dormait. Ses mains molles et légèrement ouvertes s'étaient séparées de celles du comte. Elle avait la pose abandonnée que donne le sommeil. La chaleur concentrée sous la tente animait ses joues d'ardeurs un peu plus vives, et je voyais dans l'écartement de ses lèvres briller l'extrémité de ses petites dents blanches, comme les deux bords d'une coquille de nacre. Il n'y avait personne autre que moi pour assister au sommeil de cet être charmant. Julie, perdue dans je ne sais quelle confuse aspiration, surveillait attentivement le départ du grand navire qui appareillait. Alors je tâchai de fermer les yeux, je voulus ne plus voir, je fis de sincères efforts pour oublier. Je me levai, j'allai m'asseoir à l'avant, sans ombre sur la tête, appuyée contre le beaupré brûlant; puis malgré moi mes yeux revenaient à la place où Madeleine dormait dans ses mousselines légères, étendue sur la rude toile qui lui servait de tapis. Étais-je ravi ? Étais-je torturé ? J'aurais plus de peine encore à vous dire si j'aurais souhaité quelque chose au delà de cette vision décente et exquise qui contenait à la fois toutes les retenues et tous les attraits. Pour rien

au monde, je n'aurais fait le plus petit mouvement
qui pût en suspendre le charme. Je ne sais combien
dura ce véritable enchantement, peut-être plusieurs
heures, peut-être seulement plusieurs minutes; mais
j'eus le temps de beaucoup réfléchir, autant qu'un
esprit peut le faire lorsqu'il est aux prises avec un
cœur absolument privé de sang-froid.

Quand mes compagnons s'éveillèrent, ils me
trouvèrent occupé à regarder le sillage.

« Le beau temps ! dit Madeleine avec un épanouissement de femme heureuse.

— Et qui ferait tout oublier, ajouta Olivier, ce
qui n'est pas dommage.

— Seriez-vous homme à avoir des soucis ?
demanda en souriant M. de Nièvres.

— Qui le sait ? » répondit Olivier.

Le vent ne se leva point. La mer, absolument
morte, nous retint au large jusqu'à la nuit tombante. Vers sept heures, au moment où la pleine
lune apparut au-dessus des terres, toute ronde et
dans des brouillards chauds qui la rougissaient,
on fut obligé, faute d'air, de prendre les avirons.
Ce que je vous raconte, jadis quand j'étais jeune,
plus d'une fois il m'a passé par la tête de l'écrire, ou,
comme on disait alors, de le chanter. A cette
époque, il me semblait qu'il n'y avait qu'une
langue pour fixer dignement ce que de pareils souvenirs avaient, selon moi, d'inexprimable. Aujour-
d'hui que j'ai retrouvé mon histoire dans les livres
des autres, dont quelques-uns sont immortels, que
vous dirais-je ? Nous revînmes aux étoiles, au
bruit des rames, conduits, je crois, par les bateliers
d'Elvire.

Ce furent là les adieux de la saison; presque aussitôt les premières brumes arrivèrent, puis les pluies qui nous avertirent que l'hiver approchait. Le jour où le soleil, qui nous avait comblés, disparut pour ne plus se montrer que de loin en loin et dans les pâleurs de son déclin, j'y vis comme un triste présage qui me serra le cœur.

Ce jour-là, et comme si le même avertissement de départ eût été donné pour chacun de nous, Madeleine me dit :

« Il est temps de penser aux choses sérieuses. Les oiseaux que nous devions si bien imiter sont partis depuis un mois déjà. Faisons comme eux, croyez-moi; voici la fin de l'automne, retournons à Paris.

— Déjà », lui dis-je avec une expression de regret qui m'échappa.

Elle s'arrêta court, comme si pour la première fois elle eût entendu un son nouveau.

Le soir, il me sembla qu'elle était plus sérieuse, et qu'avec une adresse extrême elle me surveillait d'assez près. Je réglai ma tenue en vue de ces indications, bien légères sans doute et cependant assez inquiétantes. Les jours suivants, je m'observai davantage encore, et j'eus la joie de retrouver la confiance de Madeleine et de me tranquilliser tout à fait.

Je passai les derniers moments qui nous restaient à rassembler, à mettre en ordre pour l'avenir toutes les émotions si confusément amassées dans ma mémoire. Ce fut comme un tableau que je composai avec ce qu'elles contenaient de meilleur et de moins périssable. Ce dernier nuage excepté, on eût dit, à les voir déjà d'un peu loin, que ces jours cependant

mêlés de beaucoup de soucis n'avaient plus une
ombre. La même adoration paisible et ardente les
baignait de lueurs continues.

Madeleine me surprit une fois dans les allées
sinueuses du parc, au milieu de mes réminiscences.
Julie la suivait, portant une énorme gerbe de chry-
santhèmes qu'elle avait cueillie pour les vases du
salon. Un clair massif de lauriers nous séparait.

« Vous faites un sonnet ? me dit-elle en m'inter-
pellant à travers les arbres.

— Un sonnet ? lui dis-je; à quel propos ? Est-ce
que j'en suis capable ?

— Oh ! pour cela oui », dit-elle en jetant un petit
éclat de rire qui retentit dans le bois sonore comme
un chant de fauvette.

Je rebroussai chemin, et, la suivant dans la contre-
allée, toujours une épaisseur de taillis entre nous
deux :

« Olivier est un bavard ! lui criai-je.

— Nullement bavard, dit-elle. Il a bien fait de
m'avertir; sans lui, je vous aurais cru une passion
malheureuse, et je sais maintenant ce qui vous
distrait : ce sont des rimes », ajouta-t-elle en insis-
tant de la voix sur ce dernier mot, qui résonna de
loin comme une impertinence joyeuse.

Nous touchions au moment du départ, que je
ne pouvais encore m'y résoudre. Paris me faisait
plus peur que jamais. Madeleine allait y venir. Je
l'y verrais, mais à quel prix ? Elle présente, je ne
risquais plus de défaillir, du moins de tomber si
bas; mais pour un danger de moins combien d'autres
surgiraient ! Cette vie que nous avions menée ici,
cette vie de loisir et d'imprévoyance, silencieuse

et exaltée, si constamment et si diversement émue, cette vie de réminiscences et de passions, tout entière calquée sur d'anciennes habitudes, reprise à ses origines et renouvelée par des sensations d'un autre âge, ces deux mois de rêve, en un mot, m'avaient replongé plus avant que jamais dans l'oubli des choses et dans la peur des changements. Il y avait quatre ans que j'avais quitté les Trembles pour la première fois, vous vous souvenez peut-être avec quel dur détachement. Et les souvenirs de ces adieux, les premiers qu'il m'ait fallu faire à des objets aimés, se ranimaient à la même date, au même lieu, dans des conditions extérieures à peu près semblables, mais cette fois combinés avec des sentiments nouveaux, qui les rendaient bien autre-ment poignants.

Je proposai pour la veille même du départ une promenade qui fut acceptée. Ce devait être la der-nière, et, sans prévoir l'avenir, je supposais, je ne sais trop pourquoi, que les chemins de mon village ne nous reverraient jamais ensemble. Le temps était à demi pluvieux, et par cela même, disait Ma-deleine, que son éducation de province avait aguer-rie, très-bien approprié à des visites d'adieux. Les dernières feuilles tombaient; des débris roussâtres se mêlaient assez tristement à la rigidité des rameaux nus. La plaine, dépouillée et sévère, n'avait plus un brin de chaume sec qui rappelât ni l'été ni l'automne, et ne montrait pas une herbe nouvelle qui fît espérer le retour des saisons fertiles. Des charrues s'y promenaient encore de loin en loin, attelées de bœufs roux, d'un mouvement lent et comme embourbées dans les terres grasses. A

quelque distance que ce fût, on distinguait la voix
des valets de labour [35] qui stimulaient les attelages.
Cet accent plaintif et tout local se prolongeait indéfiniment dans le calme absolu de cette journée grise.
De temps en temps, une pluie fine et chaude descendait à travers l'atmosphère, comme un rideau de
gaze légère. La mer commençait à rugir au fond
des passes. Nous suivîmes la côte. Les marais
étaient sous l'eau; la marée haute avait en partie
submergé le jardin du phare et battait paisiblement le pied de la tour, qui ne reposait plus que
sur un îlot.

Madeleine marchait légèrement dans les chemins détrempés. A chaque pas, elle y laissait dans la
terre molle la forme imprimée de sa chaussure
étroite à talons saillants. Je regardais cette trace
fragile, je la suivais, tant elle était reconnaissable
à côté des nôtres. Je calculais ce qu'elle pouvait
durer. J'aurais souhaité qu'elle restât toujours
incrustée, comme des témoignages de présence,
pour l'époque incertaine où je repasserais là sans
Madeleine; puis je pensais que le premier passant
venu l'effacerait, qu'un peu de pluie la ferait disparaître, et je m'arrêtais pour apercevoir encore
dans les sinuosités du sentier ce singulier sillage
laissé par l'être que j'aimais le plus, sur la terre
même où j'étais né.

Au moment où nous approchions de Villeneuve, je
montrai de loin la route blanchâtre qui sort du village et s'étend en ligne droite jusqu'à l'horizon.

« Voilà la route d'Ormesson », dis-je à Madeleine.

Ce mot d'Ormesson sembla réveiller en elle une
série de souvenirs déjà affaiblis; elle suivit attenti-

vement des yeux cette longue avenue plantée d'ormeaux tous pliés de côté par les vents de mer, et
sur laquelle il y avait au loin des chariots qui roulaient, les uns pour rentrer à Villeneuve, les autres
pour s'en éloigner.

« Cette fois, reprit-elle, vous n'y voyagerez plus
seul.

— En serai-je plus heureux ? répondis-je. Serai-je
plus certain de ne rien regretter ? Où retrouverai-je
ce que je laisse ici ? »

Madeleine alors me prit le bras, s'y appuya avec
l'apparence d'un entier abandon, et me répondit un
seul mot :

« Mon ami, vous êtes un ingrat ! »

Nous quittâmes les Trembles au milieu de
novembre, par une froide matinée de gelée blanche.
Les voitures suivirent l'avenue, traversèrent Villeneuve comme autrefois je l'avais fait. Et je regardais alternativement et la campagne, qui disparaissait derrière nous, et l'honnête visage de Madeleine
assise en face de moi.

XII

J'EN avais fini avec les jours heureux; cette courte paſtorale achevée, je retombai dans de grands soucis. A peine inſtallés dans le petit hôtel qui devait leur servir de pied-à-terre à Paris, Madeleine et M. de Nièvres se mirent à recevoir, et le mouvement du monde fit irruption dans notre vie commune.

« Je serai chez moi une fois par semaine pour les étrangers, me dit Madeleine; pour vous, j'y suis tous les jours. Je donne un bal la semaine prochaine; y viendrez-vous ?

— Un bal !... Cela ne me tente guère.

— Pourquoi ? Le monde vous fait peur ?

— Absolument comme un ennemi.

— Et moi, reprit-elle, croyez-vous donc que j'en sois bien éprise ?

— Soit. Vous me donnez l'exemple, et je vous obéirai. »

Le soir indiqué, j'arrivai de bonne heure. Il n'y avait encore qu'un très-petit nombre d'invités réunis autour de Madeleine, près de la cheminée du premier salon. Quand elle entendit annoncer mon nom, par un élan de familiarité qu'elle ne tenait nullement à réprimer, elle fit un mouvement

vers moi qui l'isola de son entourage et me la montra
de la tête aux pieds comme une image imprévue
de toutes les séductions. C'était la première fois que
je la voyais ainsi, dans la tenue splendide et indiscrète d'une femme en toilette de bal. Je sentis que je
changeais de couleur, et qu'au lieu de répondre à
son regard paisible, mes yeux s'arrêtaient maladroi-
tement sur un nœud de diamants qui flamboyait à
son corsage. Nous demeurâmes une seconde en présence, elle interdite, moi fort troublé. Personne assurément ne se douta du rapide échange d'impressions
qui nous apprit, je crois, de l'un à l'autre que de
délicates pudeurs étaient blessées. Elle rougit un peu,
sembla frissonner des épaules, comme si subitement
elle avait froid, puis, s'interrompant au milieu
d'une phrase qui ne voulait rien dire, elle se rapprocha de son fauteuil, y prit une écharpe de dentelles,
et le plus naturellement du monde elle s'en couvrit.
Ce seul geste pouvait signifier bien des choses ; mais
je voulus n'y voir qu'un acte ingénu de condes-
cendance et de bonté qui me la rendit plus adorable que jamais et me bouleversa pour le reste
de la soirée. Elle-même en garda pendant quelques
minutes un peu d'embarras. Je la connaissais trop
bien aujourd'hui pour m'y tromper. Deux ou
trois fois je la surpris me regardant sans motif,
comme si elle eût été encore sous l'empire d'une
sensation qui durait ; puis des obligations de politesse lui rendirent peu à peu son aplomb. Le mouvement du bal agit sur elle et sur moi en sens
contraire : elle devint parfaitement libre et presque
joyeuse ; quant à moi, je devins plus sombre à mesure
que je la voyais plus gaie, et plus troublé à mesure

que je trouvais en elle des attraits extérieurs qui
d'une créature presque angélique faisaient tout
simplement une femme accomplie.

Elle était admirablement belle, et l'idée que tant
d'autres le savaient aussi bien que moi ne fut pas
longue à me saisir le cœur aigrement. Jusque-là,
mes sentiments pour Madeleine avaient par miracle
échappé à la morsure des sensations venimeuses.
« Allons, me dis-je, un tourment de plus ! » Je
croyais avoir épuisé toutes les faiblesses. Mon
amour apparemment n'était pas complet : il lui
manquait un des attributs de l'amour, non pas le
plus dangereux, mais le plus laid.

Je la vis entourée ; je me rapprochai d'elle. J'entendis autour de moi des mots qui me brûlèrent ;
j'étais jaloux.

Être jaloux, on ne l'avoue guère ; ces sensations
ne sont pas cependant de celles que je désavoue. Il
est bon que toute humiliation profite, et celle-ci
m'éclaira sur bien des vérités ; elle m'aurait rappelé,
si j'avais pu l'oublier, que cet amour exalté, contrarié,
malheureux, légèrement gourmé et tout près de se
piquer d'orgueil, ne s'élevait pas de beaucoup au-
dessus du niveau des passions communes, qu'il
n'était ni pire ni meilleur, et que le seul point qui
lui donnait l'air d'en différer, c'était d'être un peu
moins possible que beaucoup d'autres. Quelques
facilités de plus l'auraient infailliblement fait descendre de son piédestal ambitieux ; et comme tant
de choses de ce monde dont l'unique supériorité
vient d'un défaut de logique ou de plénitude, qui
sait ce qu'il serait devenu, s'il avait été moins
déraisonnable ou plus heureux ?

« Vous ne dansez pas, me dit Madeleine un peu plus tard en me rencontrant sur son passage, et je m'y trouvais souvent sans le vouloir.

— Non, je ne danserai pas, lui dis-je.

— Pas même avec moi ? reprit-elle avec un peu d'étonnement.

— Ni avec vous ni avec personne.

— Comme vous voudrez », dit-elle en répondant sèchement à mes airs bourrus.

Je ne lui parlai plus de la soirée, et je l'évitai, tout en la perdant de vue le moins possible.

Olivier n'arriva qu'après minuit. Je causais avec Julie, qui n'avait dansé qu'à contre-cœur et ne dansait plus, quand il entra calme, aisé, souriant, les yeux armés de ce regard direct dont il se couvrait comme d'une épée tendue chaque fois qu'il se trouvait en présence de visages nouveaux, et surtout de visages de femmes. Il alla serrer la main de Madeleine. Je l'entendis s'excuser de ce qu'il arrivait si tard ; puis il fit le tour du salon, salua deux ou trois femmes dont il était connu, s'approcha de Julie, et s'asseyant familièrement à côté d'elle :

« Madeleine est très-bien... Et toi aussi, tu es très-bien, ma petite Julie, dit-il à sa cousine avant même d'avoir examiné sa toilette. Seulement, reprit-il sur le même ton de lassitude ennuyée, tu as là des nœuds roses qui te brunissent un peu trop. »

Julie ne bougea pas. D'abord elle eut l'air de ne pas entendre, puis elle fixa lentement sur Olivier l'émail bleu-noir de ses prunelles sans flamme, et après quelques secondes d'un examen capable de déraciner même la ferme constance d'Olivier :

« Voulez-vous me conduire auprès de ma sœur ? »
me dit-elle en se levant.

Je fis ce qu'elle voulait, après quoi je me hâtai de
rejoindre Olivier.

« Tu as blessé Julie ? lui dis-je.

— C'est possible, mais Julie m'agace. » Et puis
il me tourna le dos pour couper court à toute insis-
tance.

J'eus le courage, était-ce un courage ? de rester
jusqu'à la fin du bal. J'avais besoin de revoir Madeleine presque seul à seul, et de la posséder plus
étroitement après le départ de tant de gens qui se
l'étaient pour ainsi dire partagée. J'avais supplié
Olivier de m'attendre en lui représentant qu'il avait
d'ailleurs à réparer sa venue tardive. Bonne ou mauvaise, cette dernière raison, dont il n'était pas dupe,
eut l'air de le décider. Nous étions, l'un vis-à-vis de
l'autre, dans ces veines de cachotterie qui faisaient
de notre amitié, toujours très-clairvoyante, la chose
la plus inégale et la plus bizarre. Depuis notre départ
pour les Trembles, surtout depuis notre retour à
Paris, quelque jugement qu'il portât sur ma conduite,
il semblait avoir adopté le parti de me laisser agir
sans tutelle. Il était trois ou quatre heures du matin.
Nous nous étions comme oubliés dans un petit
salon, où quelques joueurs obstinés s'attardaient
encore. Quand enfin, n'entendant plus de bruit,
nous en sortîmes, il n'y avait plus ni musiciens, ni
danseurs, ni personne. Mme de Nièvres, assise au
fond du grand salon vide, causait vivement avec
Julie, pelotonnée comme une chatte dans un fauteuil. Elle fit une exclamation de surprise en nous
voyant apparaître au milieu de ce désert, à pareille

heure, après cette interminable nuit si mal employée. Elle était lasse. Des traces de fatigue entouraient ses beaux yeux et leur donnaient cet éclat extraordinaire qui succède à des soirées de fêtes. M. de Nièvres était au jeu, M. d'Orsel y était aussi. Elle était seule avec Julie; j'étais seul debout, appuyé sur le bras d'Olivier. Les bougies s'éteignaient. Un demi-jour rougeâtre tombant de haut ne formait plus qu'une sorte de brouillard lumineux, composé de la fine poussière odorante et des impalpables vapeurs du bal. Il y avait sur les meubles, sur les tapis, des débris de fleurs, des bouquets défaits, des éventails oubliés, avec des carnets sur lesquels on venait d'inscrire des contredanses. Les dernières voitures roulaient dans la cour de l'hôtel; j'entendais relever les marchepieds et le bruit sec des panneaux vitrés qu'on fermait.

Je ne sais quel rapide retour vers une autre époque où nous nous étions si souvent trouvés tous les quatre en pareil rapprochement, mais dans des situations si différentes et dans une simplicité de cœur à tout jamais perdue, me fit jeter les yeux autour de moi et résumer en une seule sensation tout ce que je vous dis là. Je me détachai assez de moi-même pour envisager, comme un spectateur au théâtre, ce tableau singulier composé de quatre personnages groupés intimement à la fin d'un bal, s'examinant, se taisant, donnant le change à leurs pensées par un mot banal, voulant se rapprocher dans l'ancienne union et trouvant un obstacle, essayant de s'entendre comme autrefois et ne le pouvant plus. Je sentis parfaitement le drame obscur qui se jouait entre nous. Chacun y tenait un rôle, dans

quelle mesure ? je l'ignorais; mais j'avais assez de
sang-froid désormais pour affronter les dangers de
mon propre rôle, le plus périlleux de tous, du moins
je le croyais, et j'allais avec audace rentrer dans les
souvenirs du passé en proposant de finir la nuit
par un des jeux qui nous amusaient chez ma tante,
quand, les derniers joueurs partis, M. d'Orsel et
M. de Nièvres revinrent au salon.

M. d'Orsel nous traitait tous comme des enfants
y compris sa fille aînée, que par un calcul de tendresse il se plaisait à rajeunir encore et remettait en
minorité par des noms qui rappelaient le couvent.
M. de Nièvres entra plus froidement, et la vue de
ce quatuor intime sembla produire sur lui un tout
autre effet. Je ne sais si ce fut imaginaire ou réel,
mais je le trouvai guindé, sec et tranchant. Son
maintien me déplut. Avec sa cravate un peu haute,
sa mise irréprochable, cet air toujours un peu particulier d'un homme en tenue de cérémonie qui
vient de recevoir et se sent chez lui, il ressemblait
encore moins au chasseur aimable et négligé qui
avait été mon hôte aux Trembles, que Madeleine,
avec la rosace étincelante de son corsage et sa
magnifique chevelure étoilée de diamants, ne ressemblait à la modeste et intrépide marcheuse qui
nous suivait, un mois auparavant, sous la pluie, les
pieds dans la mer. Était-ce seulement un changement de costume ? était-ce plutôt un changement
d'esprit ? Il avait repris cette allure un peu compassée,
surtout ce ton supérieur, qui m'avaient si fortement frappé le soir où, pour la première fois, dans
le salon d'Orsel, je le surpris faisant solennelle-
ment sa cour à Madeleine. Je crus sentir en lui des

froideurs de coup d'œil que je ne connaissais pas,
et je ne sais quelle assurance orgueilleuse dans sa
situation de mari qui m'apprenait encore une fois
que Madeleine était sa femme et que je n'étais
rien. Que ce fût ou non l'ingénieuse erreur d'un
cœur malade, il y eut un moment où cette dernière
leçon me parut si claire que je n'en doutai plus.
Nos adieux furent brefs. Nous sortîmes. Nous nous
jetâmes dans une voiture. J'eus l'air de dormir;
Olivier m'imita. Je récapitulai tout ce qui s'était
passé dans cette soirée, qui, je ne sais pourquoi,
me paraissait contenir le germe de beaucoup
d'orages; puis je pensai à M. de Nièvres, à qui je
croyais avoir pour toujours pardonné, et je m'aperçus nettement que je le détestais.

Je fus plusieurs jours, une semaine au moins,
sans donner signe de vie à Madeleine. Je profitai
d'une circonstance où je la savais absente pour
déposer ma carte chez elle. Cette dette de politesse
réglée, je me crus quitte envers M. de Nièvres.
Quant à Mme de Nièvres, je lui en voulais : de quoi ?
je ne me l'avouai pas ; mais ce cruel dépit me donna
momentanément la force de l'éviter.

A partir de ce jour, le mouvement de Paris nous
saisit, et nous fûmes entraînés dans ce tourbillon
où les plus fortes têtes risquent de s'étourdir, où
les cœurs les plus robustes ont mille chances pour
une de faire naufrage. Je ne savais presque rien
du monde, et, après l'avoir fui pendant une année,
je m'y trouvais introduit tout à coup dans le salon
de Mme de Nièvres, c'est-à-dire avec toutes les raisons possibles de le subir. J'avais beau lui répéter
que je n'étais pas fait pour une pareille vie; elle

n'aurait eu qu'une chose à me répondre : « Allez-
vous-en »; mais c'était un conseil qui peut-être lui
aurait coûté, et que dans tous les cas je n'aurais
pas suivi. Elle entendait me présenter dans la plupart des salons où elle allait. Elle souhaitait que je
fusse aussi exact dans ces devoirs tout artificiels qu'on
était en droit de l'exiger, disait-elle, d'un homme
bien né, produit sous son patronage. Souvent elle
exprimait seulement un désir poli dont mon imagination, habile à tout transformer, me faisait des
ordres. Blessé partout, sans cesse malheureux, je
la suivais toujours, ou, quand je ne la suivais plus,
je la regrettais, je maudissais ceux qui me dispu-
taient sa présence, et je me désespérais.

Quelquefois je me révoltais sincèrement contre
des habitudes qui me dissipaient sans fruit, n'ajou-
taient pas grand'chose à mon bonheur, et m'ôtaient
un reste de raison. Je haïssais cordialement les gens
dont je me servais cependant pour arriver jusqu'à
Madeleine, quand la prudence ou d'autres motifs
m'éloignaient de sa maison. Je sentais, et je n'avais
pas tort, qu'ils étaient les ennemis de Madeleine
autant que les miens. Cet éternel secret, ballotté dans
de pareils milieux, devait, à n'en pas douter, jeter,
comme un foyer en plein vent, des étincelles impru-
dentes qui le trahissaient. On devait le connaître,
du moins on pouvait l'apprendre. Il y avait une
foule de gens dont je me disais avec fureur : « Ceux-
là, j'en suis sûr, sont mes confidents. » Que pouvais-
je attendre d'eux ? Des conseils ? Je les connaissais
pour les avoir reçus déjà de la seule personne dont
l'amitié me les rendît supportables, d'Olivier. Des
complicités et des complaisances ? Non, cent fois

non. J'en étais plus effrayé que je ne l'eusse été d'une vaste inimitié conjurée contre mon bonheur, à supposer que ce triste et famélique bonheur eût pu faire envie à qui que ce fût.

A Madeleine, je ne disais que la moitié de la vérité. Je ne lui cachais rien de mon aversion pour le monde, sauf à lui déguiser le motif tout personnel de certains griefs. Quand il s'agissait de juger le monde d'une façon plus générale, indépendamment du perpétuel soupçon qui me le faisait considérer en masse comme un voleur de mon bien, alors je donnais cours à mes invectives avec une joie féroce. Je le dépeignais comme hostile à ce que j'aimais, comme indifférent pour tout ce qui est bien et plein de mépris pour ce qu'il y a de plus respectable en fait de sentiments comme en fait d'opinions. Je lui parlais de mille spectacles dont tout homme de sens devait être blessé, de la légèreté des maximes, de la légèreté plus grande encore des passions, de la facilité des consciences, pour quelque prix que ce fût d'ambition, de gloire ou de vanité. Je lui signalais cette façon libre d'envisager non-seulement un devoir, mais tous les devoirs, cet abus de mots, cette confusion de toutes les mesures, qui fait qu'on pervertit les idées les plus simples, qu'on arrive à ne plus s'entendre sur rien, ni sur le bien, ni sur le vrai, ni sur le mauvais, ni sur le pire, et qu'il n'y a pas plus de distance appréciable entre la gloire et la vogue que de limite bien nette entre les scélératesses et les étourderies. Je lui disais que ce culte léger pour les femmes, ces adorations mêlées de badinages cachaient au fond un universel mépris, et que les femmes avaient bien tort de garder vis-à-vis des hommes des appa-

rences de vertu, quand les hommes ne gardaient
plus vis-à-vis d'elles le moindre semblant d'estime.
« Tout cela est hideux, lui disais-je, et si j'avais à
sauver une seule maison dans cette ville de réprouvés,
il n'y en a qu'une que je marquerais de blanc.

— Et la vôtre ? disait Madeleine.

— La mienne aussi, uniquement pour me sauver
avec vous. »

A la fin de ces longs anathèmes, Madeleine souriait assez tristement. Je savais bien qu'elle était de
mon avis, elle qui était la sagesse, la droiture et la
vérité même, et cependant elle hésitait à me donner
raison, parce que depuis longtemps déjà elle se
demandait si, en disant beaucoup de choses vraies, je
disais tout. Depuis quelque temps, elle affectait de
ne me parler qu'avec retenue de cette autre portion
de ma vie de jeune homme qui ne faisait pas partie
de la sienne, mais qui n'en était pas moins blanche
de tout mystère. Elle savait à peine où je demeurais,
du moins elle avait l'air ou de l'ignorer ou de l'oublier. Jamais elle ne me questionnait sur l'emploi des
soirées qui ne lui appartenaient pas, et sur lesquelles il lui convenait pour ainsi dire de laisser
planer quelques doutes. Au milieu même de ces
habitudes décousues, qui réduisaient mon sommeil
à peu de chose et me tenaient dans un continuel état
de fièvre, j'avais retrouvé une sorte d'énergie maladive, et je dirai presque un insatiable appétit d'esprit,
qui m'avaient rendu le goût du travail plus piquant.
En quelques mois, j'avais réparé à peu près le temps
perdu, et sur ma table il y avait, comme un tas de
gerbes dans une aire, une nouvelle récolte amassée,
dont le produit seul était douteux. C'était le seul

point peut-être dont Madeleine me parlât avec abandon; mais ici c'était moi qui élevais des barrières. De mes occupations d'esprit, de mes lectures, de mon travail, et Dieu sait avec quelle orgueilleuse sollicitude elle en suivait le cours! je lui faisais connaître un seul détail, toujours le même : j'étais mécontent. Ce mécontentement absolu des autres et de moi-même en disait beaucoup plus qu'il ne fallait pour l'éclairer. Si quelque circonstance encore restait dans l'ombre, en dehors d'une amitié qui, sauf un secret immense, n'avait pas de secret, c'est que Madeleine en jugeait l'explication inutile ou peu prudente. Il y avait entre nous un point délicat, tantôt dans le doute et tantôt dans la lumière, qui demandait, comme toutes les vérités dangereuses, à n'être pas éclairci.

Madeleine était avertie, il était impossible qu'elle ne le fût pas; depuis combien de temps? Peut-être depuis le jour où, respirant elle-même un air plus agité, elle y avait senti passer des chaleurs qui n'étaient plus à la température de notre ancienne et calme amitié. Le jour où je crus avoir la certitude de ce fait, cela ne me suffit pas. Je voulus en tenir la preuve et forcer pour ainsi dire Madeleine elle-même à me la donner. Je ne m'arrêtai pas une seule minute à la pensée qu'un pareil manège était détestable, méchant et odieux. Je la pressai de questions muettes. A mille sous-entendus qui nous permettaient, comme aux gens qui se connaissent à fond, de nous comprendre à demi-mot, j'en ajoutai de plus précis. Nous marchions prudemment sur un terrain semé de pièges; j'y dressai des embûches à tous les pas. Je ne sais quelle envie perverse me prit

de la gêner, de l'assiéger, de la contraindre dans
sa dernière réserve. Je voulais me venger de ce long
silence imposé d'abord par timidité, puis par égard,
puis par respect, enfin par pitié. Ce masque porté
depuis trois ans m'était insupportable; je le jetai. Je
ne craignais pas que la lumière se fît entre nous. Je
souhaitais presque une explosion qui devait la
couvrir de terreur, et quant à son repos, que cette
aveugle et homicide indiscrétion pouvait tuer, je
l'oubliais.

Ce fut une crise humiliante, et dont j'aurais de la
peine à vous rendre compte. Je ne souffrais presque
plus, tant j'étais buté contre une idée fixe. J'agissais en sens direct, l'esprit clair, la conscience fermée,
comme s'il se fût agi d'une partie d'escrime où je
n'aurais joué que mon amour-propre.

A cette stratégie insensée, Madeleine opposa tout
à coup des moyens de défense inattendus. Elle y
répondit par un calme parfait, par une absence totale
de finesse, par des ingénuités que rien ne pouvait
plus entamer. Elle éleva doucement entre nous
comme un mur d'acier d'une froideur et d'une résistance impénétrables. Je m'irritais contre ce nouvel
obstacle et ne pouvais le vaincre. J'essayais de nouveau de me faire comprendre; toute intelligence
avait cessé. J'aiguisais des mots qui n'arrivaient
pas jusqu'à elle. Elle les prenait, les relevait, les
désarmait par une réponse sans réplique; comme elle
eût fait d'une flèche adroitement reçue, elle en ôtait
le trait acéré qui pouvait blesser. Le résumé de son
maintien, de son accueil, de ses poignées de mains
affectueuses, de ses regards excellents, mais courts
et sans portée, en un mot le sens de toute sa con-

duite admirable et désespérante de force, de simplicité et de sagesse, était celui-ci : « Je ne sais rien,
et si vous avez cru que je devinais quelque chose,
vous vous êtes trompé. »

Je disparaissais alors pour quelque temps, honteux
de moi-même, furieux d'impuissance, aigri, et,
quand je revenais à elle avec des idées meilleures et
des intentions de repentir, elle n'avait pas plus
l'air de comprendre celles-ci qu'elle n'avait admis
les autres.

Ceci se passait au milieu des entraînements mon-
dains, qui s'étaient, cette année-là, prolongés jusqu'au milieu du printemps. Je comptais quelquefois sur les accidents de cettte vie affaiblissante
pour surprendre Madeleine en défaut et me rendre
maître enfin de cet esprit si sûr de lui. Il n'en fut
rien. J'étais à moitié malade d'impatience. Je ne
savais presque plus si j'aimais Madeleine, tant cette
idée d'antagonisme, qui me faisait sentir en elle
un adversaire, se substituait à toute autre émotion
et me remplissait le cœur de passions mauvaises.
Il y a des journées de plein été poudreuses, nua-
geuses, avec des soleils blancs et des bises du nord,
qui ressemblent à cette période violente, tantôt brûlante et tantôt glacée, où je crus un moment que
ma passion pour Madeleine allait finir, et de la plus
triste façon, par un dépit.

Il y avait plusieurs semaines que je ne l'avais vue.
J'avais usé mes rancunes dans un travail acharné.
J'attendais qu'elle me fît signe de reparaître. J'avais
rencontré M. de Nièvres une fois; il m'avait dit :
« Que devenez-vous ? » ou bien : « On ne vous voit
plus. » L'une ou l'autre de ces formules que j'oublie

n'était pas une invitation bien pressante à revenir. Je
tins bon pendant quelques jours encore; mais un
pareil éloignement devenait un état négatif qui pouvait durer indéfiniment sans rien décider. Enfin je
pris le parti de brusquer les choses. Je courus chez
Madeleine; elle était seule. J'entrai rapidement, sans
avoir d'idée bien arrêtée sur ce que j'allais dire ou
faire, mais avec le projet formel de briser cette
armure de glace et de chercher dessous si le cœur
de mon ancienne amie vivait toujours.

Je la trouvai dans son boudoir, dont le seul grand
luxe était des fleurs, près d'un petit guéridon, dans
la tenue la plus simple, assise et brodant. Elle était
sérieuse, elle avait les yeux un peu rouges, comme si
les nuits précédentes elle avait beaucoup veillé, ou
qu'elle eût pleuré quelques minutes auparavant.
Elle avait ces airs paisibles et recueillis qui lui revenaient quelquefois dans ses moments de retour
sur elle-même et faisaient revivre en elle la pensionnaire d'autrefois. Avec sa robe montante, toutes
ces fleurs qui l'entouraient, les fenêtres ouvertes
et donnant sur des arbres, on l'eût dite encore dans
son jardin d'Ormesson.

Cette transfiguration complète, cette attitude
attristée, soumise, pour ainsi dire à moitié vaincue,
m'ôta toute idée de triomphe et fit tomber subitement mes audaces.

« Je suis bien coupable envers vous, lui dis-je, et
je viens m'excuser.

— Coupable ? vous excuser ? dit-elle en cherchant
à se remettre un peu de sa surprise.

— Oui, je suis un fou, un ami cruel et désolé qui vient
se mettre à vos pieds, vous demander son pardon......

— Mais qu'ai-je donc à vous pardonner ? reprit-elle, un peu effrayée de cette chaleureuse invasion dans la tranquillité de sa retraite.

— Ma conduite passée, tout ce que j'ai fait, tout ce que j'ai dit, avec la stupide intention de vous blesser. »

Elle avait repris son calme.

« Vous vous imaginez des choses qui ne sont pas, ou du moins ce sont des torts si légers que je ne m'en souviendrai plus le jour où je sentirai que vous les oubliez. Savez-vous le seul tort que vous ayez eu ? C'est de m'abandonner depuis un mois. Il y a un mois aujourd'hui, je crois, dit-elle en ne me cachant pas qu'elle observait les dates, que nous nous sommes quittés un soir, vous me disant à demain.

— Je ne suis pas revenu, c'est vrai ; mais ce n'est pas de cela que je m'accuse avec chagrin, non, je m'accuse mortellement...

— De rien, dit-elle en m'interrompant impérieusement. Et depuis lors, reprit-elle aussitôt, qu'êtes-vous devenu ? Qu'avez-vous fait ?

— Beaucoup de choses et peu de chose ; cela dépendra du résultat.

— Et puis ?

— Et puis c'est tout », lui dis-je en voulant faire comme elle et rompre l'entretien où cela me convenait.

Il y eut quelques secondes d'un silence embarrassant, après quoi Madeleine se mit à me parler sur un ton tout à fait naturel et très-doux.

« Vous êtes d'un caractère malheureux et difficile. On a de la peine à vous comprendre et plus de peine

encore à vous assister. On voudrait vous encourager, vous soutenir, quelquefois vous plaindre;
on vous interroge, et vous vous renfermez.

— Que voulez-vous que je vous dise, sinon que
celui en qui vous avez confiance n'émerveillera
personne et trompera, j'en ai peur, l'espoir obli-
geant de ses amis ?

— Pourquoi tromperiez-vous l'espoir de ceux
qui vous veulent une position digne de vous ?
continua Madeleine en se rassurant tout à fait
sur un terrain qui lui semblait beaucoup plus
ferme.

— Oh ! pour une raison bien simple : c'est que
je n'ai aucune ambition.

— Et ce beau feu de travail qui vous prend par
accès ?

— Il dure un peu, flambe extraordinairement
vite et fort, et puis s'éteint. Cela durera quelques
années encore, après quoi, l'illusion ayant cessé,
la jeunesse étant loin, je verrai nettement qu'il
faut en finir avec ces duperies. Alors je mènerai la
seule vie qui me convienne, une vie de dilettantisme
agréable dans quelque coin retiré de la province, où
les stimulants et les remords de Paris ne m'atteindront
pas. J'y vivrai de l'admiration du génie ou du talent
des autres, ce qui suffit amplement pour occuper les
loisirs d'un homme modeste qui n'est pas un sot.

— Ce que vous dites là est insoutenable, reprit-
elle avec beaucoup de vivacité; vous prenez plaisir à
tourmenter ceux qui vous estiment. Vous mentez.

— Rien n'est plus vrai, je vous le jure. Je vous ai
dit autrefois, il n'y a pas longtemps, que je me sentais des velléités non pas d'être quelqu'un, ce qui

est, selon moi, un non-sens, mais de produire, ce qui me paraît être la seule excuse de notre pauvre vie. Je vous l'ai dit, et je l'essayerai : ce ne sera pas, entendez-le bien, pour en faire profiter ni ma dignité d'homme, ni mon plaisir, ni ma vanité, ni les autres, ni moi-même, mais pour expulser de mon cerveau quelque chose qui me gêne. »

Elle sourit à cette bizarre et vulgaire explication d'un phénomène assez noble.

« Quel homme singulier vous faites avec vos paradoxes ! Vous analysez tout au point de changer le sens des phrases et la valeur des idées. J'aimais à croire que vous étiez un esprit mieux organisé que beaucoup d'autres, et meilleur par beaucoup de points. Je vous croyais peu de volonté, mais avec un certain don d'inspiration. Vous avouez que vous êtes sans volonté, et, de l'inspiration, voilà que vous faites un exorcisme.

— Appelez les choses du nom que vous voudrez », lui dis-je, et je la suppliai de changer de conversation.

Changer de conversation n'était pas possible ; il fallait revenir au point de départ ou continuer. Elle crut plus sûr apparemment de parler raison. Je la laissai dire, et ne répondis plus que par la formule absolue du découragement total : — A quoi bon ?

« Vous parlez en ce moment comme Olivier, disait Madeleine, et personne au contraire ne lui ressemble moins.

— Le croyez-vous ? lui dis-je en la regardant tout à coup assez passionnément pour la dominer de nouveau ; croyez-vous qu'en effet nous soyons si différents ? Je crois, au contraire, que nous nous ressem-

blons beaucoup. Nous obéissons l'un et l'autre
exclusivement, aveuglément, à ce qui nous charme.
Ce qui nous charme eſt pour lui, comme pour moi,
plus ou moins impossible à saisir, ou chimérique,
ou défendu. Cela fait qu'en suivant des chemins
très-opposés nous nous rencontrerons un jour au
même but, tous deux découragés et sans famille »,
ajoutai-je, en disant le mot de famille au lieu d'un
mot plus clair encore qui me vint aux lèvres.

Madeleine avait les yeux baissés sur sa broderie,
qu'elle piquait un peu au hasard de son aiguille. Elle
avait complètement changé de visage, d'allure ; son
air, encore une fois soumis et désarmé, m'attendrit
jusqu'à me faire oublier le but insensé de ma
visite.

« Comprenez-moi bien, reprit-elle avec un léger
trouble dans la voix. Il y a pour tout le monde, on
le dit, je le crois... (elle hésitait un peu sur le choix
des mots) il y a un moment difficile pendant lequel
on doute de soi, quand ce n'eſt pas des autres. Le
tout eſt d'éclaircir ses doutes et de se résoudre. Le
cœur a quelquefois besoin de dire : Je veux ! — du
moins je l'imagine ainsi pour l'avoir éprouvé déjà
une fois — dit-elle en hésitant encore davantage sur
un souvenir qui nous rappelait à tous les deux
l'hiſtoire entière de son mariage. On cite une mar-
quise du commencement de ce siècle, qui prétendait
qu'en le voulant bien on pouvait s'empêcher de
mourir. Elle n'eſt peut-être morte que d'une diſtrac-
tion. Il en eſt ainsi de beaucoup d'accidents présumés
involontaires. Qui sait même si le bonheur n'eſt
pas en grande partie dans la volonté d'être heureux ?

— Dieu vous entende, chère Madeleine ! » m'écriai-je en l'appelant d'un nom que je n'avais pas prononcé depuis trois ans.

Et je me levai en disant ces derniers mots, empreints d'un attendrissement dont je n'étais plus maître. Le mouvement que je fis fut si soudain, si imprévu, il ajoutait une telle ardeur à l'accent déjà si décisif de mes paroles, que Madeleine en reçut comme une secousse au cœur qui la fit pâlir. Et j'entendis au fond de sa poitrine comme une douloureuse exclamation de détresse qui cependant n'arriva pas jusqu'à ses lèvres.

Souvent je m'étais demandé ce qui arriverait, si, pour me débarrasser du poids trop lourd qui m'écrasait, très-simplement, et comme si mon amie Madeleine pouvait entendre avec indulgence l'aveu des sentiments qui s'adressaient à Mme de Nièvres, je disais à Madeleine que je l'aimais. Je mettais en scène cette explication fort grave. Je la supposais seule, en état de m'écouter, et dans une situation qui supprimait tout danger. Je prenais alors la parole, et, sans préambule, sans adresse, sans faux-fuyants, sans phrases, aussi franchement que je l'aurais dite au confident le plus intime de ma jeunesse, je lui racontais l'histoire de mon affection, née d'une amitié d'enfant devenue subitement de l'amour. J'expliquais comment ces transitions insensibles m'avaient mené peu à peu de l'indifférence à l'attrait, de la peur à l'entraînement, du regret de son absence au besoin de ne plus la quitter, du sentiment que j'allais la perdre à la certitude que je l'adorais, du soin de sa tranquillité au mensonge, enfin de la nécessité de me taire à jamais, à l'irrésistible besoin de lui tout avouer et de lui demander

pardon. Je lui disais que j'avais résisté, lutté, que
j'avais beaucoup souffert; ma conduite en était le
meilleur témoignage. Je n'exagérais rien, je ne lui
faisais au contraire qu'à demi le tableau de mes
douleurs, pour la mieux convaincre que je mesurais
mes paroles et que j'étais sincère. Je lui disais en
un mot que je l'aimais avec désespoir, en d'autres
termes, que je n'espérais rien que son absolution
pour des faiblesses qui se punissaient elles-mêmes,
et sa pitié pour des maux sans ressource.

Ma confiance en la bonté de Madeleine était si
grande que l'idée d'un pareil aveu me semblait
encore la plus naturelle au milieu des idées folles
ou coupables qui m'assiégeaient. Je la voyais alors,
— du moins j'aimais à l'imaginer ainsi — triste et
très-sincèrement affligée, mais sans colère, m'écoutant avec la compassion d'une amie impuissante
à consoler, et disposée, par hauteur d'âme et par
indulgence, à me plaindre pour des maux qui, en
effet, n'avaient pas de remède. Et, chose singulière,
cette pensée d'être compris, qui m'avait jadis causé
tant d'effroi, ne me causait aujourd'hui aucun
embarras. J'aurais de la peine à vous expliquer
comment une fantaisie aussi hardie pouvait naître
dans un esprit que je vous ai montré d'abord si
pusillanime; mais bien des épreuves m'avaient
aguerri. Je n'en étais plus à trembler devant Madeleine, au moins de peur comme autrefois, et toute
irrésolution semblait devoir cesser dès que j'allais
effrontément au-devant de la vérité.

Pendant un court moment d'angoisse extrême,
cette idée d'en finir se présenta de nouveau, comme
une tentation plus forte et plus irrésistible que

jamais. Je me rappelai tout à coup pourquoi j'étais
venu. Je pensai qu'en aucun temps peut-être une
pareille occasion ne me serait offerte. Nous étions
seuls. Le hasard nous plaçait dans la situation
exacte que j'avais choisie. La moitié des aveux
étaient faits. L'un et l'autre nous arrivions à ce
degré d'émotion qui nous permettait, à moi de
beaucoup oser, à elle de tout entendre. Je n'avais
plus qu'un mot à dire pour briser cet horrible écrou
du silence qui m'étranglait chaque fois que je pensais à elle. Je cherchais seulement une phrase, une
première phrase; j'étais très-calme, je croyais du
moins me sentir tel : il me semblait même que mon
visage ne laissait pas trop apercevoir le débat extraordinaire qui se passait en moi. Enfin j'allais parler,
quand, pour m'enhardir davantage, je levai les
yeux sur Madeleine.

Elle était dans l'humble attitude que je vous ai
dite, clouée sur son fauteuil, sa broderie tombée,
les deux mains croisées par un effort de volonté,
qui sans doute en diminuait le tremblement, tout
le corps un peu frissonnant, pâle à faire pitié,
les joues comme un linge, les yeux en larmes,
grands ouverts, attachés sur moi avec la fixité lumi-
neuse de deux étoiles. Ce regard étincelant et doux,
mouillé de larmes, avait une signification de reproche,
de douceur, de perspicacité indicible. On eût dit
qu'elle était moins surprise encore d'un aveu qui
n'était plus à faire, qu'effrayée de l'inutile anxiété
qu'elle apercevait en moi. Et s'il lui avait été possible de parler, dans un instant où toutes les énergies
de sa tendresse et de sa fierté me suppliaient ou
m'ordonnaient de me taire, elle m'eût dit une seule

chose que je savais trop bien : c'est que les confidences étaient faites, et que je me conduisais comme
un lâche ! Mais elle demeurait immobile, sans geste,
sans voix, les lèvres fermées, les yeux rivés sur moi,
les joues en pleurs, sublime d'angoisse, de douleur
et de fermeté.

« Madeleine, m'écriai-je en tombant à ses genoux,
Madeleine, pardonnez-moi... »

Mais elle se leva à son tour, par un mouvement
de femme indignée que je n'oublierai jamais; puis
elle fit quelques pas vers sa chambre; et comme je
me traînais vers elle, la suivant, cherchant un mot
qui ne l'offensât plus, un dernier adieu pour lui dire
au moins qu'elle était un ange de prévoyance et
de bonté, pour la remercier de m'avoir épargné
des folies, — avec une expression plus accablante
encore de pitié, d'indulgence et d'autorité, la main
levée comme si de loin elle eût voulu la poser sur
mes lèvres, elle fit encore le geste de m'imposer
silence et disparut.

XIII

Pendant plusieurs jours, je pourrais dire pendant plusieurs mois, l'image offensée et si pleine d'angoisse de Madeleine me poursuivit comme un remords, et me fit cruellement expier mes fautes. Je ne cessai de voir briller ces larmes qu'un oubli de toute sagesse avait fait couler, et je demeurai comme prosterné, dans une obéissance hébétée, devant la douceur impérieuse de ce geste qui m'ordonnait à jamais de sceller des lèvres indiscrètes qui avaient failli lui faire tant de mal. J'avais honte de moi. Je rachetai cette folle et coupable entreprise par un repentir sincère. Le lâche orgueil qui m'avait armé contre Madeleine et fait combattre contre mon propre amour, ce désir malfaisant de chercher un adversaire dans l'être inoffensif et généreux que j'adorais, les aigreurs, les révoltes d'un cœur malade, les duplicités d'un esprit chagrin, tout ce que cette crise malsaine avait pour ainsi dire extravasé dans mes sentiments les plus purs, tout cela se dissipa comme par enchantement. Je ne craignis plus de m'avouer vaincu, de me voir humilié, et de sentir le pied d'une femme se poser encore une fois sur le démon qui me possédait.

La première fois que je revis Madeleine, et je

me contraignis à la revoir dès les premiers jours, elle
reconnut en moi un tel changement qu'elle en fut
aussitôt rassurée. Je n'eus pas de peine à lui prouver
dans quelles intentions soumises je revenais à elle,
elle les comprit au premier coup d'œil que nous
échangeâmes. Elle attendit encore un peu pour
s'assurer si vraiment ces intention seraient solides;
et dès qu'elle m'eut vu persister et tenir bon devant
certaines épreuves difficiles, elle quitta aussitôt son
attitude défensive, et sembla ne plus se souvenir de
rien, ce qui, de toutes les manières de me pardonner,
était la plus charitable et la seule qui lui fût permise.

A quelque temps de là, un jour que, le calme
revenu, tout danger passé et ne voyant plus grand
inconvénient à lui parler du repentir qui ne me
quittait pas, je lui disais : « Je vous ai fait bien du
mal, et je l'expie ! — Assez, me dit-elle, ne parlons
plus de cela; guérissez-vous seulement, je vous y
aiderai. »

A partir de ce moment Madeleine eut l'air de
s'oublier pour ne plus songer qu'à moi. Avec un
courage, avec une charité sans bornes, elle me tolé-
rait auprès d'elle, me surveillait, m'assistait de sa
continuelle présence. Elle imaginait des moyens
de me distraire, de m'étourdir, de m'intéresser à
des occupations sérieuses et de m'y fixer. On eût
dit qu'elle se sentait à moitié responsable des sentiments qu'elle avait fait naître, et qu'une sorte de
devoir héroïque lui conseillait de les subir, lui
recommandait surtout d'en chercher sans cesse la
guérison. Toujours calme, discrète, résolue, devant
des dangers qui en aucun cas ne devaient l'atteindre,
elle m'encourageait à la lutte, et quand elle était

contente de moi, c'est-à-dire quand je m'étais bien
brisé le cœur pour le forcer à battre plus doucement,
alors elle m'en récompensait par des mots calmants
qui me faisaient fondre en larmes, ou par des consolations qui m'embrasaient. Elle vivait ainsi dans
la flamme, à l'abri de tout contact avec les sensations
les plus brûlantes, pour ainsi dire enveloppée d'un
vêtement d'innocence et de loyauté qui la rendait
invulnérable aux ardeurs qui lui venaient de moi,
comme aux soupçons qui pouvaient lui venir du
monde.

Rien n'était plus délicieux, plus navrant et plus
redoutable que cette complicité singulière où
Madeleine usait à mon profit des forces qui ne me
rendaient point la santé. Cela dura des mois, peut-
être une année, car j'entre ici dans une époque
tellement confuse et agitée, qu'il ne m'en est resté
que le sentiment assez vague d'un grand trouble
qui continuait, et qu'aucun accident notable ne
mesurait plus.

Elle quitta Paris pour aller aux bains d'Allemagne.

« J'entends que vous ne me suiviez pas, dit-elle.
Il y aurait là mille inconvénients pour vous et pour
moi. »

C'était la première fois que je la voyais s'occuper
du soin de sa propre sûreté. Huit jours après son
départ, je recevais d'elle une lettre admirablement
sage et bonne. Je ne lui répondis point d'après sa
prière. « Je vous tiendrai compagnie de loin, m'écri-
vait-elle, autant que cela se pourra. » Et pendant
tout le temps que dura son absence, à des intervalles
réguliers, elle mit la même patience à m'écrire;

c'était ainsi qu'elle me récompensait de mon obéissance à ne pas la suivre. Elle savait bien que l'ennui
et la solitude étaient de mauvais conseillers; elle
ne voulait pas me laisser seul avec son souvenir,
sans intervenir de temps en temps par un signe
évident de sa présence.

Je savais le jour de son retour. Je courus chez
elle. Je fus reçu par M. de Nièvres, que je ne rencontrais plus sans un vif déplaisir. J'étais peut-être
parfaitement injuste à son égard, et j'aime à croire
que rien n'était fondé dans les suppositions déso-
bligeantes que j'avais faites; mais je voyais le mari
de Mme de Nièvres à travers des imaginations peu
lucides; et, à tort ou à raison, ces imaginations me
le montraient réservé, défiant, presque hostile. Ils
étaient arrivés vers le matin. Julie, mal portante et
fatiguée, dormait. Mme de Nièvres ne pouvait me
recevoir. Elle parut au moment où j'écoutais ces
explications, et M. de Nièvres nous quitta aussitôt.

Une idée subite me vint, et comme un conseil de
prudence, en serrant la main de cette femme vail-
lante à qui je faisais courir tant de risques :

« J'aurais l'intention de voyager pendant quelque
temps, lui dis-je, après de courts remercîments
pour ses bontés. Qu'en dites-vous ?

— Si vous croyez cela utile, faites-le, dit-elle en
manifestant seulement un peu de surprise.

— Utile ! qui sait ? Dans tous les cas, c'est à essayer.

— C'est peut-être à essayer, reprit Madeleine
assez gravement; mais alors comment aurons-nous
de nos nouvelles.

— Comment ? mais par les mêmes moyens, si
vous y consentez.

— Oh ! non, cela ne sera pas, cela ne peut pas être. Vous écrire d'Allemagne à Paris, c'était possible, mais de Paris... au hasard, dit-elle, vous comprendrez bien que ce serait déraisonnable. »

Cette dure perspective d'être pendant plusieurs mois absolument privé de tout contact, même indirect, avec Madeleine me fit d'abord hésiter. Une autre réflexion me décida pour l'épreuve la plus radicale, et je lui dis :

« Soit; je n'entendrai plus parler de vous, sinon par Olivier, qui n'est pas le plus exact des correspondants. Vous m'avez donné mille preuves de générosité qui me font rougir. Je ne puis m'en montrer digne qu'en me résignant. Vous apprécierez ce que cet effort pourra me coûter.

— Ainsi vous partez sérieusement ? reprit Madeleine, qui voulait en douter encore.

— Demain, lui dis-je. Adieu !

— Allez ! me dit-elle avec un froncement de sourcil qui lui donna tout à coup une expression singulière, et que Dieu vous conseille ! »

Le lendemain, en effet, j'étais en voiture [36]. Olivier, qui s'était engagé sur l'honneur à m'écrire, tint sa promesse aussi loyalement que son incurable inertie le lui permettait. Je sus par lui l'état de santé de Madeleine. Madeleine apprit sans doute aussi qu'elle n'avait rien à craindre pour la vie du voyageur; mais ce fut tout.

Je ne vous dirai rien de ce voyage, le plus magnifique et le moins profitable que j'aie jamais fait. Il y a des lieux dans le monde où je suis comme humilié d'avoir promené des chagrins si ordinaires et versé des larmes si peu viriles. Je me souviens d'un jour où je pleurais sincèrement, amèrement, comme un enfant que les larmes ne font point rougir, au bord d'une mer qui a vu des miracles, non pas divins, mais humains. J'étais seul, les pieds dans le sable, assis sur des roches vives où l'on voyait des boucles d'airain qui jadis avaient attaché des navires. Il n'y avait personne, ni sur cette plage abandonnée par l'histoire, ni en mer, où pas une voile ne passait. Un oiseau blanc volait entre le ciel et l'eau, dessinant sa grêle envergure sur le ciel immuablement bleu et la reproduisant dans la mer calme. J'étais seul pour représenter à cette heure-là, dans un lieu unique, la petitesse et les grandeurs d'un homme vivant. Je jetai au vent le nom de Madeleine, je le criai de toutes mes forces pour qu'il se répétât à l'infini dans les rochers sonores du rivage; puis un sanglot me coupa la voix, et je me demandai, la confusion dans le cœur, si les hommes d'il y a deux mille ans, si intrépides, si grands et si forts, avaient aimé autant que nous !

J'avais annoncé plusieurs mois d'absence : je revins au bout de quelques semaines. Rien au monde ne m'aurait fait prolonger mon voyage un seul jour de plus. Madeleine me croyait encore à quatre ou cinq cents lieues d'elle, quand j'entrai, un soir, dans un salon où je savais la trouver. Elle fit un mouvement de toute imprudence en m'apercevant. Fort peu de gens connaissaient mon absence. On disparaît si commodément dans ce grand Paris, qu'un homme aurait le temps de faire le tour de la terre avant qu'on se fût aperçu de son départ. Je saluai Madeleine comme si je l'avais vue la veille. Au premier regard, elle comprit que je revenais à elle épuisé, affamé de la voir et le cœur intact.

« Vous m'avez beaucoup inquiétée », me dit-elle.

Et elle poussa un soupir de soulagement. On eût dit que mon retour, au lieu de l'effrayer, la débarrassait au contraire d'un souci plus amer que tous les autres.

Elle reprit audacieusement sa tâche écrasante. Tous les moyens employés pour me sauver (c'était le seul mot dont elle se servît pour définir une entreprise où il s'agissait en effet de mon salut et du sien), tous étaient mauvais, quand ils ne me venaient pas directement de son appui. Elle voulait seule intervenir désormais dans ce débat dont elle était cause.

« Ce que j'ai fait, je le déferai ! » me dit-elle, un jour, dans un accès de fier défi poussé jusqu'à la folie.

Tout son sang-froid l'avait abandonnée. Elle commit des étourderies sublimes et qui sentaient le désespoir. Ce n'était plus assez pour elle d'assister à ma vie d'aussi près que possible, de m'encourager si je faiblissais, de me calmer lorsque je m'exaspérais. Elle sentait que son souvenir même contenait des flammes; elle imagina de les éteindre, en veillant pour ainsi dire heure par heure sur mes pensées les plus secrètes. Il aurait fallu, pour cela, multiplier à l'infini des visites qui déjà se répétaient trop souvent. C'est alors qu'elle osa inventer des moyens de me voir hors de sa maison. Elle y mit cette effrayante effronterie qui n'est permise qu'aux femmes qui risquent leur honneur, ou à la pure innocence. Bravement, elle me donna des rendez-vous. Le lieu désigné était désert, quoique peu éloigné de son

hôtel. Et ne supposez pas qu'elle choisît, pour ces
expéditions périlleuses, les occasions fréquentes
où M. de Nièvres s'absentait. Non, c'était lui présent
à Paris, au risque de le rencontrer, de se perdre,
qu'elle accourait à heure dite et presque toujours
aussi maîtresse d'elle-même, aussi résolue que si
elle eût tout sacrifié.

Son premier coup d'œil était un examen. Elle
m'enveloppait de ce large et éclatant regard qui
voulait sonder ma conscience et reconnaître au
fond de mon cœur les orages amassés ou dissipés
depuis la veille. Son premier mot était une question : « Comment allez-vous ? » Ce *Comment allez-vous ?*
signifiait : « Êtes-vous plus sage ? » Quelquefois je
lui répondais par un demi-mensonge courageux
qui ne la trompait guère, mais qui alors éveillait
en elle des curiosités et des inquiétudes d'un autre
genre. Elle prenait mon bras, et nous marchions
sous les arbres, nous taisant par intervalles, ou
causant avec le calme apparent de deux amis qui
se sont rencontrés par hasard. Elle me dévoilait,
pendant ces heures de douce et brûlante étreinte,
elle me révélait, comme autant de merveilles, des
trésors de dévouement, d'abnégation, des ressources
de prévoyance presque égales aux profondeurs de sa
charité. Elle disciplinait ma vie mal réglée, ou plutôt déréglée et portée sans mesure à tous les excès
contraires du travail acharné ou de la pure inertie.
Elle gourmandait mes lâchetés, s'indignait de mes
défaillances et me reprochait les invectives dont
je m'accablais à plaisir, parce qu'elle voyait, disait-
elle, les inquiétudes d'un esprit mal équilibré et
plus perplexe encore qu'équitable. Si j'avais été

capable de concevoir les moindres ambitions un peu fortes, ce qu'elle me communiquait de vrai courage aurait dû les allumer en moi comme un incendie.

« Je vous veux heureux, me disait-elle; si vous saviez avec quelle ferveur je le désire ! »

Elle hésitait ordinairement sur le mot d'avenir, qui cruellement nous blessait par des avis, hélas ! trop raisonnables. Quelle perspective, quelle issue envisageait-elle au delà du lendemain qui bornait nos rêves ? Aucune sans doute. Elle y substituait je ne sais quoi de vague et de chimérique, comme ce dernier espoir qui reste aux gens qui n'espèrent plus.

Lorsqu'il lui arrivait de manquer à cette mission de presque tous les jours, qu'elle accomplissait avec l'enthousiasme d'un médecin qui se dévoue, le lendemain elle m'en demandait pardon comme d'une faute. J'en étais venu à ne plus savoir si je devais accepter ou non la douceur d'une assistance aussi terrible. Je sentais se glisser en moi de telles perfidies, que je ne discernais plus dans quelle mesure j'étais coupable ou seulement malheureux. Malgré moi, j'ourdissais des plans abominables; et chaque jour Madeleine, à son insu peut-être, mettait le pied dans des trahisons. Je n'en étais plus à ignorer qu'il n'y a pas de courage au-dessus de certaines épreuves, que la plus invincible vertu, minée à toutes les minutes, court de grands risques, et que de toutes les maladies, celle dont on entreprenait de me guérir était certainement la plus contagieuse.

M. de Nièvres ayant brusquement quitté Paris,

Madeleine me fit savoir que nos promenades devraient être suspendues. Nous les reprîmes aussitôt après le retour de son mari, avec plus d'exaltation et de décision. Ce perpétuel *me, me adsum, qui feci*, — c'est moi, moi seule qui en suis cause, — revenait sous toutes les formes dans des paroxysmes de générosité qui m'accablaient de honte et de bonheur.

Elle arriva ainsi jusqu'au point le plus escarpé d'une tentative où jamais femme héroïque ait pu parvenir sans se précipiter. Elle s'y maintint encore quelque temps intrépidement et sans trop de défaillance, comme un être, en possession de secours surnaturels, que le vertige a privé de sens et que l'excès du danger retient au bord de l'abîme, en paralysant tout à coup sa raison. A ce moment, je vis qu'elle était à bout de force. Cette miraculeuse organisation se détendit d'elle-même. Elle ne se plaignit pas, n'avoua rien qui pût trahir sa faiblesse. Se reconnaître impuissante et découragée, c'était tout remettre aux mains du hasard; et le hasard lui faisait peur comme de tous les auxiliaires le plus incertain, le plus perfide et peut-être le plus menaçant. Se dire épuisée, c'était m'ouvrir son cœur à deux mains et me montrer le mal incurable que j'y avais fait. Elle ne jeta pas un cri de détresse. Elle tomba pour ainsi dire de lassitude; ce fut le seul signe auquel je reconnus qu'elle n'en pouvait plus.

Un jour je lui dis :

« Vous m'avez guéri, Madeleine, je ne vous aime plus. »

Elle s'arrêta court, devint horriblement pâle, et

hésita comme effrayée par une méchanceté qui la blessait jusqu'au fond de l'âme.

« Oh ! rassurez-vous, lui dis-je, le jour où cela serait...

— Le jour où cela serait ?... » reprit-elle, et la voix lui manquant, elle fondit en larmes.

Le lendemain pourtant, elle revint. Je la vis descendre de sa voiture si changée, si abattue, que j'en fus épouvanté.

« Qu'avez-vous ? » lui dis-je en courant à sa rencontre, tant j'avais peur qu'elle ne défaillît au premier pas.

Elle se remit un peu, grâce à de prodigieux efforts dont je ne fus pas dupe, et me répondit seulement :

« Je suis bien fatiguée. »

Alors je fus pris d'un remords horrible.

« Je suis un misérable sans cœur et sans honnêteté ! m'écriai-je. Je n'ai pas su me sauver ; vous venez à moi, et je vous perds ! Madeleine, je n'ai plus besoin de vous, je ne veux plus de secours, je ne veux plus rien... Je ne veux pas d'une assistance achetée si cher et d'une amitié que j'ai rendue trop lourde et qui vous tuerait. Que je souffre ou non, cela me regarde. Mon soulagement viendra de moi ; mes misères me concernent, et quelle qu'en soit la fin, elle n'atteindra plus personne. »

Elle m'écouta d'abord sans répondre, comme réduite à cet état de faiblesse maladive ou de fragilité enfantine qui nous rend incapables de comprendre certaines idées fortes et de nous résoudre.

« Séparons-nous, lui dis-je, pour tout à fait ! Oui, séparons-nous, cela vaudra mieux. Ne nous voyons plus, oublions-nous !... Paris nous désunira bien assez, sans que nous mettions entre nous des lieues de distance. Au premier mot de vous qui m'apprendrait que vous avez besoin de moi, vous me trouverez, je serai là. Autrement...

— Autrement ? » dit-elle en se réveillant lentement de sa torpeur.

Elle mit quelques secondes à retourner dans son esprit ce mot qui nous menaçait tous les deux d'un adieu définitif. D'abord, il n'eut pas l'air d'avoir un sens bien compréhensible.

« C'est vrai, reprit-elle, je suis un bien mauvais soutien, n'est-ce pas ? un raisonneur fatigant, un ami peut-être inutile... »

Puis, elle eut l'air de chercher des issues différentes et des solutions moins vigoureuses. Et comme j'attendais une réponse dans une anxiété qui m'étouffait, elle fit le geste d'un malade épuisé qu'on tourmente en l'entretenant d'affaires trop sérieuses.

« Pourquoi donc êtes-vous venu, me dit-elle, me proposer des choses impossibles ?... Vous me persécutez à plaisir. Allez, mon ami, allez-vous-en, je vous en prie. Je suis souffrante aujourd'hui. Je n'ai pas le premier mot d'un bon conseil à vous donner. Vous savez mieux que moi quelle chance vous offre un pareil parti. Celui que vous prendrez sera le seul raisonnable : l'estime que je vous porte et l'amitié que vous avez pour moi ne me permettent pas d'en douter. »

Je la quittai bouleversé, et je renonçai bientôt à des extrémités sans retour, qui nous eussent séparés pour toujours, quand ni l'un ni l'autre nous n'en avions la volonté. Seulement, je réglai ma conduite en vue d'un détachement lent, continu, qui pouvait

peut-être plus tard ramener entre nous des accords
plus tièdes et tout pacifier sans trop de sacrifices.
Je ne la menaçai plus de ce mot d'oubli, trop désespéré pour être sincère, et qui l'eût fait sourire de
pitié, si elle avait eu elle-même un peu de bon
sens le jour où je le lui proposais comme un moyen.
Je continuai de vivre assez près d'elle pour lui
prouver que j'adoptais un parti moins extrême,
assez loin pour la laisser libre et ne plus lui imposer
des complicités dont je rougissais.

Que se passa-t-il dans l'esprit de Madeleine ?
Je vous en fais juge. A peine affranchie de ce rôle
extraordinaire de confidente et de sauveur, tout à
coup elle se transforma. Son humeur, son maintien,
l'inaltérable douceur de son regard, la parfaite
égalité de ce caractère composé d'or maniable et
d'acier, c'est-à-dire d'indulgence et de pure vertu,
cette nature résistante et sans dureté, patiente,
unie, toujours dans l'équilibre d'un lac abrité,
cette consolatrice ingénieuse, cette bouche inépuisable en mots exquis, tout cela changea. Je vis
paraître alors un être nouveau, bizarre, incohérent,
inexplicable et fugace, aigri, chagrin, blessant et
ombrageux, comme si elle eût été entourée de
pièges, aujourd'hui que je me dévouais sans réserve
au soin d'aplanir sa vie et d'en écarter l'ombre
d'un souci. Quelquefois je la trouvais en larmes.
Elle les dévorait aussitôt, passait la main sur ses
yeux avec un geste indicible d'indignation ou de
dégoût, et les essuyait, comme elle aurait fait d'une
souillure. Elle rougissait sans cause et semblait
prise au dépourvu dans la contemplation d'une
idée mauvaise. Je la vis se rapprocher de sa sœur

plus étroitement que jamais, sortir plus souvent
au bras de son père, qui l'adorait, mais qui n'avait
ni ses goûts ni tout à fait ses habitudes du monde.
Un jour que j'allai chez elle, et mes visites étaient
comptées :

« Voulez-vous voir M. de Nièvres ? me dit-elle.
Il est dans son cabinet, je crois. »

Elle sonna, fit appeler M. de Nièvres, et le mit
entre nous.

Elle fut extrêmement gaie pendant cette visite,
la première peut-être que je lui eusse faite en attitude de cérémonie. M. de Nièvres se montra plus
souple, sans se départir d'une certaine réserve, qui
devenait de plus en plus évidente en devenant, je
crois, plus systématique. Elle soutint presque à
elle seule le poids d'une conversation qui menaçait
à chaque instant de tomber et de nous laisser
béants. Grâce à ce tour de force d'adresse et de
volonté, la comédie qui se jouait entre nous arriva
jusqu'à la fin sans se démentir, et rien ne parut
qui la rendît trop choquante. Elle récapitula devant
moi l'emploi des soirées qui devaient l'occuper
pendant la semaine, et sans moi, bien entendu.

« M'accompagnerez-vous ce soir ? dit-elle à son
mari.

— Vous me priez de faire une chose que je ne
vous ai jamais refusée, je crois », répondit M. de
Nièvres assez froidement.

Elle me suivit jusqu'à la porte de son boudoir,
appuyée au bras de son mari, droite, assurée sur
ce ferme soutien. Je la saluai en répondant par un
unisson parfait au ton cordial et froid de son adieu.

« Pauvre et chère femme ! me disais-je en m'en

allant. Chère conscience où j'ai fait entrer des terreurs ! »

Et, par un de ces retours qui déshonorent en un moment les meilleurs élans, je pensai à ces statues accoudées sur un étai qui les met d'aplomb et qui tomberaient sans ce point d'appui.

XIV

C'est à cette époque que j'appris d'Augustin
l'accomplissement d'un projet que cet honnête
cœur nourrissait et poursuivait depuis longtemps;
vous vous souvenez peut-être qu'il me l'avait
donné à entendre.

Je continuais de voir Augustin, non pas à mes
moments perdus; je le cherchais au contraire, et le
trouvais à mes ordres chaque fois, et c'était souvent, que je me sentais un plus grand besoin de me
retremper dans des eaux plus saines. Il n'avait
point à me donner des conseils meilleurs, ni des
consolations plus efficaces. Je ne lui parlais jamais
de moi, quoique mon égoïste chagrin transpirât
dans toutes mes paroles, mais sa vie même était
un exemple plus fortifiant que beaucoup de leçons.
Quand j'étais bien las, bien découragé, bien humilié
d'une lâcheté nouvelle, je venais à lui, je le regardais vivre, comme on va prendre l'idée de la force
physique en assistant à des assauts de lutteurs. Il
n'était pas heureux. Le succès n'avait encore récom-
pensé ce rigide et laborieux courage que par de
maigres faveurs : mais il pouvait du moins avouer
ses défaillances, et les difficultés qui l'exerçaient à des
luttes si vives n'étaient pas de celles dont on rougit.

J'appris un jour qu'il n'était plus seul.

Augustin me fit part de cette nouvelle, qui, pour beaucoup de raisons, avait la gravité d'un secret, pendant une longue nuit d'entretien qu'il passa tout entière à mon chevet. Je me souviens que c'était vers la fin de l'hiver : les nuits étaient encore longues et froides, et l'ennui de retourner chez lui si tard l'avait décidé à attendre le jour dans ma chambre. Olivier vint nous interrompre au milieu de la nuit. Il rentrait du bal; il en rapportait dans ses habits comme une odeur de luxe, de bouquets, de femmes et de plaisirs; et sur son visage, un peu fatigué par les veilles, il y avait des lueurs de fête et comme une pâleur émue qui lui donnaient une élégance infiniment séduisante. Je me souviens que je l'examinai pendant le court moment qu'il resta debout près d'Augustin, achevant un cigare et comptant des louis qu'il avait gagnés entre deux valses; et j'ai peut-être tort de vous avouer que le contraste de la tenue, de la mise et de la roideur un peu scolastique d'Augustin m'attrista par des côtés presque vulgaires. Je me rappelais ce qu'Olivier m'avait dit des gens qui n'ont que le travail et la volonté pour tout patrimoine, et derrière le spectacle incontestablement beau de l'héroïsme déployé par un homme qui veut, j'apercevais des médiocrités d'existence qui, malgré moi, me faisaient frémir. Heureusement pour lui, Augustin sentait peu ces différences, et l'ambition qu'il avait d'arriver à des positions élevées ne devait jamais se compliquer de l'ambition, nulle pour lui, de s'habiller, de vivre et de respirer les élégances de la vie comme Olivier.

Olivier parti, Augustin se remit à m'entretenir de sa situation. C'était la première fois qu'il me faisait des confidences aussi larges. Il ne me disait point quelle était la personne qu'il appelait dorénavant sa compagne et le but de sa vie, en attendant d'autres devoirs que l'avenir lui faisait envisager, et auxquels il souriait d'avance avec convoitise. Il commença même en termes si vagues que je ne compris pas d'abord quelle était exactement la nature de ces liens qui le rendaient à la fois si précis dans ses espérances et si maritalement heureux.

« Je suis seul, me disait-il, seul au monde, de toute une famille que la misère, le malheur, des morts prématurées, ont dispersée ou détruite. Il ne me reste que des parents éloignés qui n'habitent pas la France et qui sont Dieu sait où. Votre Olivier, dans une situation semblable, attendrait un jour un héritage; il l'escompterait d'avance sur la garantie de sa bonne étoile, et l'héritage arriverait à heure fixe. Moi, je n'attends rien, et je fais sagement. Bref, je n'avais besoin de personne pour un consentement qui aurait soulevé peut-être quelques difficultés. J'ai réfléchi, j'ai calculé les chances, les charges, j'ai bien pesé toutes les responsabilités, j'ai prévu les inconvénients, et toute chose en a, même le bonheur; je me suis tâté le pouls pour savoir si ma bonne santé, si mon courage suffiraient aussi bien à deux, un jour à trois, peut-être à plusieurs; je n'ai pas cru payer trop cher, au prix de quelques efforts de plus, la tranquillité, la joie, la plénitude de mon avenir, et je me suis décidé.

— Vous êtes donc marié ? lui dis-je, comprenant

enfin qu'il s'agissait d'une liaison sérieuse et définitive.

— Mais sans doute. Croyez-vous donc que je
vous parlais de ma maîtresse ? Mon cher ami, je
n'ai ni assez de temps, ni assez d'argent, ni assez
d'esprit pour suffire aux dépenses de pareilles
liaisons. D'ailleurs, avec la manie que vous me
connaissez de prendre tout au sérieux, je les considère comme des mariages aussi coûteux que les
autres, moins satisfaisants, même quand ils sont
plus heureux, et souvent plus difficiles à rompre,
ce qui prouve une fois de plus combien nous aimons
les cercles vicieux. Beaucoup de gens se lient pour
éviter le mariage, qui devraient au contraire se
marier pour briser des chaînes. Je redoutais beaucoup ce piège, où je me savais enclin à tomber,
et j'ai pris, vous le voyez, le bon parti. J'ai établi
ma femme à la campagne, tout près de Paris, —
pauvrement, je dois vous le dire, ajouta-t-il en
ayant l'air de comparer son intérieur avec le mien,
qui cependant était très modeste, — et un peu
tristement, je le crains pour elle. Aussi j'ose à peine
vous inviter à venir nous voir.

— Quand vous voudrez, lui dis-je en lui serrant
tendrement la main, aussitôt que vous consentirez à
présenter un de vos plus anciens amis et des meilleurs à madame..., j'allais dire son nom.

— J'ai changé de nom, me dit-il en m'interrompant. J'ai demandé une autorisation qui me permît
de prendre le nom de ma mère, une femme excellente et respectable dont le souvenir, car je l'ai
perdue trop tôt, vaut mieux que celui de mon père,
à qui je dois seulement l'accident de ma naissance. »

Je n'avais jamais songé à m'informer si Augustin avait une famille, tant il avait les allures d'un orphelin, c'est-à-dire l'air indépendant et abandonné, en d'autres termes, le caractère de la vie individuelle, sans origines, ni liens, ni devoirs, ni douceurs, Il rougit légèrement en prononçant le mot d'« accident de naissance », et je compris qu'il était encore plus qu'orphelin.

Il reprit et me dit :

« Je vous prierai, jusqu'à nouvel ordre, de ne pas m'amener votre ami Olivier. Il ne rencontrerait chez moi rien de ce qui lui plaît, sinon une femme très-bonne et parfaitement dévouée, qui me remercie chaque jour de l'avoir épousée, qui voit, grâce à moi, l'avenir tout en rose, qui n'aura d'autre ambition que de me savoir heureux d'abord, et qui aimera mes succès le jour où je lui en aurai fait goûter. »

Le jour se levait qu'Augustin, dont ce fut assurément le plus long discours, parlait encore; et à peine le premier crépuscule eut-il fait pâlir la lampe et rendu les objets visibles, qu'il alla vers la fenêtre se baigner le visage à l'air glacé du matin. Je voyais sa figure anguleuse et blême se dessiner comme un masque souffrant sur le champ du ciel, mal éclairé de lueurs incertaines. Il était vêtu de couleurs sombres; toute sa personne avait cet air réduit, comprimé, pour ainsi dire diminué, des gens qui travaillent beaucoup sans agir, et quoiqu'il fût au-dessus de toute fatigue, il allongeait ses mains maigres et s'étirait les bras comme un ouvrier qui s'est assoupi entre deux tâches et qui se réveille au chant du coq.

« Dormez, me dit-il. J'ai trop abusé de votre complaisance à m'écouter. Laissez-moi seulement ici pour une heure encore. »

Et il se mit à ma table à préparer un travail qui devait être achevé le matin même.

Je ne l'entendis point sortir de ma chambre. Il se déroba sans bruit, au point qu'en m'éveillant, je crus avoir rêvé toute une histoire austère et touchante dont la moralité s'adressait à moi.

Dans la matinée il revint.

« Je suis libre aujourd'hui, me dit-il d'un air rayonnant, et j'en profite pour aller chez moi. Le temps est fort laid : vous sentez-vous de force à m'accompagner ? »

Il y avait plusieurs jours que je n'avais vu Madeleine. Tout écart entre des rencontres qui n'amenaient plus que des malentendus blessants ou des susceptibilités désolantes me paraissant une occasion bonne à saisir :

« Je n'ai rien qui me retienne à Paris aujourd'hui, dis-je à Augustin, et je suis à vous. »

Il habitait une maison isolée sur la limite d'un village, mais aussi près que possible des champs. La maison était fort exiguë, garnie de volets verts et d'espaliers disposés entre les fenêtres, le tout propre, simple, modeste comme le maître lui-même, avec cette absence de bien-être qui n'aurait rien fait préjuger chez Augustin garçon, mais qui, dans son ménage, annonçait immédiatement la gêne. Sa femme était, comme il me l'avait dit, une très-agréable jeune femme; je fus même étonné de la trouver beaucoup plus jolie que je ne l'avais supposé d'après les opinions systématiques d'Augustin sur

les agréments extérieurs des choses. Elle sauta avec
une surprise joyeuse au cou de son mari, qu'elle
n'attendait pas ce jour-là, et me fit, dans ces formes
gracieuses et timides d'une personne prise au
dépourvu, les honneurs de son petit jardin où les
jacinthes commençaient à peine à fleurir.

Il faisait froid. Je n'étais pas gai. Je ne sais quelle
tristesse empreinte dans les lieux, dans la saison, la
pauvreté manifeste de ce que je voyais, la prévision
de ce qu'on ne voyait pas, la difficulté même d'occuper cette longue journée pluvieuse, dans un
milieu si peu fait pour nous mettre à l'aise, tout
m'enveloppait d'une atmosphère de glace. Je me
souviens qu'on voyait des fenêtres deux grands
moulins à vent qui dépassaient les murs de clôture,
et dont les ailes grises, rayées de baguettes sombres,
tournaient sans cesse devant les yeux avec une
monotonie de mouvement assoupissante. Augustin
s'occupa lui-même d'une foule de soins domestiques et de détails de ménage, d'où je conclus
que sa femme était peu servie, peut-être pas servie
du tout, et que la femme et le mari faisaient au moins
beaucoup de choses de leurs propres mains. Il
s'inquiéta des besoins de la maison pour le lendemain, pour les jours suivants. « Tu sais, disait-il à
sa femme, que je ne reviendrai pas avant dimanche. »
Il donna un coup d'œil au bûcher : la provision de
bois coupé était épuisée. « Je vous demande un
quart d'heure », me dit-il. Il ôta sa redingote, prit
une scie et se mit à l'ouvrage. Je lui proposai de
l'aider; il accepta l'aide que je lui offrais, et me
dit simplement : « Volontiers, mon cher ami, à
nous deux nous irons plus vite. » Je mis mon amour-

propre à ce travail, dans lequel j'étais fort maladroit. Au bout de cinq minutes, j'étais exténué,
mais il n'en parut rien, et je donnais le dernier
coup de scie quand Augustin lui-même s'arrêta.
J'ai accompli de plus grands devoirs dans ma vie,
je n'en connais pas qui m'aient fait éprouver plus
de vrai plaisir. Ce petit effort musculaire m'apprit
ce que peut la conscience, exercée dans l'ordre des
actes moraux, en se roidissant.

Dans la soirée, il se fit une embellie qui nous
permit de sortir. Un sentier glissant, percé dans le
taillis, conduisait jusqu'à de grands bois qui cou-
ronnaient une partie de l'horizon de leurs sombres
couleurs d'hiver. A l'opposé, et dans les brumes
grisâtres, on apercevait la masse immense, com-
pacte, étendue en cercle entre des collines, de la
ville entassée et fumeuse, agrandie encore d'une
partie de ses faubourgs. Sur toutes les routes qui
sillonnaient le pays et se dirigeaient vers ce grand
centre comme les rayons d'une roue au même
sommet, on entendait tinter des colliers de chevaux,
rouler des chariots lourds, claquer des fouets
et retentir des voix brutales C'était la vilaine
limite où l'on commence, par la laideur de la banlieue, à entrer dans l'activité du tourbillon de Paris.

« Tout ce que vous voyez là n'est pas beau, me
disait Augustin; que voulez-vous ? il ne faut pas
considérer ceci comme un séjour d'agrément, mais
seulement comme un lieu d'attente. »

Nous revînmes à la nuit, les nécessités de sa position le rappelant le soir même. Il nous fallut gagner
à pied, par des routes embourbées, le lieu de la
station de la voiture publique qui devait nous

ramener à Paris. Chemin faisant, Augustin m'entretenait encore de ses espérances; il disait « ma femme » avec un air de possession tranquille et assurée qui me faisait oublier toutes les duretés de sa carrière, et me représentait la plus parfaite expression du bonheur.

Je le conduisis, non pas à son appartement, situé dans cette partie de Paris qu'il appelait le quartier des livres, mais à l'hôtel même du personnage dont il était, je vous l'ai dit, le secrétaire. Il sonna en homme accoutumé à se considérer là comme un peu chez lui, et, quand je le vis s'engager dans la cour somptueuse, monter lentement le perron et disparaître dans une antichambre de petit palais, mieux que jamais je compris pourquoi ce maigre jeune homme aux airs modestes et résolus ne serait en aucun cas le valet de personne, et j'eus le sentiment net de sa destinée.

Je rentrai, moins attristé encore des plaies secrètes que je venais de toucher du doigt qu'humilié vis-à-vis de moi-même de mon impuissance à en rien conclure de pratique. Je trouvai Olivier qui m'attendait; il était las et ennuyé.

« Je reviens de chez Augustin », lui dis-je.

Il examina mes vêtements tachés de boue, et comme il avait l'air de ne pas comprendre de quel lieu je pouvais sortir en pareil état :

« Augustin est marié, lui dis-je.

— Marié ! reprit Olivier, lui !

— Et pourquoi non ?

— Cela devait être. Un pareil homme devait infailliblement commencer par là. As-tu remarqué, continua-t-il sérieusement, qu'il y a deux catégories d'hommes qui ont la rage de se marier de bonne heure, quoique leur situation les mette dans l'impossibilité certaine soit de vivre avec leurs femmes, soit de les faire vivre ? Ce sont les marins et les gens qui n'ont pas le sou. Et Mme Augustin ? reprit-il.

— Sa femme, qui ne s'appelle point Mme Augustin, habite la campagne. Il a bien voulu me présenter à elle aujourd'hui. »

Et je le mis en quelques mots au courant de ce qu'il me convenait de lui faire connaître de la vie domestique d'Augustin.

« Ainsi tu as vu des choses qui t'ont édifié ? »

Cette résistance à se laisser toucher par un tel exemple de courageuse probité me déplut, et je ne lui répondis pas.

« Soit, reprit Olivier avec l'impertinence amère qu'il avait dans ses moments de mauvaise humeur; mais qu'avez-vous pu faire entre ces quatre murs ?

— Nous avons scié du bois, lui dis-je en lui montrant nettement que je ne plaisantais pas.

— Tu as froid, reprit Olivier en se levant pour me quitter, tu as piétiné sous la pluie, tes habits mouillés transpirent les odieuses rigueurs de la vie nécessiteuse et de l'hiver, tu reviens tout imbibé de stoïcisme, de misère et d'orgueil : attendons à demain pour causer plus raisonnablement. »

Je le laissai sortir sans lui dire un mot de plus, et je l'entendis qui fermait la porte avec impatience. Je crus comprendre qu'il avait sans doute des ennuis particuliers qui le rendaient injuste, et ces ennuis, si je n'en connaissais pas l'objet positif, je pouvais du moins en deviner la nature. J'imaginai

des aventures nouvelles ou des accidents dans une
liaison déjà bien ancienne, et dont la durée était
d'ailleurs peu probable. Je savais la facilité qu'il
avait à se détacher des choses et l'impatience maladive qui le portait au contraire à se précipiter vers
les nouveautés. Entre ces deux hypothèses d'une
rupture ou d'une inconstance, je m'arrêtai donc
plus volontiers à la seconde. J'étais en veine d'indulgence; ma visite à Augustin m'avait mis, je
puis le dire, en humeur de mansuétude. Aussi dès
le lendemain matin j'entrai chez Olivier. Il dormait
ou feignait de dormir.

« Qu'as-tu ? lui dis-je en lui prenant la main
comme à un ami dont on veut briser les bouderies.

— Rien, me dit-il en me montrant son visage
fatigué par une nuit d'insomnie ou de rêves
pénibles.

— Tu t'ennuies ?

— Toujours.

— Et qu'est-ce qui t'ennuie ?

— Tout, répondit-il avec la plus évidente sincérité. J'arrive à détester tout le monde, et moi plus
que personne. »

Il était en disposition de se taire, et je sentis que
toute question n'amènerait que des faux-fuyants,
et l'irriterait encore sans me satisfaire.

« Je croyais, lui dis-je, que tu avais quelques
causes accidentelles de soucis ou d'embarras, et je
venais mettre à ta disposition mes services ou mes
avis. »

Il sourit à ce dernier mot, qui lui parut en effet
dérisoire, tant les avis que nous nous étions mutuellement donnés avaient peu servi jusqu'à présent.

« Si tu consens à me rendre un service, je le veux
bien, reprit-il. Tu le peux sans beaucoup de peine.
Il suffit pour cela d'aller chez Madeleine, et de
réparer de ton mieux une sottise que j'ai faite hier
en me montrant dans un lieu public où Madeleine
et Julie se trouvaient avec mon oncle. Je n'étais
pas seul. Il est possible qu'on m'ait vu, car Julie
a des yeux qui me trouveraient là où je ne suis pas.
Je te serais très-obligé de t'assurer du fait en les
questionnant l'une et l'autre adroitement. Si ce
que je crains avait eu lieu, imagine alors une explication vraisemblable et qui ne compromette personne en supposant à celle que j'accompagnais un
nom, des relations, des habitudes, un monde enfin
qui la recommande, mais dont ni mon cher cousin
ni Madeleine ne puissent vérifier l'exactitude, si par
hasard l'envie leur en venait. »

Le soir même, je vis Mme de Nièvres. C'était
un de ses vendredis, jour de visites. Je me donnai
pour occupation de remplir uniquement la mission
d'Olivier. Son nom ne fut pas prononcé. Je n'appris
donc rien de positif. Julie était un peu souffrante.
Elle avait eu la veille au soir un accès de fièvre léger
dont il lui restait encore une suite de faiblesse et
d'agitation nerveuse. Je dois vous dire ici que depuis
longtemps l'état de Julie m'inquiétait. J'avais fait à
son sujet beaucoup de réflexions que j'ai passées
sous silence, parce que le souci de cette petite personne, si véritable que fût mon affection pour elle,
disparaissait, je vous l'avoue, dans le mouvement
égoïste de mes propres soucis.

Vous vous souvenez peut-être qu'un soir, à la
veille de son mariage, en m'entretenant avec solen-

nité de ce qu'elle appelait ses dernières volontés
de jeune fille, Madeleine avait introduit le nom de
Julie et l'avait rapproché du mien dans des espérances communes dont le sens était clair. Depuis
lors, soit à Nièvres, soit à Paris, elle avait renouvelé
la même insinuation sans que ni Julie ni moi nous
eussions l'air de l'accueillir. Un jour entre autres
et devant son père, qui souriait doucement de ces
ingénieux enfantillages, elle prit le bras de sa sœur,
le passa au mien, et nous considéra ainsi avec l'expression d'une joie véritable. Elle nous maintint devant
elle dans cette attitude qui m'embarrassait extrêmement, et qui ne paraissait pas non plus du goût
de Julie; puis, sans deviner qu'il y eût entre sa sœur
et moi plus d'un obstacle déjà formé qui déjouait
ses projets d'union, elle prit Julie dans ses bras,
comme aurait fait une mère, l'embrassa tendrement, longuement, et lui dit : « Ne nous quittons
pas, ma chère petite sœur; puissions-nous ne jamais
nous quitter ! »

Depuis, et cela datait du jour où l'attention de
Madeleine avait pu s'éveiller sur le véritable état de
mes sentiments, pas un mot n'avait été dit sur ce
sujet, et jamais le plus léger signe ne m'avait appris
que Madeleine y pensait encore. Au contraire, si le
hasard faisait naître l'idée d'un projet qui sans contredit l'avait autrefois occupée, elle semblait l'avoir
entièrement oublié ou ne l'avoir jamais eu. Quelquefois seulement, elle regardait Julie d'un air plus
tendre ou plus attristé. J'en concluais qu'elle achevait de briser des espérances devenues impossibles,
et que l'avenir de sa sœur, arrêté un moment d'après
des combinaisons chimériques, l'inquiétait aujour-

d'hui comme une difficulté à examiner de nouveau.

Quant à Julie, elle n'avait pas eu à revenir de si
loin. Ses sentiments, déterminés dès l'origine et
invariablement attachés au même objet, n'avaient
pas fléchi. Seulement les susceptibilités dont se
plaignait Olivier s'accusaient tous les jours davantage, et coïncidaient invariablement avec une
absence trop longue, un mot trop vif, un air plus
distrait de son cousin. Sa santé s'altérait. Elle
avait les fiertés de sa sœur, qui l'empêchaient de
se plaindre; mais elle ne possédait pas ce don merveilleux d'être secourable à ceux qui la blessaient,
qui des martyres de Madeleine devait faire des
dévouements. On eût dit que l'intérêt de qui que
ce fût lui faisait injure, excepté celui d'Olivier,
qui, de tous les intérêts qu'elle pouvait attendre,
était le plus rare. Elle eût plutôt accepté l'impitoyable dédain de celui-ci que de se soumettre
à des pitiés qui l'offensaient. Son caractère ombrageux à l'excès prenait de jour en jour des angles
plus vifs, son visage des airs plus impénétrables,
et toute sa personne un caractère mieux dessiné
d'entêtement et d'obstination dans une idée fixe.
Elle parlait de moins en moins; ses yeux, qui n'in-
terrogeaient presque plus, pour éviter plus que
jamais de répondre, semblaient avoir replié la
seule flamme un peu vivante qui les mêlait à la
pensée des autres.

« Je ne suis pas contente de la santé de Julie,
m'avait dit Madeleine bien souvent. Elle est décidément mal portante, et d'un caractère à se déplaire
partout, même avec ceux qu'elle aime le plus. Dieu

sait pourtant que ce n'est pas la force de s'attacher aux gens qui lui manque ! »

A une autre époque, Madeleine ne m'aurait certainement pas parlé de sa sœur en de pareils termes. De plus, cette idée de tendresse excessive et ces qualités affectueuses mises en relief par Madeleine ne s'accordaient pas très-bien avec la froideur des enveloppes qui rendaient les abords de Julie si glacés.

J'en étais là de mes conjectures quand plusieurs incidents que je ne vous dis pas m'ouvrirent tout à fait les yeux. La démarche dont me chargeait Olivier avait donc pour moi la signification la plus grave, bien qu'il ne m'en eût révélé que la moitié, comme on fait avec un agent diplomatique qu'on ne veut pas mettre à fond dans ses secrets. Je m'informai avec un soin particulier de l'origine et de l'heure de l'indisposition subite de Julie. Ce que j'en appris s'accordait exactement avec les renseignements donnés par Olivier. Madeleine était imperturbablement maîtresse de ses réponses, et parlait de la fièvre de sa sœur comme un médecin du corps en eût parlé.

Je rentrai fort tard, et je trouvai Olivier debout et qui m'attendait.

« Eh bien ? me dit-il vivement, comme si son impatience avait tout à coup grandi pendant la durée de ma visite.

— Je n'ai rien appris, lui dis-je. Tout ce que je sais, c'est que Julie est revenue hier du concert avec la fièvre, que la fièvre continue, et qu'elle est malade.

— L'as-tu vue ? me demanda Olivier.

— Non », lui dis-je en faisant un mensonge dont j'avais besoin pour l'intéresser un peu plus à l'in disposition, d'ailleurs très-légère, de Julie.

Il fit un mouvement de colère : « J'en étais certain, dit-il; elle m'a vu !

— Je le crains », lui dis-je.

Il fit une ou deux fois le tour de sa chambre en marchant très-vite; puis il s'arrêta, frappa du pied en jurant :

« Eh bien ! tant pis ! s'écria-t-il, tant pis pour elle ! Je suis libre, et je fais ce qui me plaît. »

Je connaissais toutes les nuances de l'esprit d'Olivier; il était rare que le dépit montât chez lui jusqu'à l'exaspération de la colère. Je ne craignis donc point de me tromper en abordant une question où le cœur d'une honnête fille se trouvait engagé.

« Olivier, lui dis-je, que se passe-t-il entre Julie et toi ?

— Il se passe que Julie est amoureuse de moi, mon cher, et que je ne l'aime pas.

— Je le savais, repris-je, et par intérêt pour vous deux...

— Je te remercie. Tu n'as pas à te tourmenter pour moi d'une chose que je n'ai point voulue, que je n'ai ni encouragée, ni accueillie, qui ne m'atteindra jamais, et qui m'est indifférente comme ça, dit-il en secouant en l'air la cendre de son cigare. Quant à Julie, je te permets de la plaindre, car elle s'entête dans une idée folle... Elle fait son malheur à plaisir. »

Il était exaspéré, parlait très-haut, et pour la première fois peut-être de sa vie mettait des hyperboles là où sans cesse il employait des diminutifs de mots ou d'idées.

« Que veux-tu que j'y fasse après tout ? continua-t-il. C'est une situation absurde; il y a d'autres situations qui le sont au moins autant que celle-ci.

— Ne parlons pas de moi, lui dis-je en lui faisant comprendre que mes propres affaires n'étaient point en jeu, et que récriminer n'était pas se donner raison.

— Soit; c'est à celui qui se trouve en peine de s'en tirer, sans prendre exemple sur autrui ni consulter personne. Eh bien! moi, je n'ai qu'un moyen d'en sortir, c'est de dire non, non, toujours non !

— Ce qui ne remédiera à rien, car tu dis non depuis que je te connais, et depuis que je connais Julie, elle veut être ta femme. »

Ce dernier mot lui fit faire un soubresaut de véritable terreur; puis il partit d'un éclat de rire, dont Julie serait morte, si elle l'eût entendu.

« Ma femme ! reprit-il avec une expression d'inconcevable mépris pour une idée qui lui semblait de la démence. Moi ! le mari de Julie ! Ah çà ! mais tu ne me connais donc pas, Dominique, pas plus que si nous nous étions rencontrés depuis une heure ? D'abord je vais te dire pourquoi je n'épouserai jamais Julie, et puis je te dirai pourquoi je n'épouserai jamais qui que ce soit. Julie est ma cousine, ce qui est peut-être une raison pour qu'elle me plaise un peu moins qu'une autre. Je l'ai toujours connue. Nous avons pour ainsi dire dormi dans le même berceau. Il y a des gens que cette quasi-fraternité pourrait séduire. Moi, cette seule pensée

d'épouser quelqu'un que j'ai vue poupée me paraît
comique comme l'idée d'accoupler deux joujoux.
Elle est jolie, elle n'est pas sotte, elle a toutes les
qualités que tu voudras. M'adorant quand même,
et Dieu sait si je me rends adorable! elle sera d'une
constance à toute épreuve; je serai son culte, elle
sera la meilleure des femmes. Une fois satisfaite,
elle en sera la plus douce; heureuse, elle en deviendra
la plus charmante... Je n'aime pas Julie! je ne
l'aime pas, je ne la veux pas. Si cela continue, je
la haïrai, dit-il en s'exaspérant de nouveau. Je la
rendrais malheureuse d'ailleurs, horriblement malheureuse; le beau profit! Le lendemain de mes noces,
elle serait jalouse, elle aurait tort. Six mois après,
elle aurait raison. Je la planterais là, je serais impitoyable; je me connais, et j'en suis sûr. Si cela dure,
je m'en irai; je fuirai plutôt au bout du monde.
Ah! l'on veut s'emparer de moi! On me surveille,
on m'épie, on découvre que j'ai des maîtresses, et
ma future femme est mon espion!

— Tu déraisonnes, Olivier, lui dis-je en l'interrompant brusquement. Personne n'épie tes démarches. Personne ne conspire avec la pauvre Julie
pour s'emparer de ta volonté et la lui amener pieds
et poings liés. Tu veux parler de moi, n'est-ce pas?
Eh bien! je n'ai formé qu'un vœu, c'est que Julie
et toi vous vous entendissiez un jour; j'y voyais
pour elle un bonheur certain, et pour toi des chances
que je ne vois nulle part ailleurs.

— Un bonheur certain pour Julie, pour moi des
chances uniques! à merveille! Si cela pouvait être,
tes conclusions seraient mon salut. Eh bien! je te
déclare encore une fois que tu te fais l'instrument

du malheur de Julie, et que, pour lui épargner un
mécompte, tu me rendrais un lâche criminel, et tu
la tuerais. Je ne l'aime pas, est-ce assez clair ? Tu
sais ce qu'on entend par aimer ou ne pas aimer ;
tu sais bien que les deux contraires ont la même
énergie, la même impuissance à se gouverner. Essaye
donc d'oublier Madeleine ; moi, j'essayerai d'adorer
Julie ; nous verrons lequel de nous deux y réussira
le plus tôt. Retourne-moi le cœur sens dessus dessous, aie la curiosité d'y fouiller, ouvre-moi les
veines, et si tu y trouves la moindre pulsation qui
ressemble à de la sympathie, le moindre rudiment
dont on puisse dire un jour : Ceci sera de l'amour !
conduis-moi droit à ta Julie, et je l'épouse, sinon ne
me parle plus de cette enfant qui m'est insupportable et... »

Il s'arrêta ; non pas qu'il fût à bout d'arguments,
car il les choisissait au hasard dans un arsenal
inépuisable, mais comme s'il eût été calmé subitement par un retour instantané sur lui-même. Rien
n'égalait chez Olivier la peur de se montrer ridicule, le soin de ne dire ni trop ni trop peu, le sens
rigoureux des mesures. Il s'aperçut, en s'écoutant,
que depuis un quart d'heure il divaguait.

« Ma parole d'honneur, s'écria-t-il, tu me rends
imbécile, tu me fais perdre la tête. Tu es là devant
moi avec le sang-froid d'un confident de théâtre,
et j'ai l'air de te donner le spectacle d'une farce
tragique. »

Puis il alla s'asseoir dans un fauteuil ; il y prit
la pose naturelle d'un homme qui s'apprête non
plus à pérorer, mais à discourir sur des idées légères,
et changeant de ton aussi vite et aussi complètement

qu'il avait changé d'allures, les yeux un peu cli-
gnotants, le sourire aux lèvres, il continua :

« Il est possible qu'un jour je me marie. Je ne le
crois pas, mais, pour parler sagement, je te dirai,
si tu veux, que l'avenir permet de tout admettre;
on a vu des conversions plus étonnantes. Je cours
après quelque chose que je ne trouve pas. Si jamais
ce quelque chose se montrait à moi dans les formes
qui me séduisent, orné d'un nom qui forme une
alliance agréable avec le mien, quelle que soit
d'ailleurs la fortune, il pourrait arriver que je fisse
une folie, car dans tous les cas c'en serait une; mais
celle-ci du moins serait de mon choix, de mon goût
et ne m'aurait été inspirée que par ma fantaisie.
Pour le moment, j'entends vivre à ma guise. Toute
la question est là : trouver ce qui convient à sa
nature et ne copier le bonheur de personne. Si nous
nous proposions mutuellement de changer de rôle,
tu ne voudrais jamais de mon personnage, et je
serais encore plus embarrassé du tien. Quoi que tu
en dises, tu aimes les romans, les imbroglios, les
situations scabreuses; tu as juste assez de force pour
friser les difficultés sans avaries, assez de faiblesse
pour en savourer délicatement les transes. Tu te
donnes à toi-même toutes les émotions extrêmes,
depuis la peur d'être un malhonnête homme jusqu'au
plaisir orgueilleux de te sentir quasiment un héros.
Ta vie est tracée, je la vois d'ici; tu iras jusqu'au
bout, tu mèneras ton aventure aussi loin qu'on peut
aller sans commettre une scélératesse, tu caresseras
cette idée délicieuse de te tenir à deux doigts d'une
faute et de l'éviter. Veux-tu que je te dise tout ?
Madeleine un jour tombera dans tes bras en te

demandant grâce; tu auras la joie sans pareille de voir une sainte créature s'évanouir de lassitude à tes pieds; tu l'épargneras, j'en suis sûr, et tu t'en iras, la mort dans l'âme, pleurer sa perte pendant des années.

— Olivier, lui dis-je, Olivier, tais-toi par respect pour Madeleine, si ce n'est par pitié pour moi.

— J'ai fini, me dit-il sans aucune émotion; ce que je te dis n'est point un reproche, ni une menace, ni une prophétie, car il dépend de toi de me donner tort. Je veux seulement te montrer en quoi nous différons et te convaincre que la raison n'est d'aucun côté. J'aime à voir très-clair dans ma vie : j'ai toujours su, dans des circonstances pareilles, et ce qu'on risquait et ce que je risquais moi-même. De part et d'autre heureusement, on ne risquait rien de très-précieux. J'aime les choses qui se décident promptement et se dénouent de même. Le bonheur, le vrai bonheur, est un mot de légende. Le paradis de ce monde s'est refermé sur les pas de nos premiers parents; voilà quarante-cinq mille ans qu'on se contente ici-bas de demi-perfections, de demi-bonheurs et de demi-moyens. Je suis dans la vérité des appétits et des joies de mes semblables. Je suis modeste, profondément humilié de n'être qu'un homme, mais je m'y résigne. Sais-tu quel est mon plus grand souci ? c'est de tuer l'ennui. Celui qui rendrait ce service à l'humanité serait le vrai destructeur des monstres. Le vulgaire et l'ennuyeux ! toute la mythologie des païens grossiers n'a rien imaginé de plus subtil et de plus effrayant. Ils se ressemblent beaucoup, en ce que l'un et l'autre ils sont laids, plats et pâles, quoique multiformes, et qu'ils donnent de la vie des idées à vous en dégoûter dès le premier jour où l'on y met le pied. De plus, ils sont inséparables, et c'est un couple hideux que tout le monde ne voit pas. Malheur à ceux qui les aperçoivent trop jeunes ! Moi, je les ai toujours connus. Ils étaient au collège, et c'est là peut-être que tu as pu les apercevoir ; ils n'ont pas cessé de l'habiter un seul jour pendant les trois années de platitudes et de mesquineries que j'y ai passées. Permets-moi de te le dire, ils venaient quelquefois chez ta tante et aussi chez mes deux cousines. J'avais presque oublié qu'ils habitaient Paris, et je continue de les fuir, en me jetant dans le bruit, dans l'imprévu, dans le luxe, avec l'idée que ces deux petits spectres bourgeois, parcimonieux, craintifs et routiniers ne m'y suivront pas. Ils ont fait plus de victimes à eux deux que beaucoup de passions soi-disant mortelles ; je connais leurs habitudes homicides et j'en ai peur... »

Il continua de la sorte sur un ton demi-sérieux qui contenait l'aveu d'incurables erreurs, et me faisait vaguement redouter les découragements dont vous connaissez l'issue. Je le laissai dire, et quand il eut fini :

« Iras-tu prendre des nouvelles de Julie ? lui demandai-je.

— Oui, dans l'antichambre.

— La reverras-tu ?

— Le moins possible.

— As-tu prévu ce qui t'attend ?

— J'ai prévu qu'elle se mariera avec un autre, ou qu'elle restera fille.

— Adieu, lui dis-je, bien qu'il n'eût pas quitté ma chambre.

— Adieu », me dit-il.

Et nous nous séparâmes sur ce dernier mot, qui n'atteignit pas le fond de notre amitié, mais qui brisa toute confiance, sans autre éclat et sèchement comme on brise un verre.

XV

Il y avait plus d'un grand mois que je n'avais vu Madeleine cinq minutes de suite sans témoin [37] et plus longtemps encore que je n'avais obtenu d'elle quoi que ce fût qui ressemblât à ses aménités d'autrefois. Un jour je la rencontrai, par hasard, dans une rue déserte du quartier que j'habitais. Elle était seule et à pied. Tout le sang de son cœur reflua vers ses joues quand elle m'aperçut, et j'eus besoin, je crois, de toute ma résolution pour ne pas courir à sa rencontre et la serrer dans mes bras en pleine rue.

« D'où venez-vous et où allez-vous ? »

Ce fut la première question que je lui adressai, en la voyant ainsi égarée et comme aventurée dans une partie de Paris qui devait être le bout du monde pour Mme de Nièvres.

« Je vais à deux pas d'ici, me répondit-elle avec un peu d'embarras, faire une visite. »

Elle me nomma la personne chez qui elle allait.

« Que je sois reçue ou non, reprit-elle aussitôt, séparons-nous. Il est bon qu'on ne nous voie pas ensemble. Il n'y a plus rien d'innocent dans vos démarches. Vous avez fait de telles folies que désormais c'est à moi d'être prudente.

— Je vous quitte, lui dis-je en la saluant.

— A propos, reprit Madeleine au moment où je m'éloignais, je vais ce soir au théâtre avec mon père et ma sœur. Il y a une place pour vous, si vous la voulez.

— Permettez..., lui dis-je en ayant l'air de réfléchir à des engagements que je n'avais pas, ce soir je ne suis pas libre.

— J'avais pensé..., ajouta-t-elle avec la douceur d'un enfant pris en faute, j'espérais...

— Cela me serait tout à fait impossible », répondis-je avec un sang-froid cruel.

On eût dit que je prenais plaisir à lui rendre caprice pour caprice et à la torturer.

Le soir, à huit heures et demie, j'entrai dans sa loge. Je poussai la porte aussi doucement que possible. Madeleine eut le sentiment que c'était moi, car elle affecta de ne pas même tourner la tête. Elle resta tout entière occupée de la musique, les yeux attachés sur la scène. Ce fut seulement au premier repos des chanteurs que je pus m'approcher d'elle et la forcer à recevoir mon salut.

« Je viens vous demander une place dans votre loge, lui dis-je en la mettant de moitié dans une fourberie, à moins que cette place ne soit réservée à M. de Nièvres.

— M. de Nièvres ne viendra pas », répondit Madeleine en se retournant du côté de la salle.

On donnait un immortel chef-d'œuvre. La salle était splendide. Des chanteurs incomparables, disparus depuis, y causaient des transports de fête. L'auditoire éclatait en applaudissements frénétiques. Cette merveilleuse électricité de la musique pas-

sionnée remuait, comme avec la main, cette masse
d'esprits lourds ou de cœurs distraits, et communiquait au plus insensible des spectateurs des airs
d'inspiré. Un ténor, dont le nom seul était un prestige, vint tout près de la rampe, à deux pas de nous.
Il s'y tint un moment dans l'attitude recueillie et
un peu gauche d'un rossignol qui va chanter. Il
était laid, gras, mal costumé et sans charme, autre
ressemblance avec le virtuose ailé. Dès les premières notes, il y eut dans la salle un léger frémis-
sement, comme dans un bois dont les feuilles
palpitent. Jamais il ne me parut si extraordinaire
que ce soir-là, soirée unique et la dernière où j'aie
voulu l'entendre. Tout était exquis, jusqu'à cette
langue fluide, voltigeante et rythmée, qui donne
à l'idée des chocs sonores, et fait du vocabulaire
italien un livre de musique. Il chantait l'hymne
éternellement tendre et pitoyable des amants qui
espèrent. Une à une et dans des mélodies inouïes,
il déroulait toutes les tristesses, toutes les ardeurs
et toutes les espérances des cœurs bien épris. On
eût dit qu'il s'adressait à Madeleine tant sa voix
nous arrivait directement, pénétrante, émue, discrète, comme si ce chanteur sans entrailles eût été
le confident de mes propres douleurs. J'aurais
cherché cent ans dans le fond de mon cœur torturé
et brûlant, avant d'y trouver un seul mot qui valût
un soupir de ce mélodieux instrument qui disait
tant de choses et n'en éprouvait aucune.

Madeleine écoutait, haletante. J'étais assis derrière elle, aussi près que le permettait le dossier de
son fauteuil, où je m'appuyais. Elle s'y renversait
aussi de temps en temps, au point que ses cheveux

me balayaient les lèvres. Elle ne pouvait pas faire
un geste de mon côté que je ne sentisse aussitôt
son souffle inégal, et je le respirais comme une ardeur
de plus. Elle avait les deux bras croisés sur sa poitrine, peut-être pour en comprimer les battements.
Tout son corps, penché en arrière, obéissait à des
palpitations irrésistibles, et chaque respiration de sa
poitrine, en se communiquant du siège à mon bras,
m'imprimait à moi-même un mouvement convulsif
tout pareil à celui de ma propre vie. C'était à croire
que le même souffle nous animait à la fois d'une
existence indivisible, et que le sang de Madeleine et
non plus le mien circulait dans mon cœur entièrement
dépossédé par l'amour.

A ce moment, il se fit un peu de bruit dans une
loge située de l'autre côté de la salle, où deux femmes
entraient seules, en grand étalage, et fort tard pour
produire plus d'effet. A peine assises, elles commen-
cèrent à lorgner, et leurs yeux s'arrêtèrent sur la
loge de Madeleine. Madeleine involontairement fit
comme elles. Il y eut pendant une seconde un échange
d'examen qui me glaça d'effroi, car au premier coup
d'œil j'avais reconnu un visage témoin d'anciennes
faiblesses et retrouvé des souvenirs détestés. En
voyant ce regard persistant fixé sur nous, Madeleine eut-elle un soupçon ? Je le crois, car elle
se tourna tout à coup comme pour me surprendre.
Je soutins le feu de ses yeux, le plus immédiat et
le plus clairvoyant que j'aie jamais affronté. Il se
serait agi de sa vie que je n'aurais pas été plus
déterminé dans un acte de témérité qui me demanda
le plus grand effort. Le reste de la soirée se passa
mal. Madeleine parut moins occupée de la musique

et distraite par une idée gênante, comme si ce vis-à-vis malencontreux l'importunait. Une ou deux fois encore, elle essaya d'éclairer ses doutes ; puis elle devint étrangère à tout ce qui se passait autour d'elle, et je compris qu'elle se retirait au fond de sa pensée.

Je la reconduisis jusqu'à sa voiture. Arrivé là, le marchepied baissé, Madeleine enfouie dans ses fourrures :

« Me permettez-vous de vous accompagner ? » lui dis-je.

Il n'y avait aucune réponse à me faire, surtout en présence de M. d'Orsel et de Julie. La demande était d'ailleurs des plus simples. Je montai avant même qu'on me l'eût permis.

Il n'y eut pas un mot de prononcé pendant ce trajet sur un pavé bruyant, au pas rapide et retentissant des chevaux. M. d'Orsel fredonnait en souvenir de la pièce. Julie m'examinait à la dérobée, puis se collait le visage aux vitres et regardait les rues. Madeleine à demi renversée, comme elle l'eût été sur un lit de repos, froissait par un geste nerveux un énorme bouquet de violettes qui toute la soirée m'avait enivré. Je voyais l'éclat bizarre et fiévreux de ses yeux fixes. J'étais dans un grand trouble, et je sentais distinctement qu'il y avait d'elle à moi je ne sais quoi de très-grave, comme un débat décisif.

Elle descendit la dernière, et je tenais encore sa main que déjà M. d'Orsel et Julie montaient devant nous le perron de l'hôtel. Elle fit un pas pour les suivre, et laissa tomber son bouquet. Je feignis de ne pas m'en apercevoir.

« Mon bouquet, je vous prie ? » me dit-elle, comme
si elle eût parlé à son valet de pied.

Je le lui tendis sans dire un seul mot; j'aurais
sangloté. Elle le prit, le porta rapidement à ses
lèvres, y mordit avec fureur, comme si elle eût
voulu le mettre en pièces.

« Vous me martyrisez et vous me déchirez », me
dit-elle tout bas avec un suprême accent de désespoir; puis, par un mouvement que je ne puis vous
rendre, elle arracha son bouquet par moitié : elle
en prit une, et me jeta pour ainsi dire l'autre au
visage.

Je me mis à courir comme un fou, en pleine nuit,
emportant, comme un lambeau du cœur de Madeleine, ce paquet de fleurs où elle avait mis ses lèvres
et imprimé des morsures que je savourais comme
des baisers. Je m'en allais au hasard, ivre de joie, me
répétant un mot qui m'éblouissait comme un soleil
levant. Je ne m'inquiétais ni de l'heure ni des rues.
Après m'être égaré dix fois dans le quartier de Paris
que je connaissais le mieux, j'arrivai sur les quais.
Je n'y rencontrai personne. Paris tout entier dormait, comme il dort entre trois et six heures du
matin. La lune éclairait les quais déserts et fuyants
à perte de vue. Il ne faisait presque plus froid :
c'était en mars. La rivière avait des frissons de
lumière qui la blanchissaient, et coulait sans faire
le moindre bruit entre ses hautes bordures d'arbres
et de palais. Au loin s'enfonçait la ville populeuse,
avec ses tours, ses dômes, ses flèches, où les étoiles
avaient l'air d'être allumées comme des fanaux,
et le Paris du centre sommeillait, confusément
étendu sous des brumes. Ce silence et cette soli-

tude portèrent au comble le sentiment subit qui
me venait de la vie, de sa grandeur, de sa plénitude
et de son intensité. Je me rappelais ce que j'avais souffert, soit dans les foules, soit chez moi, toujours
dans l'isolement, en me sentant perdu, médiocre,
et continuellement abandonné. Je compris que
cette longue infirmité ne dépendait pas de moi,
que toute petitesse était le fait d'un défaut de bonheur.
« Un homme est tout ou n'est rien, me disais-je.
Le plus petit devient le plus grand; le plus misérable peut faire envie! » Et il me semblait que mon
bonheur et mon orgueil remplissaient Paris.

Je fis des rêves insensés, des projets monstrueux,
et qui seraient sans excuse s'ils n'avaient pas été
conçus dans la fièvre. Je voulais voir Madeleine
le lendemain, la voir à tout prix. « Il n'y aura plus,
me disais-je, ni subterfuges, ni déguisements, ni
habileté, ni barrières qui prévaudront contre ce que
je veux et contre la certitude que je tiens. » J'avais
toujours à la main ces fleurs brisées. Je les regardais;
je les couvrais de baisers; je les interrogeais comme
si elles avaient gardé le secret de Madeleine; je
leur demandais ce que Madeleine avait dit en les
déchirant, si c'étaient des caresses ou des insultes...
Je ne sais quelle sensation effrénée me répondait
que Madeleine était perdue et que je n'avais plus
qu'à oser!

Dès le lendemain, je courus chez Mme de Nièvres.
Elle était sortie. J'y revins les jours suivants :
Madeleine était introuvable. J'en conclus qu'elle
ne répondait plus d'elle-même, et qu'elle recourait
aux seuls moyens de défense qui fussent à toute
épreuve.

Trois semaines à peu près se passèrent ainsi, dans une lutte contre des portes fermées et dans des exaspérations qui faisaient de moi une sorte de brute égarée, entêtée contre des barrières. Un soir on me remit un billet. Je le tins un moment fermé, suspendu devant moi, comme s'il eût contenu ma destinée.

« Si vous avez la moindre amitié pour moi, me disait Madeleine, ne vous obstinez pas à me poursuivre; vous me faites mal inutilement. Tant que j'ai gardé l'espoir de vous sauver d'une erreur et d'une folie, je n'ai rien épargné qui pût réussir. Aujourd'hui je me dois à d'autres soins que j'ai trop oubliés. Faites comme si vous n'habitiez plus Paris, au moins pour quelque temps. Il dépend de vous que je vous dise adieu ou au revoir. »

Ce congé banal, d'une sécheresse parfaite, me produisit l'effet d'un écroulement. Puis à l'abattement succéda la colère. Ce fut peut-être la colère qui me sauva. Elle me donna l'énergie de réagir et de prendre un parti extrême. Ce jour-là même, j'écrivis un ou deux billets pour dire que je quittais Paris. Je changeai d'appartement, j'allai me cacher dans un quartier perdu, je fis appel à tout ce qui me restait de raison, d'intelligence et d'amour du bien, et je recommençai une nouvelle épreuve dont j'ignorais la durée mais qui, dans tous les cas, devait être la dernière.

XVI

Ce changement s'opéra du jour au lendemain et fut radical. Ce n'était plus le moment d'hésiter ni de se morfondre. Maintenant j'avais horreur des demi-mesures. J'aimais la lutte. L'énergie surabondait en moi. Rebutée d'un côté, ma volonté avait besoin de se retourner dans un autre sens, de chercher un nouvel obstacle à vaincre, tout cela pour ainsi dire en quelques heures, et de s'y ruer. Le temps me pressait. Toute question d'âge à part, je me sentais sinon vieilli, du moins très-mûr. Je n'étais plus un adolescent que le moindre chagrin cloue tout endolori sur les pentes molles de la jeunesse. J'étais un homme orgueilleux, impatient, blessé, traversé de désirs et de chagrins, et qui tombait tout à coup au beau milieu de la vie, — comme un soldat de fortune un jour d'action décisive à midi, — le cœur plein de griefs, l'âme amère d'impuissance, et l'esprit en pleine explosion de projets.

Je ne mis plus les pieds dans le monde, au moins dans cette partie de la société où je risquais de me faire apercevoir et de rencontrer des souvenirs qui m'auraient tenté. Je ne m'enfermai pas trop à l'étroit, j'y serais mort d'étouffement; mais je me

circonscrivis dans un cercle d'esprits actifs, stu-
dieux, spéciaux, absorbés, ennemis des chimères,
qui faisaient de la science, de l'érudition ou de l'art,
comme ce Florentin ingénu qui créait la perspective, et la nuit réveillait sa femme pour lui dire :
« Quelle douce chose que la perspective ! » Je me
défiais des écarts de l'imagination : j'y mis bon
ordre. Quant à mes nerfs, que j'avais si voluptueusement ménagés jusqu'à présent, je les châtiai, et
de la plus rude manière, par le mépris de tout ce
qui est maladif et le parti pris de n'estimer que ce
qui est robuste et sain. Le clair de lune au bord
de la Seine, les soleils doux, les rêveries aux
fenêtres, les promenades sous les arbres, le malaise
ou le bien-être produit par un rayon de soleil ou
par une goutte de pluie, les aigreurs qui me
venaient d'un air trop vif et les bonnes pensées
qui m'étaient inspirées par un écart du vent, toutes
ces mollesses du cœur, cet asservissement de l'esprit,
cette petite raison, ces sensations exorbitantes, —
j'en fis l'objet d'un examen qui décréta tout cela
indigne d'un homme, et ces multiples fils perni-
cieux qui m'enveloppaient d'un tissu d'influences
et d'infirmités, je les brisai. Je menais une vie
très-active. Je lisais énormément. Je ne me dépen-
sais pas, j'amassais. Le sentiment âpre d'un sacrifice se combinait avec l'attrait d'un devoir à remplir envers moi-même. J'y puisais je ne sais quelle
satisfaction sombre qui n'était pas de la joie, encore
moins de la plénitude, mais qui ressemblait à ce que
doit être le plaisir hautain d'un vœu monacal bien
rempli. Je ne jugeais pas qu'il y eût rien de puéril
dans une réforme qui avait une cause si grave, et

qui pouvait avoir un résultat très-sérieux. Je fis
de mes lectures ce que j'avais fait de mille autres
choses; les considérant comme un aliment d'esprit
de toute importance, je les expurgeai. Je ne me
sentais plus aucun besoin d'être éclairé sur les
choses du cœur. Me reconnaître dans des livres
émouvants, ce n'était pas la peine au moment
même où je me fuyais. Je ne pouvais que m'y
retrouver meilleur ou pire : meilleur, c'était une
leçon superflue, et pire, c'était un exemple à ne
point chercher. Je me composais pour ainsi dire
une sorte de recueil salutaire parmi ce que l'esprit
humain a laissé de plus fortifiant, de plus pur au
point de vue moral, de plus exemplaire en fait de
raison. Enfin j'avais promis à Madeleine d'essayer
mes forces, et ce serment, je voulais le tenir, ne
fût-ce que pour lui prouver ce qu'il y avait en moi
de puissance sans emploi, et pour qu'elle pût bien
mesurer la durée et l'énergie d'une ambition qui
n'était au fond que de l'amour converti.

Au bout de quelques mois de ce régime inflexible,
j'arrivai à une sorte de santé artificielle et de soli-
dité d'esprit qui me parut propre à beaucoup entreprendre. Je réglai d'abord mes comptes avec le
passé. J'avais eu, vous le savez, la manie des vers.
Soit complaisance involontaire pour des jours
aimables et regrettés, soit avarice, je ne voulus pas
que cette partie vivante de ma jeunesse fût entièrement détruite. Je m'imposai la tâche de fouiller ce
vieux répertoire de choses enfantines et de sensations à peine éveillées. Ce fut comme une sorte de
confession générale, indulgente, mais ferme, sans
aucun danger pour une conscience qui se juge. De

ces innombrables péchés d'un autre âge, je composai deux volumes [38]. J'y mis un titre qui en déter-
minait le caractère un peu trop printanier. J'y
joignis une préface ingénieuse qui devait du moins
les mettre à l'abri du ridicule, et je les publiai sans
signature. Ils parurent et disparurent. Je n'en
espérais pas plus. Il y a peut-être deux ou trois
jeunes gens de mes contemporains qui les ont lus.
Je ne fis rien pour les sauver d'un oubli total, bien
convaincu que toute chose est négligée qui mérite
de l'être, et qu'il n'y a pas un rayon de vrai soleil
qui soit perdu dans tout l'univers.

Ce balayage de conscience accompli, je m'occupai
de soins moins frivoles. On faisait beaucoup de
politique alors partout [39], et particulièrement dans
le monde observateur et un peu chagrin où je
vivais. Il y avait dans l'air de cette époque une foule
d'idées à l'état nébuleux, de problèmes à l'état
d'espérances, de générosités en mouvement qui
devaient se condenser plus tard et former ce qu'on
appelle aujourd'hui le ciel orageux de la politique
moderne. Mon imagination, à demi matée, pas du
tout éteinte, trouvait là de quoi se laisser séduire.
La situation d'homme d'État était, à l'époque dont
je vous parle, le couronnement nécessaire, en
quelque sorte l'avènement au titre d'homme utile,
pour tout homme de génie, de talent, ou seulement
d'esprit. Je m'épris de cette idée de devenir utile
après avoir été si longtemps nuisible. Et quant à
l'ambition d'être illustre, elle me vint aussi par
moments, mais Dieu sait pour qui ! — Je fis d'abord
une sorte de stage dans l'antichambre même des
affaires publiques, je veux dire au milieu d'un

petit parlement composé de jeunes volontés ambitieuses [40], de très-jeunes dévouements tout prêts à s'offrir, où se reproduisait en diminutif une partie des débats qui agitaient alors l'Europe. J'y eus des succès, je puis le dire sans orgueil aujourd'hui que notre parlement lui-même est oublié. Il me sembla que ma route était toute tracée. J'y trouvais à déployer l'activité dévorante qui me consumait. Je ne sais quel insurmontable espoir me restait de retrouver Madeleine. Ne m'avait-elle pas dit : « Adieu ou au revoir ? » J'entendais qu'elle me revît meilleur, transformé, avec un lustre de plus pour ennoblir ma passion. Tout se mêlait ainsi dans les stimulants qui m'aiguillonnaient. Le souvenir acharné de Madeleine bourdonnait au fond de mes soi-disant ambitions, et il y avait des moments où je ne savais plus distinguer, dans mes rêves anticipés de gouvernement, ce qui venait du philanthrope ou de l'amoureux.

Quoi qu'il en soit, je me résumai d'abord dans un livre qui parut sous un nom fictif. Quelques mois après, j'en lançai un second. Ils eurent l'un et l'autre beaucoup plus de retentissement que je ne le supposais. En très-peu de temps, d'absolument obscur je faillis devenir célèbre. Je savourai délicatement ce plaisir vaniteux, furtif et tout particulier, de m'entendre louer dans la personne de mon pseudonyme. Le jour où le succès fut incontestable, je portai mes deux volumes à Augustin. Il m'embrassa de tout son cœur, me déclara que j'avais un grand talent, s'étonna qu'il se fût révélé si vite et du premier coup, et me prédit comme infaillibles des destinées à me faire tourner la tête.

Je voulus que Madeleine eût l'avant-goût de ma
célébrité, et j'adressai mes livres à M. de Nièvres.
Je le priais de ne pas me trahir; je lui donnais de
ma retraite une explication plausible; elle devenait
à peu près excusable depuis qu'il était avéré qu'elle
avait un but. La réponse de M. de Nièvres
ne contenait guère que des remercîments et des
éloges calqués sur des bruits publics. Madeleine
n'ajoutait pas un mot aux remercîments de son
mari.

Le léger trouble d'esprit qui suivit ces heureux
débuts de ma vie littéraire se dissipa très-vite. A
l'effervescence excitée par une production prompte,
entraînante, presque irréfléchie, succéda un grand
calme, je veux dire un moment de sang-froid et
d'examen singulièrement lucide. Il y avait en moi
un ancien moi-même dont je ne vous parle plus
depuis longtemps, qui se taisait, mais qui survivait.
Il profita de ce moment de répit pour reparaître et
me tenir un langage sévère. Je m'en étais complètement affranchi dans mes entraînements de cœur.
Il reprit le dessus dès qu'il s'agit de choses plus dis-
cutables, et se mit à délibérer froidement les intérêts plus positifs de mon esprit. En d'autres termes,
j'examinai posément ce qu'il y avait de légitime au
fond d'un pareil succès, ce qu'il fallait en conclure,
s'il y avait là de quoi m'encourager. Je fis le bilan
très-clair de mon savoir, c'est-à-dire des ressources
acquises, et de mes dons, c'est-à-dire de mes forces
vives; je comparai ce qui était factice et ce qui était
natif, je pesai ce qui appartenait à tout le monde et
le peu que j'avais en propre. Le résultat de cette
critique impartiale, faite aussi méthodiquement

qu'une liquidation d'affaires, fut que j'étais un homme distingué et médiocre.

J'avais eu d'autres déceptions plus cruelles; celle-ci ne me causa pas la plus petite amertume. D'ailleurs c'était à peine une déception.

Beaucoup de gens auraient jugé cette situation plus que satisfaisante. Je la considérai tout différemment. Ce petit monstre moderne qu'Olivier nommait le vulgaire, qui lui faisait une si grande horreur, et qui le conduisit vous savez où, je le connaissais, tout comme lui, sous un autre nom. Il habitait aussi bien la région des idées que le monde inférieur des faits. Il avait été le génie malfaisant de tous les temps, il était la plaie du nôtre. Il y avait autour de moi des perversions d'idées dont je ne fus pas dupe. Je ne regimbai point contre des adulations qui ne pouvaient plus en aucun cas me faire changer d'avis; je les accueillis comme la naïve expression du jugement public, à une époque où l'abondance du médiocre avait rendu le goût indulgent et émoussé le sens acéré des choses supérieures. Je trouvais l'opinion parfaitement équitable à mon égard, seulement je fis à la fois son procès et le mien.

Je me souviens qu'un jour j'essayai une épreuve plus convaincante encore que toutes les autres. Je pris dans ma bibliothèque un certain nombre de livres tous contemporains, et, procédant à peu près comme la postérité procédera certainement avant la fin du siècle, je demandai compte à chacun de ses titres à la durée, et surtout du droit qu'il avait de se dire utile. Je m'aperçus que bien peu remplissaient la première condition qui fait vivre une

œuvre, bien peu étaient nécessaires. Beaucoup
avaient fait l'amusement passager de leurs contemporains, sans autre résultat que de plaire et
d'être oubliés. Quelques-uns avaient un faux air
de nécessité qui trompait, vus de près, mais que
l'avenir se chargera de définir. Un tout petit nombre,
et j'en fus effrayé, possédaient ce rare, absolu et
indubitable caractère auquel on reconnaît toute
création divine et humaine, de pouvoir être imitée,
mais non suppléée, et de manquer aux besoins du
monde, si on la suppose absente. Cette sorte de
jugement posthume, exercé par le plus indigne
sur tant d'esprits d'élite, me démontra que je ne serais
jamais du nombre des épargnés. Celui qui prenait
les ombres méritantes dans sa barque m'aurait
certainement laissé de l'autre côté du fleuve. Et j'y
restai.

Une fois encore j'entretins le public de mon nom,
du moins de mon personnage imaginaire; ce fut la
dernière. Alors je me demandai ce qui me restait
à faire, et je fus quelque temps à me résoudre. Il y
avait à cela une difficulté de premier ordre. Ma vie
détachée de bien des liens, comme vous voyez, et
désabusée de bien des erreurs, ne tenait plus qu'à
un fil, mais ce fil, horriblement tendu, plus résistant que jamais, me garrottait toujours, et je n'imaginais point que rien pût le briser.

Je n'entendais presque plus parler de Madeleine,
excepté par Olivier, que je voyais peu, ou par
Augustin, que Mme de Nièvres avait attiré chez
elle, surtout depuis l'époque où j'avais disparu. Je
savais vaguement quel était l'emploi de sa vie extérieure, je savais qu'elle avait voyagé, puis habité

Nièvres, puis repris ses habitudes à Paris deux ou trois fois, pour les quitter de nouveau, presque sans motif et comme sous l'empire d'un malaise qui se serait traduit par une perpétuelle instabilité d'humeur et par des besoins de déplacement. Quelquefois je l'avais aperçue, mais si furtivement et à travers un tel trouble, que chaque fois j'avais cru faire une sorte de rêve pénible. Il m'était resté de ces fugitives apparitions l'impression d'une image bizarre, d'un visage défait, comme si les noires couleurs de mon esprit eussent déteint sur cette rayonnante physionomie.

A cette époque à peu près, j'eus une grande émotion. Il y avait une exposition de peinture moderne. Quoique très-ignorant dans un art dont j'avais l'instinct sans nulle culture, et dont je parlais d'autant moins que je le respectais davantage, j'allais quelquefois poursuivre, à propos de peinture, des examens qui m'apprenaient à bien juger mon époque, et chercher des comparaisons qui ne me réjouissaient guère. Un jour, je vis un petit nombre de gens qui devaient être des connaisseurs arrêtés devant un tableau et discourant. C'était un portrait coupé à mi-corps, conçu dans un style ancien, avec un fond sombre, un costume indécis, sans nul accessoire; deux mains splendides, une chevelure à demi perdue, la tête présentée de face, ferme de contours, gravée sur la toile avec la précision d'un émail, et modelée je ne sais dans quelle manière sobre, large et pourtant voilée, qui donnait à la physionomie des incertitudes extraordinaires, et faisait palpiter une âme émue dans la vigoureuse incision de ce trait aussi résolu que celui d'une médaille.

Je restai anéanti devant cette effigie effrayante de
réalité et de tristesse. La signature était celle d'un
peintre illustre. Je recourus au livret : j'y trouvai
les initiales de Mme de Nièvres. Je n'avais pas
besoin de ce témoignage. Madeleine était là devant
moi qui me regardait, mais avec quels yeux ! dans
quelle attitude ! avec quelle pâleur et quelle mystérieuse expression d'attente et de déplaisir amer !

Je faillis jeter un cri, et je ne sais comment je par-
vins à me contenir assez pour ne pas donner aux
gens qui m'entouraient le spectacle d'une folie.
Je me mis au premier rang; j'écartai tous ces curieux
importuns qui n'avaient rien à faire entre ce portrait et moi. Pour avoir le droit de l'observer de
plus près et plus longtemps, j'imitai le geste, l'allure,
la façon de regarder, et jusqu'aux petites excla-
mations approbatives des amateurs exercés. J'eus
l'air d'être passionné pour l'œuvre du peintre, tandis qu'en réalité je n'appréciais et n'adorais passionnément que le modèle. Je revins le lendemain,
les jours suivants, je me glissais de bonne heure à
travers les galeries désertes, j'apercevais le portrait
de loin comme un brouillard; il ressuscitait à
chaque pas que je faisais en avant. J'arrivais : tout
artifice appréciable disparaissait; c'était Madeleine
de plus en plus triste, de plus en plus fixée dans je
ne sais quelle anxiété terrible et pleine de songes.
Je lui parlais, je lui disais toutes les choses déraison-
nables qui me torturaient le cœur depuis près de
deux années; je lui demandais grâce, et pour elle,
et pour moi. Je la suppliais de me recevoir, de me
laisser revenir à elle. Je lui racontais ma vie tout
entière avec le plus lamentable et le plus légitime

des orgueils. Il y avait des moments où le modelé fuyant des joues, l'étincelle des yeux, l'indéfinissable dessin de la bouche donnaient à cette muette effigie des mobilités qui me faisaient peur. On eût dit qu'elle m'écoutait, me comprenait, et que l'impitoyable et savant burin qui l'avait emprisonnée dans un trait si rigide l'empêchait seul de s'émouvoir et de me répondre.

Quelquefois l'idée me venait que Madeleine avait prévu ce qui arrivait : c'est que je la reconnaîtrais, et que je deviendrais fou de douleur et de joie dans ce fantastique entretien d'un homme vivant et d'une peinture. Et, suivant que j'y voyais des compassions ou des malices, cette idée m'exaspérait de colère, ou me faisait fondre en larmes de reconnaissance.

Ce que je vous dis là dura près de deux grands mois; après quoi, le lendemain d'un jour où je lui fis des adieux vraiment funèbres, les salles furent fermées et le portrait disparu me laissa plus seul que jamais.

A quelque temps de là, je reçus la visite d'Olivier. Il était sérieux, embarrassé et comme chargé d'un cas de conscience qui lui pesait. Rien qu'à le voir, je me sentis trembler.

« Je ne sais pas ce qui se passe à Nièvres, me dit-il; mais tout y va mal.

— Madeleine ?... lui dis-je avec épouvante.

— Julie est malade, me dit-il, assez malade pour qu'on s'inquiète. Madeleine elle-même n'est pas bien. Je voudrais y aller, mais la situation ne serait pas tenable. Mon oncle m'écrit des lettres fort désolées.

— Et Madeleine ?... lui dis-je encore, comme s'il y avait un autre malheur qu'il me cachât.

— Je te répète que Madeleine eſt dans un triſte état de santé. Au reſte, cet état n'a point empiré depuis quelque temps, mais il continue.

— Olivier, que tu ailles à Nièvres ou non, j'y serai demain. Personne ne m'a chassé de la maison de Madeleine, je m'en suis éloigné volontairement. J'avais dit à Madeleine de m'écrire le jour où elle aurait besoin de moi; elle a des motifs pour se taire, j'en ai pour courir à elle.

— Tu feras absolument ce que tu voudras. En pareil cas, j'agirais comme toi, sauf à m'en repentir, si le remède était pire que le mal.

— Adieu.

— Adieu. »

Lᴇ lendemain, j'étais à Nièvres. J'y arrivai dans
la soirée, un peu avant la nuit. C'était en novembre.
Je me fis descendre à quelque distance de la grille,
en plein bois. Je traversai la cour d'entrée sans
être aperçu. A l'extrémité des communs, à droite,
un feu brillait dans les cuisines. Deux fenêtres
déjà éclairées se détachaient en lumière sur la
façade du château. J'allai droit au vestibule, dont
la porte était seulement poussée ; quelqu'un le traversait au moment où j'y entrais. Il faisait très-
sombre. « Madame de Nièvres ? » dis-je en croyant
parler à une femme de chambre. La personne à
qui je m'adressais se retourna brusquement, vint
droit à moi et jeta un cri. C'était Madeleine.

Elle resta pétrifiée de surprise, et je lui pris la
main, sans trouver la force d'articuler une seule
parole. Le peu de jour qui venait du dehors lui
donnait la blancheur inanimée d'une statue ; ses
doigts, tout à fait inertes et glacés, se détachaient
insensiblement de mon étreinte, comme la main
d'une morte. Je la vis chanceler, mais au geste que
je fis pour la soutenir, elle se dégagea par un mouvement d'inconcevable terreur, ouvrit démesuré-
ment des yeux égarés, et me dit : « Dominique !... »

comme si elle se réveillait et me reconnaissait après
deux années d'un mauvais sommeil; puis elle fit
quelques pas vers l'escalier, m'entraînant avec elle
et n'ayant plus ni conscience ni idée. Nous mon-
tâmes ensemble côte à côte, nous tenant toujours
par la main. Arrivée dans l'antichambre du premier
étage, une lueur de présence d'esprit lui revint :

« Entrez ici, me dit-elle, je vais prévenir mon
père. »

Je l'entendis appeler son père et se diriger vers
la chambre de Julie.

Le premier mot de M. d'Orsel fut celui-ci :

« Mon cher fils, j'ai beaucoup de chagrin. »

Ce mot en disait plus que tous les reproches et
se planta dans mon cœur comme un coup d'épée.

« J'ai su que Julie était malade, lui dis-je sans
faire aucun effort pour déguiser le tremblement
de ma voix qui défaillait. J'ai su aussi que Mme de
Nièvres était souffrante, et je viens vous voir. Il
y a si longtemps...

— C'est vrai, reprit M. d'Orsel, il y a longtemps...
La vie sépare; chacun a ses devoirs et ses soucis...

Il sonna, fit allumer les lampes, m'examina
rapidement comme s'il eût voulu constater je ne
sais quel changement en moi, analogue aux alté-
rations profondes que ces deux années avaient
produites chez ses enfants.

« Vous avez vieilli, vous aussi, reprit-il avec une
sorte de bienveillance et d'intérêt tout à fait affectueux. Vous avez beaucoup travaillé, nous en
avons la preuve... »

Puis il me parla de Julie, des vives inquiétudes
qu'ils avaient eues, mais qui heureusement étaient

dissipées depuis quelques jours. Julie entrait en convalescence, ce n'était plus qu'un affaire de soins, de ménagements et de quelques jours de repos. Il passa encore une fois d'un sujet à un autre.

« Vous voilà un homme, continua-t-il, et déjà célèbre. Nous avons suivi tout cela avec le plus sincère intérêt. »

Il marchait de long en large, me parlant ainsi, sans suite et de la façon la plus décousue. Ses cheveux étaient entièrement blancs, sa grande taille un peu voûtée lui donnait un air singulièrement noble de vieillesse anticipée ou de lassitude.

Madeleine vint nous interrompre au bout de cinq minutes. Elle était habillée de couleurs sombres et ressemblait, avec la vie de plus, au portrait qui m'avait tant ému. Je me levai, j'allai à sa rencontre; je balbutiai deux ou trois phrases incohérentes qui n'avaient aucun sens; je ne savais plus, ni comment expliquer ma venue, ni comment combler tout à coup ce vide énorme de deux années qui mettait entre nous comme un abîme de secrets, de réticences et d'obscurités. Je me remis pourtant en la voyant beaucoup plus sûre d'elle-même, et je lui parlai aussi posément que possible de l'alerte qui m'avait été donnée par Olivier. Quand je prononçai ce nom, elle m'interrompit :

« Viendra-t-il ? me dit-elle.

— Je ne crois pas, répondis-je, du moins de quelques jours. »

Elle fit un geste de découragement absolu, et nous retombâmes tous les trois dans le plus pénible silence.

Je demandai où était M. de Nièvres, comme

s'il était possible d'admettre qu'Olivier ne m'eût
pas informé de son voyage, et je parus étonné de
le savoir absent.

« Oh! nous sommes dans un grand abandon,
reprit Madeleine. Tous malades ou à peu près.
Il y a dans l'air de mauvaises influences, la saison
est malsaine et n'est pas gaie », ajouta-t-elle en
jetant les yeux sur les hautes fenêtres à fermeture
ancienne, dont le jour aux trois quarts éteint
bleuissait encore imperceptiblement les vitres.

Elle se mit alors, sans doute pour échapper à
l'embarras d'une conversation impossible, à parler
des misères des gens qui l'entouraient, de l'hiver
qui s'annonçait par des maladies chez les uns,
chez les autres par des détresses, d'un enfant qui
se mourait dans le village, que Julie avait assisté,
soigné jusqu'au jour où, grièvement atteinte elle-
même, elle avait dû remettre à d'autres son rôle,
malheureusement impuissant contre la mort, de
sœur de charité. Madeleine semblait se complaire
dans ces récits pitoyables, et énumérer avec je ne
sais quelle sombre avidité toutes ces calamités
voisines qui formaient autour de sa vie un concours
de conjonctures attristantes. Puis elle fit comme
M. d'Orsel et me parla de moi tantôt avec réserve,
tantôt au contraire avec un abandon admirablement
calculé pour nous mettre tous à l'aise.

Mon intention était de lui faire une simple visite
et de regagner dans la soirée l'auberge du village
où j'avais retenu une chambre; mais Madeleine en
disposa autrement : je m'aperçus qu'elle avait
donné des ordres pour qu'on m'établît au second
étage du château, dans un petit appartement que

j'avais occupé déjà, lors de mon premier séjour à Nièvres.

Le soir même, avant de nous séparer, moi présent, elle écrivit à son mari.

« J'apprends à M. de Nièvres que vous êtes ici », me dit-elle.

Et je compris ce qu'une pareille précaution, prise en ma présence, contenait de scrupules et de résolutions loyales.

Je n'avais pas vu Julie. Elle était faible et agitée. La nouvelle de mon arrivée, malgré tous les ménagements possibles, lui avait causé une secousse très-vive. Quand il me fut permis le lendemain d'entrer dans sa chambre, je trouvai la malade étendue sur un long canapé, dans un ample peignoir qui dissimulait l'exiguïté de ses formes et lui donnait des airs de femme. Elle était très-changée, beaucoup plus que ne pouvaient s'en apercevoir ceux qui l'approchaient à toutes les minutes du jour. Un petit épagneul dormait à ses pieds, la tête appuyée sur le bout de ses pantoufles. Il y avait à portée de sa main, sur un guéridon garni d'arbustes et de plantes en fleur, des oiseaux en cage qu'elle élevait, et qui chantaient gaiement au milieu de ce jardinet d'hiver. Je regardai ce mince visage, miné par la fièvre, amaigri et bleu autour des tempes, ces yeux creusés, plus ouverts et plus noirs que jamais, où flambait dans l'obscurité des prunelles un feu sombre, mais inextinguible; et cette pauvre fille amoureuse et à demi morte sous le mépris d'Olivier me fit une peine horrible.

« Guérissez-la, sauvez-la, dis-je à Madeleine quand nous l'eûmes quittée; mais ne l'abusez plus ! »

Madeleine eut l'air de douter encore, comme s'il lui fût resté un faible espoir dont elle ne voulait pas à toute force se séparer.

« Ne pensez plus à Olivier, repris-je résolument, et ne l'accusez pas plus que de raison. »

Je lui fis connaître les motifs bons ou mauvais qui décidaient du sort de sa sœur. J'expliquai le caractère d'Olivier, sa répugnance absolue pour tout mariage. J'insistai sur ce sentiment peut-être déraisonnable, mais sans réplique, qu'il rendrait une femme malheureuse, et non pas une, mais toutes sans exception. J'atténuais ainsi ce que sa résistance pouvait avoir de blessant.

« Il en fait une question de probité », dis-je à Madeleine comme dernier argument.

Elle sourit tristement à ce mot de probité, qui s'accordait si mal avec l'irréparable malheur dont la responsabilité pesait à ses yeux sur Olivier.

« Il est le plus heureux de nous tous », dit-elle.

Et de grosses larmes coulèrent sur ses joues.

Dès le surlendemain, Julie put faire quelques pas dans sa chambre. L'indomptable vigueur de ce petit être, exercée secrètement par tant de dures épreuves, se réveilla, non pas lentement, mais en quelques heures. A peine en convalescence, on la vit se roidir contre le souvenir humiliant d'avoir été pour ainsi dire surprise en faiblesse, se prendre de lutte avec le mal physique, le seul qu'elle pût vaincre, et le dominer. Deux jours plus tard, elle eut la force de descendre seule au salon, repoussant tout appui, quoiqu'une sueur de défaillance perlât sur son front à peau mince, et que de petites pâmoisons la fissent tressaillir à chaque pas. Ce

jour-là même, elle voulut sortir en voiture. Nous
la conduisîmes dans les allées les plus douces du
bois. Il faisait beau. Elle en revint ranimée, rien
que pour avoir respiré la senteur des chênes, dans
de grands abatis chauffés par un soleil clair. Elle
rentra méconnaissable, presque avec des rougeurs,
tout émue d'un frisson fiévreux, mais de bon au-
gure, qui n'était que le retour actif du sang dans
ses veines appauvries. J'étais consterné de la voir
renaître ainsi pour si peu, d'un rayon de soleil
d'hiver et d'une odeur résineuse de bois coupé; et
je compris qu'elle s'acharnerait à vivre avec une
obstination qui lui promettait de longs jours misérables.

« Parle-t-elle quelquefois d'Olivier ? demandai-je
à Madeleine.

— Jamais.

— Elle pense à lui constamment ?

— Constamment.

— Et cela durera, vous le croyez ?

— Toujours », répondit Madeleine.

Aussitôt affranchie du trop réel souci qui depuis
trois semaines l'attachait au chevet de Julie,
Madeleine eut l'air de perdre tout à coup la raison.
Je ne sais quel étourdissement la prit qui la rendit
extraordinaire et positivement folle d'imprévoyance,
d'exaltation et de hardiesse. Je reconnus ce regard
foudroyant d'éclat qui m'avait appris le soir du
théâtre que nous étions en péril, et portant toutes
choses à outrance, morceau par morceau, elle me
jeta pour ainsi dire son cœur à la tête, comme elle
avait fait ce soir-là de son bouquet.

Nous passâmes ainsi trois jours en promenades,

en courses téméraires, soit au château, soit dans les
futaies, trois jours inouïs de bonheur, si le sentiment de je ne sais quelle enragée destruction de son
repos peut s'appeler du bonheur, sorte de lune
de miel effrontée et désespérée, sans exemple ni
pour les émotions ni pour les repentirs, et qui ne
ressemble à rien, sinon à ces heures de copieuses
et funèbres satisfactions pendant lesquelles on permet tout aux gens condamnés à mourir le lendemain.

Le troisième jour, elle exigea, malgré mes
refus, que je montasse un des chevaux de son mari.

« Vous m'accompagnerez, me dit-elle; j'ai besoin
d'aller vite et de me promener très-loin. »

Elle courut s'habiller, fit seller un cheval que
M. de Nièvres avait dressé pour elle, et, comme s'il
se fût agi de se faire audacieusement enlever devant
ses domestiques, en plein jour :

« Partons », me dit-elle.

A peine arrivée sous bois, elle prit le galop. Je
fis comme elle, et je la suivis. Elle hâta le pas dès
qu'elle me sentit sur ses talons, cravacha son cheval,
et sans motif le lança à fond de train. Je me mis à
son allure, et j'allais l'atteindre quand elle fit un
nouvel effort qui me laissa derrière. Cette poursuite
irritante, effrénée, me mit hors de moi. Elle montait
une bête légère et la maniait de façon à décupler sa
vitesse. A peine assise, tout le corps soulevé pour
diminuer encore le poids de sa frêle stature, sans un
cri, sans un geste, elle filait éperdument et comme
emportée par un oiseau. Je courais moi-même à
toute allure, immobile, les lèvres sèches, avec la
fixité machinale d'un jockey dans une course de
fond. Elle tenait le milieu d'un sentier étroit, un

peu encaissé, raviné par le bord, où deux chevaux
ne pouvaient passer de front, à moins que l'un des
deux ne se rangeât. La voyant obstinée à me barrer
le passage, je grimpai sous bois, et je l'accompagnai quelque temps ainsi, au risque de me briser
la tête cent fois pour une; puis, le moment venu de
lui couper la route, je franchis le talus, tombai
dans le chemin creux et y mis mon cheval en travers. Elle vint s'arrêter court à deux pas de moi,
et les deux bêtes, animées et tout écumantes, se
cabrèrent un moment, comme si elles avaient eu
le sentiment que leurs cavaliers voulaient combattre. Je crois vraiment que Madeleine et moi nous
nous regardâmes avec colère, tant cette joute extra-
vagante mêlait d'excitations et de défis à d'autres
sentiments intraduisibles. Elle se tint devant moi,
sa cravache à pommeau d'écaille entre les dents, les
joues livides, les yeux injectés et m'éclaboussant de
lueurs sanglantes; puis elle fit entendre un ou deux
éclats de rire convulsifs qui me glacèrent. Son
cheval repartit ventre à terre.

Pendant une minute au moins, comme Bernard
de Mauprat attaché aux pas d'Edmée [41], je la regardai fuir sous la haute colonnade des chênes, son
voile au vent, sa longue robe obscure soulevée avec
la surnaturelle agilité d'un petit démon noir. Quand
elle eut atteint l'extrémité du sentier et que je ne
la vis plus que comme un point dans les rousseurs
du bois, je repris ma course en poussant malgré moi
un cri de désespoir. Arrivé juste à l'endroit où elle
avait disparu, je la trouvai dans l'entre-croisement
de deux routes, arrêtée, haletante, et m'attendant
le sourire aux lèvres.

« Madeleine, lui dis-je en me ruant sur elle et lui prenant le bras, cessez ce jeu cruel; arrêtez-vous, ou je me fais tuer ! »

Elle me répondit seulement par un regard direct qui m'empourpra le visage, et reprit plus posément l'allée du château. Nous revînmes au pas, sans échanger une seule parole, nos chevaux marchant côte à côte, se frôlant des mâchoires et se couvrant mutuellement d'écume. Elle descendit à la grille, traversa la cour à pied tout en fouettant le sable avec sa cravache, monta droit à sa chambre et ne reparut que le soir.

A huit heures, on nous remit le courrier. Il y avait une lettre de M. de Nièvres. Madeleine, en la décachetant, changea de couleur.

« M. de Nièvres va bien, dit-elle; il ne reviendra pas avant le mois prochain. »

Puis elle se plaignit d'une grande fatigue et se retira.

Il en fut de cette nuit comme des précédentes : je la passai debout et sans sommeil. Le billet de M. de Nièvres, tout insignifiant qu'il fût, intervenait entre nous comme une revendication de mille choses oubliées. Il eût écrit ce seul mot : « Je suis vivant », que l'avertissement n'eût pas été plus clair. Je résolus de quitter Nièvres le lendemain, absolument comme j'avais résolu d'y venir, sans autre réflexion ni calcul. A minuit, il y avait encore de la lumière dans la chambre de Madeleine. Un massif d'érables plantés près du château et directement en face de ses fenêtres recevait un reflet rougissant qui toutes les nuits m'apprenait à quelle heure Madeleine achevait sa veillée. Le plus souvent, c'était fort

tard. Une heure après minuit, le reflet paraissait
encore. Je pris une chaussure légère et je descendis
l'escalier à tâtons. J'allai ainsi jusqu'à la porte de
l'appartement de Madeleine, situé à l'opposé de
celui de Julie, à l'extrémité d'un interminable
corridor. Une seule femme de chambre couchait
auprès d'elle en l'absence de son mari. J'écoutai :
je crus entendre une ou deux fois résonner sèchement une petite toux nerveuse assez habituelle à
Madeleine dans ses moments de dépit ou de vive
contrariété. Je posai la main sur la serrure; la clef
y était. Je m'éloignai, je revins, et je m'éloignai de
nouveau. Mon cœur battait à se rompre. J'étais
littéralement hébété, et je tremblais de tous mes
membres. Je rôdai quelque temps encore dans le
corridor, en pleines ténèbres; puis je restai cloué sur
place sans aucune idée de ce que j'allais faire. Le
même soubresaut qui m'avait un beau jour, sous le
coup d'alarmes très-vives, poussé machinalement à
Nièvres et m'y avait fait tomber comme un accident,
peut-être comme une catastrophe, me promenait
encore, au milieu de la nuit, dans cette maison confiante et endormie, m'amenait jusqu'à la chambre
à coucher de Madeleine, et m'y faisait buter comme
un homme qui rêve. Étais-je un malheureux à bout
de sacrifices, aveuglé de désirs, ni meilleur ni pire
que tous mes semblables ? étais-je un scélérat ?
Cette question capitale me travaillait vaguement
l'esprit, mais sans y déterminer la moindre décision
précise qui ressemblât, soit à de l'honnêteté, soit
au projet formel de commettre une infamie. La seule
chose dont je ne doutais pas, et qui cependant me
laissait indécis, c'est qu'une faute tuerait Madeleine,

et que sans contredit je ne lui survivrais pas une
heure.

Je ne saurais vous dire ce qui me sauva. Je me
retrouvai dans le parc sans comprendre ni pourquoi ni comment j'y étais venu. Comparativement
à l'obscurité totale des corridors, il y faisait clair,
quoiqu'il n'y eût, je crois, ni lune ni étoiles. La
masse entière des arbres ne formait que de longs
escarpements montueux et noirs, au pied desquels
on distinguait les sinuosités blanchâtres des allées.
J'allais au hasard, je côtoyais les étangs. Des oiseaux
s'éveillaient et gloussaient dans les roseaux. Longtemps après, une sensation de froid intense me
rappela un peu à moi-même. Je rentrai; je refermai
les portes avec la dextérité des somnambules ou
des voleurs, et je me jetai tout habillé sur mon lit.

J'étais debout avec le jour, me souvenant à
peine du cauchemar qui m'avait fait errer toute
la nuit, et me disant : « Je pars aujourd'hui. » J'en
informai Madeleine aussitôt que je la vis.

« Comme vous voudrez », répondit-elle.

Elle était horriblement défaite et dans une agitation de corps et d'esprit qui me faisait mal.

« Allons voir nos malades », me dit-elle un peu
après midi.

Je l'accompagnai, et nous nous rendîmes au village. L'enfant que Julie soignait et qu'elle avait
pour ainsi dire adopté était mort depuis la veille
au soir. Madeleine se fit conduire auprès du berceau qui contenait le petit cadavre, et voulut l'embrasser; puis au retour elle pleura abondamment, et
répéta le mot *enfant* avec une douleur aiguë qui m'en
apprenait bien long sur un chagrin qui rongeait

sa vie et dont j'étais impitoyablement jaloux.

Je m'y pris de bonne heure pour faire mes adieux à Julie et adresser à M. d'Orsel des remercîments qui voulaient être dits de sang-froid; après quoi, ne sachant plus comment occuper ma journée et ne tenant pour ainsi dire en aucune manière à l'emploi d'une vie que je sentais se détacher de moi minute par minute, j'allai m'accouder sur la balustrade qui dominait les fossés de ceinture, et j'y restai je ne sais combien de temps dans des distractions de pur idiotisme. Je ne savais plus où était Madeleine. De temps en temps, je croyais entendre sa voix dans les corridors ou la voir passer d'une cour à l'autre allant et venant, se déplaçant, elle aussi, sans autre but que de s'agiter.

Il y avait au tournant des douves, à la base d'une des tourelles, une sorte de cellule à moitié bouchée, qui servait autrefois de porte dérobée. Le pont qui la reliait aux allées du parc était détruit. Il n'en restait que trois piles, en partie submergées, et que l'eau marécageuse du fossé salissait incessamment de lies écumeuses. Je ne sais quelle envie me prit de me cacher là pour le reste du jour. Je passai d'un pilier sur l'autre, et je me tapis dans cette chambre en ruine, les pieds touchant au courant, dans le demi-jour lugubre de ce vaste et profond fossé où coulaient des eaux de lavoir. Deux ou trois fois, je vis Madeleine passer de l'autre côté des douves, et regarder vers les allées, comme si elle eût cherché quelqu'un. Elle disparut et revint encore; elle hésita entre trois ou quatre routes qui menaient du parterre aux confins du parc, puis elle prit, sous un couvert d'ormeaux, l'allée des étangs. Je ne fis qu'un bond

pour m'élancer d'un bord à l'autre, et je la suivis.
Elle marchait vite, sa coiffure de campagne mal
attachée sur ses oreilles, tout enveloppée d'un long
cachemire qui l'emmaillotait comme si elle avait
eu très-froid. Elle tourna la tête en m'entendant
venir, rebroussa chemin brusquement, passa près
de moi sans me regarder, gagna le perron du parterre et se mit à escalader l'escalier. Je la rejoignis
au moment où elle mettait le pied dans le petit
salon qui lui servait de boudoir, et où elle se tenait
le jour.

« Aidez-moi à plier mon châle, » me dit-elle.

Elle avait l'esprit et les yeux ailleurs, et s'y
prenait tout de travers. La longue étoffe chamarrée
était entre nous, pliée dans le sens de sa longueur,
et ne formait déjà plus qu'une bande étroite dont
chacun de nous tenait une extrémité. Nous nous
rapprochâmes; il restait à joindre ensemble les
deux bouts du châle. Soit maladresse, soit défaillance, la frange échappa tout à coup des mains de
Madeleine. Elle fit un pas encore, chancela d'abord
en arrière, puis en avant, et tomba dans mes bras
tout d'une pièce. Je la saisis, je la tins quelques
secondes ainsi collée contre ma poitrine, la tête
renversée, les yeux clos, les lèvres froides, à demi
morte et pâmée, la chère créature, sous mes baisers.
Puis une terrible contraction la fit tressaillir; elle
ouvrit les yeux, se dressa sur la pointe des pieds
pour arriver à ma hauteur, et, se jetant à mon cou
de toute sa force, ce fut elle à son tour qui m'embrassa.

Je la saisis de nouveau; je la réduisis à se défendre,
comme une proie se débat, contre un embrasse-

ment désespéré. Elle eut le sentiment que nous étions perdus; elle poussa un cri. J'ai honte de vous le dire, ce cri de véritable agonie réveilla en moi le seul instinct qui me restât d'un homme, la pitié. Je compris à peu près que je la tuais; je ne distinguais pas très-bien s'il s'agissait de son honneur ou de sa vie. Je n'ai pas à me vanter d'un acte de générosité qui fut presque involontaire, tant la vraie conscience humaine y eut peu de part! Je lâchai prise comme une bête aurait cessé de mordre. La chère victime fit un dernier effort; c'était peine inutile, je ne la tenais plus. Alors, avec un effarement qui m'a fait comprendre ce que c'est que le remords d'une honnête femme, avec un effroi qui m'aurait prouvé, si j'avais été en état d'y réfléchir, à quel degré d'abaissement elle me voyait réduit, comme si instantanément elle eût senti qu'il n'y avait plus entre nous ni discernement du devoir, ni égards, ni respect, que cette commisération de pur instinct n'était qu'un accident qui pouvait se démentir; avec une pantomime effrayante qui répand encore aujourd'hui sur ces anciens souvenirs toute sorte de terreurs et de honte, Madeleine marcha lentement vers la porte, et ne me quittant pas des yeux, comme on agit avec un être malfaisant, elle gagna le corridor à reculons. Là seulement elle se retourna et s'enfuit.

J'avais perdu connaissance, tout en me maintenant encore debout. Je me traînai, comme je le pus, jusqu'à mon appartement : je n'avais qu'une idée, c'est qu'on ne me trouvât pas évanoui dans les escaliers. Arrivé devant ma porte, même avant d'avoir pu l'ouvrir, il me fut impossible de me sou-

tenir davantage. Machinalement, je m'assurai qu'il
n'y avait personne dans les corridors. Le dernier
sentiment qui subsista une seconde encore fut que
Madeleine était en sûreté, et je tombai roide sur
le carreau.

Ce fut là que je revins à moi, une ou deux heures
après, tout à fait à la nuit, avec le souvenir incohérent d'une scène affreuse. On sonnait le dîner; il
me fallut descendre. J'agissais, j'avais les jambes
libres; il me semblait avoir reçu un choc violent
sur la tête. Grâce à cette paralysie très-réelle,
j'éprouvais une sensation générale de grande souffrance, mais je ne pensais pas. La première glace
où je m'aperçus me montra la figure étrangement
bouleversée d'un fantôme à peu près semblable à
moi, que j'eus de la peine à reconnaître. Madeleine
ne parut point, et il m'était presque indifférent
qu'elle fût là ou ailleurs. Julie, fatiguée, chagrine,
ou inquiète de sa sœur et très probablement bour-
relée de soupçons, — car, avec cette singulière
fille clairvoyante et cachée, toutes les suppositions
étaient permises, et cependant demeuraient douteuses, — Julie ne devait pas nous rejoindre au
salon. Je me trouvai seul avec M. d'Orsel jusqu'au
milieu de la soirée; j'étais inerte, insensible et
comme de sang-froid, tant il me restait peu de
sens pour réfléchir et de force pour être agité.

Il était dix heures à peu près quand Madeleine
entra, changée à faire peur et méconnaissable aussi,
comme un convalescent que la mort a touché de
près.

« Mon père, dit-elle sur un ton d'inflexible audace,
j'ai besoin d'être seule un moment avec M. de Bray. »

M. d'Orsel se leva sans hésiter, embrassa pater-
nellement sa fille et sortit.

« Vous partez demain, me dit Madeleine en me
parlant debout, et j'étais debout comme elle.

— Oui, lui dis-je.

— Et nous ne nous reverrons jamais ! »

Je ne répondis pas.

« Jamais, reprit-elle; entendez-vous ? Jamais. J'ai
mis entre nous le seul obstacle qui puisse nous
séparer sans idée de retour. »

Je me jetai à ses pieds, je pris ses deux mains
sans qu'elle y résistât; je sanglotais. Elle eut une
courte faiblesse qui lui coupa la voix; elle retira ses
mains, et me les rendit dès qu'elle eut repris sa
fermeté.

« Je ferai tout mon possible pour vous oublier.
Oubliez-moi, cela vous sera plus facile encore.
Mariez-vous, plus tard, quand vous voudrez. Ne
vous imaginez pas que votre femme puisse être
jalouse de moi, car à ce moment-là je serai morte
ou heureuse, ajouta-t-elle, avec un tremblement
qui faillit la renverser. Adieu. »

Je restai à genoux, les bras étendus, attendant un
mot plus doux qu'elle ne disait pas. Un dernier
retour de faiblesse ou de pitié le lui arracha.

« Mon pauvre ami ! me dit-elle; il fallait en venir
là. Si vous saviez combien je vous aime ! Je ne vous
l'aurais pas dit hier; aujourd'hui cela peut s'avouer,
puisque c'est le mot défendu qui nous sépare. »

Elle, exténuée tout à l'heure, elle avait retrouvé
par miracle je ne sais quelle ressource de vertu qui
la raffermissait à mesure. Je n'en avais plus aucune.

Elle ajouta, je crois, une ou deux paroles que je

n'entendis pas ; puis elle s'éloigna doucement comme
une vision qui s'évanouit, et je ne la revis plus, ni
ce soir-là, ni le lendemain, ni jamais [42].

Je partis au lever du jour sans voir personne.
J'évitai de traverser Paris, et je me fis conduire
directement à la maison d'extrême banlieue qu'habitait Augustin. C'était un dimanche ; il était chez lui.

Au premier coup d'œil, il comprit qu'un malheur
m'était arrivé. D'abord, il crut que Mme de Nièvres
était morte, parce que, dans sa parfaite honnêteté
d'homme et de mari, il n'imaginait pas de malheur
plus grand. Quand je lui eus fait connaître le véritable accident qui me réduisait à l'un de ces veu-
vages qu'on n'avoue pas :

« J'ignore ces chagrins-là, me dit-il ; mais je vous
plains de toute mon âme. »

Et je ne doutais pas qu'il ne me plaignît en effet
du fond du cœur, pour peu qu'il raisonnât d'après
les pires désastres qu'il pouvait envisager dans
l'avenir incertain de sa propre vie.

Il travaillait quand je le surpris. Sa femme était
auprès de lui, et elle avait sur ses genoux un petit
enfant de six mois qui leur était né pendant mon
exil. Ils étaient heureux. Leur situation prospérait,
je pus m'en apercevoir à des signes de relative
opulence. Ils me donnèrent à coucher. La nuit fut
effroyable ; une tempête de fin d'automne régna
sans discontinuité depuis le soir jusqu'après le
soleil levé. Je ne fis pas autre chose, dans le morne
bercement de ce long murmure de vent et de pluie,
que de penser au tumulte que le vent devait produire autour de la chambre et du sommeil de Made-

leine, si Madeleine dormait. Ma force de réfléchir
n'allait pas au delà de cette sensation puérile et
toute physique. L'orage étant dissipé, Augustin
m'obligea de sortir dès le matin. Il avait une heure
à lui avant de se rendre à Paris. Il me conduisit
dans les bois, ravagés par le vent de la nuit; l'eau
courait encore dans les sentiers plongeants, et roulait les dernières feuilles de l'année.

Nous marchâmes longtemps ainsi, avant que
j'eusse pu recueillir l'ombre d'une idée lucide parmi
les déterminations urgentes qui m'avaient amené
chez Augustin. Je me rappelai enfin que j'avais
des adieux à lui faire. Il crut d'abord que c'était
un parti désespéré, pris seulement depuis la veille,
et qui ne tiendrait pas contre de sages réflexions;
puis, quand il vit que ma résolution datait de plus
loin, qu'elle était le résultat d'examens sans réplique,
et que tôt ou tard elle se serait accomplie, il ne dis-
cuta ni l'opinion que j'avais de moi-même, ni le
jugement que je portais sur mon temps; il me dit
seulement :

« Je pense et je raisonne à peu près comme vous.
Je me sens peu de chose, et ne me crois pas non
plus de beaucoup inférieur au plus grand nombre;
seulement, je n'ai pas le droit que vous avez d'être
conséquent jusqu'au bout. Vous désertez modestement; moi je reste, non par forfanterie, mais par
nécessité, et d'abord par devoir.

— Je suis bien las, lui dis-je, et de toutes les
manières j'ai besoin de repos [43]. »

Nous nous séparâmes à Paris en nous disant :
Au revoir ! comme on fait d'ordinaire quand il
en coûterait trop de se dire adieu, mais sans prévoir

le lieu ni l'époque où nous pourrions nous retrouver.
J'avais de courtes affaires à régler dont je chargeai
mon domestique. J'allai seulement prendre congé
d'Olivier. Il se disposait à quitter la France. Il ne
me questionna pas sur mon séjour à Nièvres :
en m'apercevant, il avait deviné que tout était fini.

Je n'avais plus à lui parler de Julie, il n'avait
plus à me parler de Madeleine. Les liens qui nous
avaient unis depuis plus de dix années venaient
de se rompre à la fois, au moins pour longtemps [44].

« Tâche d'être heureux, » me dit-il, comme s'il
n'y comptait pas plus pour moi que pour lui-même.

Trois jours après mon départ de Nièvres, j'étais
à Ormesson. J'y passai la nuit seulement auprès de
Mme Ceyssac, que mon retour éclaira sur bien des
choses, et qui me donna à entendre qu'elle avait
souvent déploré mes erreurs dans sa tendre pitié
de femme pieuse et de demi-mère. Le lendemain,
sans prendre une heure de véritable repos, dans cette
course lamentable qui me ramenait au gîte comme
un animal blessé qui perd du sang et ne veut pas
défaillir en route, le lendemain soir, à la nuit tombée,
j'arrivais en vue de Villeneuve. Je mis pied à terre
aux abords du village ; la voiture continua de suivre
la route pendant que je prenais un chemin de traverse qui me conduisait chez moi par le marais.

Il y avait quatre jours et quatre nuits qu'une
douleur fixe me bridait le cœur et me tenait les
yeux aussi secs que si je n'eusse jamais pleuré.
Au premier pas que je fis sur le chemin des Trembles,
il y eut en moi un tressaillement de souvenirs qui
rendit la douleur plus cuisante et cependant un
peu moins tendue.

Il faisait très-froid. La terre était dure, la nuit presque complète, au point que la ligne des côtes et la mer ne formaient plus qu'un horizon compact et tout noir. Un reste de rougeur s'éteignait à la base du ciel et blémissait de minute en minute. Un chariot passait au loin près de la falaise; on l'entendait cahoter et crier sur le pavé gelé. L'eau des marais était prise; par endroits seulement, de larges carrés d'eau douce, qui ne gelaient point, continuaient de se mouvoir doucement et demeuraient blanchâtres. Six heures sonnèrent au clocher de Villeneuve. Le silence et l'obscurité devenaient si grands, qu'on aurait cru qu'il était minuit. Je marchais sur les levées, et je ne sais comment je me rappelai qu'à cet endroit-là même autrefois, dans de froides nuits pareilles, j'avais chassé des canards. J'entendais au-dessus de ma tête le susurrement rapide et singulier que font ces oiseaux en volant très-vite. Un coup de fusil retentit. Je vis la lueur de la poudre, et l'explosion m'arrêta court. Un chasseur sortit de sa cachette, descendit vers la mare et se mit à y piétiner; un autre lui parla. Dans cet échange de paroles brèves dites assez bas, mais que la nuit rendait très-distinctes, je saisis comme un son de voix qui me frappa.

« André ! » criai-je.

Il y eut un silence, après quoi je répétai de nouveau : « André !

— Quoi ? » dit une voix qui ne me laissa plus aucun doute.

André fit quelques pas à ma rencontre. Je le distinguais assez mal, quoiqu'il dépassât de toute la taille la levée obscure. Il avançait lentement,

un peu à tâtons, sur ce chemin foulé par des pas
d'animaux; il répétait : « Qui est là ? qui m'appelle ?»
avec un émoi croissant, et comme s'il hésitait de
moins en moins à reconnaître celui qui l'appelait
et qu'il croyait si loin.

« André ! lui dis-je une troisième fois, quand il
n'eut plus qu'un ou deux pas à faire.

— Comment ? quoi ?... Ah ! monsieur ! monsieur
Dominique ! dit-il en laissant tomber son fusil.

— Oui, c'est moi, c'est bien moi, mon vieux
André !... »

Je me jetai dans les bras de mon vieux domestique. Mon cœur, à la fin de ces contraintes, éclata
de lui-même et se fondit librement en sanglots.

XVIII

DOMINIQUE avait achevé son récit. Il s'arrêta
sur ces dernières paroles dites avec la voix préci-
pitée d'un homme qui se hâte et cette expression
de pudeur attristée qui suit ordinairement des
épanchements trop intimes. Ce que de pareilles
confidences avaient dû coûter à une conscience
ombrageuse et si longtemps fermée, je le devinais,
et je le remerciai d'un geste attendri auquel il ne
répondit que par un mouvement de tête. Il avait
ouvert la lettre d'Olivier, dont l'adieu funèbre présidait pour ainsi dire à ce récit, et se tenait debout,
les yeux tournés vers la fenêtre où s'encadrait un
tranquille horizon de plaine et d'eau. Il demeura
ainsi pendant quelque temps dans un silence embarrassé que je ne voulus pas rompre. Il était pâle. Sa
physionomie, légèrement altérée par la fatigue ou
rajeunie par les lueurs passionnées d'une autre
époque, reprenait peu à peu son âge, ses flétrissures
et son caractère de grande sérénité. Le jour baissait
à mesure que la paix des souvenirs s'établissait aussi
sur son visage. L'ombre envahissait l'intérieur
poudreux et étouffé de la petite chambre où se
terminait cette longue série d'évocations dont plus
d'une avait été douloureuse. Des inscriptions des

murailles, on ne distinguait presque plus rien.
L'image extérieure et l'image intérieure pâlissaient
donc en même temps, comme si tout ce passé ressuscité par hasard rentrait à la même minute, et
pour n'en plus sortir, dans le vague effacement du
soir et de l'oubli.

Des voix de laboureurs qui longeaient les murs
du parc nous tirèrent l'un et l'autre d'un embarras réel, celui de nous taire ou de reprendre un
entretien brisé.

« Voici l'heure de descendre, » dit Dominique; et
je le suivis jusqu'à la ferme, où tous les soirs, à
pareille heure, il avait quelques soins de surveillance à remplir.

Les bœufs rentraient du labour, et c'était le
moment où la ferme s'animait. Accouplés par deux
ou trois paires, — car à cause de la lourdeur des
terres mouillées on avait dû tripler les attelages, —
ils arrivaient traînant leur timon, le mufle soufflant,
les cornes basses, les flancs émus, avec de la boue
jusqu'au ventre. Les animaux de rechange qui
n'avaient pas travaillé ce jour-là mugissaient au
fond de l'étable en entendant revenir leurs actifs
compagnons. Ailleurs, c'étaient les troupeaux
déjà renfermés qui s'agitaient dans la bergerie; et
des chevaux piétinaient et hennissaient, parce qu'on
remuait du fourrage au-dessus de leurs mangeoires.

Les gens de service vinrent se ranger autour du
maître, tête nue, avec des gestes un peu las. Dominique s'enquit minutieusement si des instruments
de labour d'un emploi nouveau avaient produit les
résultats qu'il en attendait; puis il donna ses ordres
pour le lendemain; il les multiplia surtout au sujet

des semailles; et je compris que toute la semence
dont il indiquait ainsi la distribution n'était pas
destinée à ses propres terres; il y avait là beaucoup
de prêts sans doute, des avances faites ou des
aumônes.

Ces précautions prises, il me ramena sur la terrasse. Le temps s'était éclairci. La saison, alternée
de soleil, de tiédeur et de pluie, et remarquablement
douce, quoique nous eussions passé la mi-novembre,
était bien faite pour mettre en joie tout esprit fon-
cièrement campagnard. La journée, si maussade à
midi, s'achevait par une soirée d'or. Les enfants
jouaient dans le parc, pendant que Mme de Bray [45]
allait et venait dans l'allée qui conduisait au bois,
surveillant leurs jeux à petite distance. Ils se pour-
suivaient, à travers les fourrés, avec des cris imités
de bêtes chimériques, et les plus propres à les
effrayer. Des merles, les derniers oiseaux qui se
fassent entendre à cette heure tardive, leur répon-
daient par ce sifflement bizarre et saccadé, pareil
à de tumultueux éclats de rire. Un reste de jour
éclairait paisiblement la longue tonnelle; les pampres
déjà clair-semés formaient sur le ciel très-pâle autant
de découpures aiguës, et des rats pillards qui
rôdaient le long des poutrelles égrenaient avec
précaution les quelques raisins flétris qui restaient
aux vignes. Ce calme déclin d'une journée sou-
cieuse menant à des lendemains plus sereins, l'assurance du ciel qui s'embellissait, ces joies d'enfants
pour animer le vieux parc à demi dépouillé; la
mère confiante, heureuse, servant de lien affectueux,
entre le père et les enfants; celui-ci grave, songeur,
mais raffermi, parcourant à petits pas la riche et

féconde allée tendue de treilles ; cette abondance
avec cette paix, cet accomplissement dans le bonheur : — tout cela formait, après notre entretien,
une conclusion si noble, si légitime et si évidente,
que je pris le bras de Dominique et le serrai plus
affectueusement encore que de coutume.

« Oui, me dit-il, mon ami, me voici arrivé. A
quel prix ? vous le savez ; avec quelle certitude ?
vous en êtes témoin. »

Il y avait dans son esprit un mouvement d'idées
qui se continuait ; et, comme s'il eût voulu s'expliquer plus clairement sur des résolutions qui se manifestaient d'ailleurs d'elles-mêmes, il reprit encore,
lentement et sur un tout autre ton :

« Bien des années se sont passées depuis le jour
où je suis rentré au gîte. Si personne n'a oublié les
événements que je viens de vous raconter, personne ne semble du moins se les rappeler ; le
silence que l'éloignement et le temps ont amené
pour toujours entre quelques personnages de cette
histoire leur a permis de se croire mutuellement
pardonnés, réhabilités et heureux. Olivier est le
seul, j'aime à le supposer, qui se soit obstiné jusqu'à
la dernière heure dans ses systèmes et dans ses
soucis. Il avait désigné, vous vous en souvenez,
l'ennemi mortel qu'il redoutait plus que tous les
autres ; on peut dire qu'il a succombé dans un duel
avec l'ennui.

— Et Augustin ? lui demandai-je.

— Celui-ci est le seul survivant de mes vieilles
amitiés. Il est au bout de sa tâche. Il y est arrivé
en droite ligne, comme un rude marcheur au but
d'un difficile et long voyage. Ce n'est point un

grand homme, c'est une grande volonté. Il est aujourd'hui le point de mire de beaucoup de nos contemporains, chose rare qu'une pareille honnêteté parvenant assez haut pour donner aux braves gens l'envie de l'imiter.

— Pour moi, reprit M. de Bray, j'ai suivi très-tard, avec moins de mérite, moins de courage, avec autant de bonheur, l'exemple que ce cœur solide m'avait donné presque au début de sa vie. Il avait commencé par le repos dans des affections sans trouble, et j'ai fini par là. Aussi, j'apporte dans mon existence nouvelle un sentiment qu'il n'a jamais connu, celui d'expier une ancienne vie certainement nuisible et de racheter des torts dont je me sens encore aujourd'hui responsable, parce qu'il y a, selon moi, entre toutes les femmes également respectables, une solidarité instinctive de droits, d'honneur et de vertus. Quant au parti que j'ai adopté de me retirer du monde, je ne m'en suis jamais repenti. Un homme qui prend sa retraite avant trente ans et y persiste témoigne assez ouvertement par là qu'il n'était pas né pour la vie publique, pas plus que pour les passions. Je ne crois pas d'ailleurs que l'activité réduite où je vis soit un mauvais point de vue pour juger les hommes en mouvement. Je m'aperçois que le temps a fait justice au profit de mes opinions de beaucoup d'apparences qui jadis auraient pu me causer l'ombre d'un doute, et comme il a vérifié la plupart de mes conjectures, il se pourrait qu'il eût aussi confirmé quelques-unes de mes amertumes. Je me rappelle avoir été sévère pour les autres à un âge où je considérais comme un devoir de l'être beaucoup pour

moi-même. Chaque génération plus incertaine qui
succède à des générations déjà fatiguées, chaque
grand esprit qui meurt sans descendance, sont des
signes auxquels on reconnaît, dit-on, un abaissement dans la température morale d'un pays. J'entends dire qu'il n'y a pas grand espoir à tirer d'une
époque où les ambitions ont tant de mobiles et si
peu d'excuses, où l'on prend communément le
viager pour le durable, où tout le monde se
plaint de la rareté des œuvres, où personne n'ose
avouer la rareté des hommes...

    — Et si la chose était vraie ! lui dis-je.

    — Je serais disposé à le croire, mais je me tais
sur ce point comme sur beaucoup d'autres. Il
n'appartient pas à un déserteur de faire fi des innombrables courages qui luttent, là même où il n'a pas
su demeurer. D'ailleurs, il s'agit de moi, de moi
seul, et pour en finir avec le principal personnage
de ce récit, je vous dirai que ma vie commence.
Il n'est jamais trop tard, car si une œuvre est longue
à faire, un bon exemple est bientôt donné. J'ai le
goût et la science de la terre, — mince amour-
propre que je vous prie de me pardonner. — Je
fertiliserai mes champs mieux que je n'ai fait de
mon esprit, à moins de frais, avec moins d'angoisse
et plus de rapport, pour le plus grand profit de
ceux qui m'entourent. J'ai failli mêler l'inévitable
prose de toutes les natures inférieures à des pro-
ductions qui n'admettaient aucun élément vulgaire. Aujourd'hui, très-heureusement pour les plaisirs d'un esprit qui n'est point usé, il me sera permis d'introduire quelque grain d'imagination dans
cette bonne prose de l'agriculture et... »

Il cherchait un mot qui rendît modestement le
véritable esprit de sa nouvelle mission.

« Et de la bienfaisance ? lui dis-je.

— Soit, dit-il, j'accepte le mot pour Mme de Bray,
car ceci la regarde exclusivement. »

En ce moment même, Mme de Bray ramenait
ses enfants essoufflés et tout en nage. Il y eut un
instant de complet silence pendant lequel, comme
à la fin d'une symphonie qui expire en d'infiniment petits accords, on n'entendit plus que le
chuchotement des merles branchés qui jasaient
encore, mais ne riaient plus.

Très-peu de jours après cette conversation, qui
m'avait fait pénétrer dans l'intimité d'un esprit
dont la plus réelle originalité était d'avoir strictement suivi la maxime ancienne de se connaître
soi-même, une chaise de poste s'arrêta dans la
cour des Trembles.

Il en descendit un homme à cheveux rares, gris
et coupés court, petit, nerveux, avec tout l'extérieur, la physionomie, l'assiette et la précision d'un
homme peu ordinaire et préoccupé d'affaires graves,
même en voyage; parfaitement mis d'ailleurs, et
là encore on pouvait définir des habitudes élevées
de situation, de monde et de rang. Il examina
vivement ce qu'on apercevait du château, la tonnelle, un coin du parc; il leva les yeux vers les tourelles et se retourna pour considérer les petites
fenêtres en lucarne de l'ancien appartement de
Dominique.

Dominique arrivait sur la terrasse; ils se recon-
nurent.

« Ah ! quelle surprise, mon bien cher ami ! dit

Dominique, en marchant au-devant du visiteur, les deux mains cordialement ouvertes.

— Bonjour, de Bray », dit celui-ci, avec l'accent net et franc d'un homme dont la vérité semblait avoir, pendant toute sa vie, rafraîchi les lèvres.

C'était Augustin.

FIN

NOTES

DÉDICACE.

1. *A Madame George Sand... Voici ce petit livre que vous avez lu...*
Les relations de Fromentin et de George Sand avaient commencé
en 1857, lors de la publication d'*Un Eté dans le Sahara*, qui avait
beaucoup plu à Mme Sand. Elle le fit savoir à l'écrivain-peintre,
par une lettre enthousiaste; Fromentin répondit. L'amitié suivit
la correspondance. Les lettres de Fromentin et de George Sand,
d'abord partiellement publiées par Louis Gonse (*Eugène Fromentin*,
Quantin, 1881), ont été réunies dans la *Revue de Paris* des 15 septembre et 1ᵉʳ octobre 1909, par M. Pierre Blanchon, qui les a
insérées, à leurs dates, dans son volume de *Correspondance et fragments inédits* (Plon, 1912). Nous pensons devoir être utile au lecteur,
en reproduisant ici les passages de cette correspondance qui
intéressent *Dominique*.

Dès la publication de la première partie de *Dominique* dans la
Revue des Deux-Mondes, Mme Sand, le 18 avril 1862, exprimait
ainsi ses impressions :

« ... *Oui, c'est très beau, c'est admirablement dit, et c'est d'un fond
excellent, ça s'engage un peu lentement, mais c'est si bien peint et si bien
posé ! Du moment que Dominique raconte, on est tout à lui. Le coup de
pistolet surprend un peu, mais nous saurons bien ce qui l'amène. Ce qu'il
amène est très bien amené ainsi. Ce récit ne ressemble à rien et fait beaucoup
chercher, beaucoup penser, beaucoup attendre. Donc l'intérêt, au point
de vue romanesque, y est tout aussi bien que si d'habiles combinaisons
d'événements l'avaient engagé. Tout ce qui est peinture de lieux, de personnes, de situations et d'impressions est exquis. Tout ce qui est analyse
est très fouillé, très profond, encore mystérieux à beaucoup d'égards et
bien ménagé. Enfin, j'attends la suite avec impatience. C'est bien long,
quinze jours !*

« *Je ne peux pas vous dire le bien que me fait cette lecture. Je ne sais
pas si l'on peut dire que la raison est génie ou si c'est le génie qui est la
raison même. Mais, génies ou talents, ils me font tous péter la cervelle
avec leur pose, et je les trouve tous fous. Leur manière de dire et de penser*

eſt de la manière, *du premier au dernier. Je ne sais pas analyser comme
vous les causes de cette lassitude étonnée qu'ils me causent. Je ne sais pas
comme vous me dire où commence le sublime et où il finit. Je ne juge que
par l'impression qui m'eſt laissée, et comme votre Dominique, avec qui
d'ailleurs je me suis trouvée en contaĉt étonnant dans mes souvenirs d'enfance,
je sens beaucoup plus que je ne sais. Avec vous, je vis et j'exiſte, et le goût
d'écrire me revient ; je ne dirai pas que c'eſt un bain qui me repose, ce n'eſt
pas si froid que cela, c'eſt une eau qui me porte et où je navigue en voyant
bien clair ce qui fuit au rivage, en allant avec confiance vers ce qui se dessi-
nera demain sur les rives nouvelles.*

« *Car, en somme, Dominique n'eſt pas moi. Il eſt très original. Il
s'écoute vivre, il se juge, il veut se connaître, il se craint, il s'interroge,
et il a le bonheur triſte, ou grave ; j'ai donc pour lui un respeĉt inſtinĉtif
et je me sens très enfant auprès d'un homme qui a tant réfléchi. Mais
ce pilote qui s'eſt emparé de ma pensée ne me cause aucune inquiétude.
Je suis sûre qu'il va au vrai et qu'il regarde mieux que moi la route que
nous suivons. Il vit dans une sphère plus élevée, mieux choisie, et, s'il fait
de l'orage autour de nous, il n'y perdra pas la tête. — Tel je vois Dominique
jusqu'à présent.*

« *Mais il va aimer et probablement souffrir. Là eſt pour moi la grande
curiosité. Il vaincra. Mais par quel moyen ? Grand problème, d'arriver
à la sagesse. J'ai souvent essayé en moi de le résoudre pour le peindre,
mais cela se résout dans ma tête en. enthousiasme et dans mon cœur en
bonheur. C'eſt qu'il me faut si peu de chose pour me sentir très heureuse
quand le mal des choses extérieures me laisse tranquille un inſtant !
C'eſt peut-être l'appréciation de ce bonheur pris et goûté dans les choses
les plus simples qui viendra ou naturellement ou laborieusement à Dominique.
Nous verrons bien. Mais il me tarde de savoir, et, en dehors de l'exécution
du livre qui eſt et sera parfaite, cela eſt déjà assuré, je vous dirai si la
pensée me persuade et me contente absolument...* »

Fromentin, très ému, répondait, le 19 avril :

« *Madame..., vous m'effrayez beaucoup, par ce que vous me dites
et par ce que vous attendez. Je ne sais pas moi-même ce qu'il y a dans
mon livre. Ce que vous m'en direz sera certainement une découverte. Je ne
suis pas bien sûr d'avoir voulu prouver quelque chose, sinon que le repos
est un des rares bonheurs possibles ; et puis encore que tout irait mieux,
les hommes et les œuvres, si l'on avait la chance de se bien connaître et
l'esprit de se borner. Ce qu'il y a de plus clair pour moi, c'eſt que j'ai voulu
me plaire, m'émouvoir encore avec des souvenirs, retrouver ma jeunesse
à mesure que je m'en éloigne, et exprimer sous forme de livre une bonne
partie, la meilleure, qui ne trouvera jamais place dans des tableaux.*

« *Le livre, en tant que livre, eſt un embryon, je le sens très bien.*

« *Sera-t-il intéressant, malgré le peu de piquant des aventures et cette*

*ligne directe, sans détour, qui mène au dénouement comme un fil tendu ?
Sera-t-il émouvant dans la mesure où je m'en suis ému ? Voilà... Ne me
ménagez pas, ne me flattez pas surtout, je vous en supplie.*

« *Je me crois très capable de m'améliorer, et j'en ai un si grand désir !
Il s'agit que ce petit essai, où vous me permettrez d'attacher votre nom,
n'en soit pas trop indigne ; je vous le dis en toute sincérité. A l'heure qu'il
est, cela vous regarde presque autant que moi, car je n'y vois rien. Je le
remanierai profondément s'il le faut. Et s'il avait besoin d'une moralité
plus claire ou plus ferme, ou plus noble ou plus raisonnable, suivant ce
que vous en déciderez, j'agirai.*

« *D'avance, je puis vous dire que l'introduction sera modifiée : ce serait
déjà fait, si Buloz m'en avait donné le temps. Je donnerai au
Dominique retraité un rôle plus actif, plus large, plus efficace dans ses
rapports importants avec un très petit monde. Il sera moins personnel et plus
utile. On verra moins son cabinet d'ancien magicien et mieux ses actes. Il sera
quelque chose comme un gentilhomme anglais. Il aura le goût et la science
de la terre. Après avoir, malheureusement pour l'écrivain, mis autrefois
trop de prose dans ses vers, heureusement pour l'homme, il continuera
de mêler un peu de poésie à cette bonne prose de la bienfaisance et de l'agriculture.*

« *En un mot, sauf à le vieillir, je le déterminerai davantage et le viri-
liserai. Au reste, d'un bout à l'autre, il manquera des accents, des affirma-
tions plus solides, de plus gros points sur les i.*

« *Je vous dirai tout cela plus tard, et ne vous ennuierai plus de moi
jusqu'à la fin...*

« *Ce que vous me dites est si bon, si fortifiant, que j'en suis comme ébahi.
Très certainement j'irai à Nohant, si vous le voulez bien, et le plus tôt
possible, dès que je serai libre et que vous pourrez me recevoir.* »

Nouvelle lettre de George Sand le 24 mai, c'est-à-dire après
l'achèvement de la publication de *Dominique* dans la *Revue*. Lettre
importante, où l'auteur d'*Indiana* présente conseils et corrections
éventuelles.

« *C'est un beau, très beau livre, une de ces choses rares qu'on savoure
et qu'on relit en soi-même après, et qu'on relira plusieurs fois avec des
découvertes toujours. C'est tout près d'être un chef-d'œuvre, — mais il
y a une lacune. Quelque chose manque, ou n'est pas assez clairement dit.
Quelques pages de plus entre le dernier adieu de Madeleine et le mariage
de Dominique, et le chef-d'œuvre y est. Ou bien, peut-être, quelques pages
du commencement reportées à la fin. Je n'aime pas beaucoup le suicide
d'Olivier, là où il est placé, je ne sais pas encore pourquoi il m'a choquée,
j'attendais une explication que je n'ai pas trouvée suffisante. Peut-être
ai-je mal lu, je recommencerai. Ceci d'ailleurs n'est qu'une appréciation
d'instinct et toute personnelle dont il ne faut pas tenir grand compte,
car ceux qui font des romans sont parfois de très mauvais juges du détail.*

*La critique amie et pleine de sollicitude à laquelle vous donnerez attention
parce que je la crois juste, est celle que je vous ai dite : il manque quelque
chose entre le désespoir et le bonheur retrouvé, et ce quelque chose est justement ce que vous saurez le mieux dire, ce que vous avez peut-être négligé
de dire, croyant que c'était trop vrai et sous-entendu. Or les chefs-d'œuvre
doivent être compris de tout le monde. Vite, à l'ouvrage et en avant le
chef-d'œuvre ! Et si mon observation n'est pas assez claire, dites-le-moi,
ou venez me voir. Nous causerons à fond des heures entières, et si j'ai
tort, ce qui est possible, vous aurez au moins acquis dans la discussion
une complète certitude pour votre œuvre. Avec le défaut que j'y crois voir,
elle est encore admirable, et je n'ai pas de mots pour vous dire les qualités
exquises et la plénitude de talent extraordinaire que j'y vois... »*

Fromentin accepta d'abord les conseils de la romancière, et
manifesta l'intention de les suivre :

*« ... Je ne puis vous dire qu'une chose, madame et bien amie, c'est
que continuellement je vous remercie au fond de ma pensée du bien que me
fait chacune de vos lettres ; et si je vous dis tout bonnement merci, croyez
que ce petit mot sec et court contient mille et mille actions de grâces...
Maintenant je suis tout oreilles et tout obéissance, et je vous écouterai.
Ce que vous me proposerez, je le ferai ; et je n'aurai pas de peine à suivre
en cela votre opinion qui est la bonne. Moi, je n'ai aucune idée de la tenue,
de la logique et des vraies conditions d'équilibre d'un livre construit. L'instinct ; hors de là pas l'ombre de raison.*

*« Jugez-en : le coup de pistolet, c'est un hasard de plume qui l'a fait
arriver là. Une fois posé, j'en ai tiré le mouvement de Dominique à s'épan-
cher, et je me suis persuadé qu'il était bien là, puisqu'il servait à déterminer les confidences. J'ai tâché plus tard de l'expliquer tant bien que
mal, et c'est mal puisque l'explication vous paraît incomplète. Quant à
la brusquerie de la fin, même absence de préméditation.*

*« J'étais essoufflé de cœur après avoir écrit les adieux ; séance tenante, j'ai
sauté au dernier chapitre uniquement pour me remettre moi-même, et
comme par un besoin tout personnel de me reposer à de longues années
d'intervalle dans ces conclusions de vie plus sereine.*

*« Vous voyez que de pareils procédés ne sauraient se défendre et que
des étourderies de cette nature ne pèsent pas lourd dans la main de la*
critique amie *qui veut bien traiter mon* Dominique *comme un livre
ayant ses pourquoi.*

*« Donc, a priori, je vous abandonne tout ; et puisque vous me faites
cette joie de me l'offrir, nous causerons. Ainsi j'améliorerai dans la mesure
où vous le direz ; et puis... je tâcherai de faire mieux une autre fois ;
car, malgré vous, je le vois bien, vous serez toujours trop indulgente... »*

S'étant rendu à l'invitation de George Sand, qui le conviait
à Nohant, pour parler du livre, Eugène Fromentin a noté sur place

les observations de Mme Sand, qui lui paraissaient « très légères et très justes ». — Voir *Correspondance et fragments inédits*, p. 148-153, où ces notes sont reproduites. Nous spécifierons, au cours de l'annotation qui va suivre, les passages que Fromentin a modifiés sur le conseil de son amie. On va voir qu'il devait beaucoup en rabattre, et finalement ne faire qu'un très petit nombre des corrections suggérées.

Le 9 novembre 1862, il justifiait ainsi sa décision, dans une nouvelle lettre à George Sand :

« ... *J'ai sur ma table une lettre que je vous écrivais, il y a trois semaines, pour vous parler de mon* Dominique *et pour vous dire, chose à peine avouable, que je n'ai jamais pu y faire les changements convenus. Après je ne sais combien de luttes, d'efforts inutiles et de gémissements, j'ai pris le parti de l'envoyer à l'imprimerie tel quel, ou à peu près. Vous l'offrir dans cet état me paraissait absurde après ce que vous m'aviez conseillé et ce que j'avais promis. Je vous disais tout cela. Mes épreuves ne me sont pas encore revenues, peut-être même ne les corrigerai-je qu'à Paris. Il me reste donc encore un petit espoir, mais bien faible, car ce méchant livre, sorti de moi depuis trop longtemps, ne m'inspire aujourd'hui qu'un grand dégoût...* »

Dominique parut enfin, le 10 janvier 1863. Mais le bel exemplaire que Fromentin destinait à George Sand ne lui parvint que le 27. Il le lui expédiait avec ce mot, qui complète, d'une manière plus intime, la dédicace officielle du roman :

« *Chère Madame, c'est par trop absurde que vous n'ayez pas encore ce volume qui vous appartient à tant de titres. Il a paru le 20 de ce mois, mais avec des fautes énormes, des corrections faites à l'imprimerie, après le bon à tirer, par je ne sais quel correcteur scrupuleux qui s'était permis de substituer des non-sens à certaines hardiesses qui probablement ne lui plaisaient pas. Il a fallu tout arrêter, et introduire des cartons.*

« *J'ai lâché, tels quels, quelques exemplaires de librairie. Mais les plus propres, — et le sont-ils ? — je les reçois à la minute même. Le premier adressé est le vôtre. Il vous sera expédié demain...*

« *La dédicace est froide et officielle. Elle ne dit rien ni de ce que je vous dois, ni du sentiment que j'ai pour vous. Si le public n'en est pas averti autant peut-être que je l'aurais voulu, c'est qu'il m'a semblé dangereux de me prévaloir d'une amitié qui pouvait me faire supposer plus d'orgueil encore que d'attachement. Mon vrai sentiment vous le connaissez, j'espère, et je vous prie, chère madame, de n'en jamais douter...* »

PAGE 4.

2. *Du village qu'il habite*. — Le Villeneuve de *Dominique*, c'est le village de Fromentin, Saint-Maurice, à une demi-lieue de La Rochelle, sur la route qui mène à La Palice.

Page 8.

3. *Clochers saxons.* — Dénomination tombée en désuétude, désignant une variété d'architecture de la transition romano-gothique, dont on trouve d'assez nombreux spécimens dans la campagne rochellaise.

Page 8.

4. *Les Trembles.* — C'est à peu de distance de Saint-Maurice, le domaine de Vaugoin, agglomération de bâtiments agricoles entourant une propriété habitée, du temps de Fromentin, par une famille Seignette.

Page 14.

5. *Une longue terrasse en tonnelle.* — La maison de Fromentin à Saint-Maurice a aussi une terrasse en tonnelle. On voit là un exemple des arrangements de Fromentin, qui compose ses décors à sa fantaisie, en utilisant des détails vrais.

Page 19.

6. *André.* — C'est le vieux Pierre, ancien serviteur de la famille Fromentin.

Page 27.

7. *Dominique montait à son cabinet...* — Voir probablement là un souvenir de la chambre aux murs couverts d'inscriptions, de Beltrémieux, à La Rochelle, le « sanctuaire » de sa jeunesse, où Fromentin passa d'inoubliables soirées, en causeries avec son ami, qui sera Augustin, dans le roman.

Page 30.

8. *C'étaient des vers sur des sujets trop épuisés...* — Fromentin a écrit beaucoup de vers dans sa jeunesse mais il ne les a pas recueillis; et, d'après le peintre Jules Breton, il en aurait même détruit, en un jour de sévérité, plus de six mille. On en trouvera des échantillons dans l'ouvrage de M. Pierre Blanchon. *Lettres de jeunesse de Fromentin* (Plon, 1909).

Page 35.

9. *On l'appelait [Olivier] d'Orsel.* — L'original de ce personnage a existé. Il s'appelait Léon Mouliade et appartenait à une riche famille de Fontenay-le-Comte. Fromentin, qui l'avait eu pour condisciple au lycée de La Rochelle, n'a pas changé le caractère de son modèle dans son livre. Il le perdit de vue un assez long temps, et le retrouva en 1875. Il en parle alors dans une lettre à Mme Howland, comme d'un « revenant, mon vieil ami de jeunesse, l'Olivier de *Dominique* », et note qu'après 35 ans, l'élégant, inutile et léger Mouliade était toujours le même.

Page 38.

10. *Dans la direction d'Orsel.* — L'épisode qui suit est purement romanesque. Léon Mouliade, le vrai Olivier, n'essaya jamais de se tuer. — Signalons ici une des plus importantes corrections conseillées par George Sand, et effectuée par Fromentin. Dans la *Revue des Deux-Mondes*, le texte original donnait ceci :

« ... *dans la direction d'Orsel. Quinze jours après, ce devait être au milieu de novembre, le facteur rural entra un matin, et remit à Dominique une lettre cachetée de noir. Dominique en la lisant devint très pâle ; puis il passa sur la terrasse en nous faisant signe de laisser les enfants au salon.* — *Voici des nouvelles d'Olivier, dit-il ; j'étais certain qu'il en viendrait là...* [Suit la lettre d'Olivier, telle qu'elle est dans l'édition]... *Vers midi, la pluie se mit à tomber. Dominique se retira dans son cabinet où je l'accompagnai. La lettre d'Olivier avait amèrement ravivé certains souvenirs qui n'attendaient qu'une circonstance décisive pour se répandre...* » La suite comme dans l'édition.

George Sand avait trouvé l'annonce du suicide manqué d'Olivier un peu imprévue : « J'attendais une explication que je n'ai pas trouvée suffisante. » (Cf. ci-dessus, note 1, page 287). Fromentin remania son texte, et y introduisit une trentaine de lignes. Conférer la différence du texte de la *Revue des Deux-Mondes* avec celui du volume ci-dessus, pages 38-39.

Page 42.

11. *Une sœur de mon père, Mme Ceyssac.* — Probablement la mère de Fromentin.

Page 46.

12. *Ormesson.* — Lieu romanesque. Voir ci-dessous note 16.

Page 46.

13. *Augustin.* — Très vraisemblablement Émile Beltrémieux, ami de jeunesse de Fromentin. Voir notre *Introduction*, page XXVIII, et cf. Mlle C. Reynaud, *La Genèse de Dominique*, où les personnages du roman sont exactement identifiés.

Page 48.

14. *Jusqu'au jardin qui... est bien modeste.* — Autre exemple de substitution et d'arrangement. Fromentin décrit ici le jardin de sa maison d'enfance de Saint-Maurice, dont les caractéristiques existent encore : les arbres blancs, les banquettes de buis, le terrain spongieux, les coins obscurs. Cf. notre *Introduction*.

Page 56.

15. *Le départ d'Annibal quittant l'Italie.* — Souvenir personnel de Fromentin.

Page 61.

16. *Les douze lieues qui nous séparaient d'Ormesson.* — En fait,
la vie qui attendait Dominique au Collège d'Ormesson, est exactement celle que Fromentin connut au lycée de La Rochelle. Mais il
semble bien avoir décrit dans cet imaginaire Ormesson la petite
ville de Saintes, qui est en effet, à douze lieues de sa cité natale,
et dans laquelle il y a une église de Saint-Pierre, des clochers,
des couvents, une rivière lente, et des mœurs anciennes. — La
maison de Mme Ceyssac est tout simplement la maison familiale,
aujourd'hui disparue, que les Fromentin habitaient, rue des
Maîtresses (rue Dupaty), à La Rochelle.

Page 64.

17. *J'étais au collège.* — Le lycée de La Rochelle, où Fromentin
fit ses études, de 1830 à 1838.

Page 66.

18. *Olivier d'Orsel.* — Léon Mouliade, condisciple au lycée,
de Fromentin, cf. note 9.

Page 70.

19. *Madeleine.* — Cf. notre *Introduction*, et l'ouvrage de Mlle Reynaud, *La Genèse de Dominique.* — La vraie Madeleine s'appelait
Jenny-Caroline-Léocadie C...; devint par son mariage Mme B...
Elle était née à Port-Louis, dans l'île Maurice, le 2 février 1817,
et se trouvait, par conséquent, de quatre ans l'aînée de Fromentin,
et, non, comme il dit, « plus âgée que nous d'un an à peu près ».
— Morte à Paris, à vingt-sept ans, le 4 juillet 1844. Elle repose au
petit cimetière de Saint-Maurice. — D'après Mlle Reynaud, Julie
serait Mlle Lilia Beltrémieux, sœur d'Émile, morte en 1918.

Page 75.

20. *Au moment même où je venais d'atteindre mes dix-sept ans.* —
L'année ? Ce devait être 1837, Fromentin étant né le 24 octobre 1820. Voici donc la date de *Dominique.* — En fait, Fromentin
a vieilli un peu Dominique, comme il a rajeuni Madeleine : il va dire
un peu plus loin qu'il y avait « plus de dix-huit mois » qu'il vivait
près d'elle. C'est vers sa quatorzième année qu'il a commencé
d'aimer sa jolie voisine; donc, avant la fin de 1834, puisqu'elle
était encore jeune fille quand il commença de l'aimer, et qu'elle
se maria en octobre 1834. Il l'aimera sept ou huit ans, avant de
quitter définitivement La Rochelle pour Paris, en 1842. — Le
roman de jeunesse de Fromentin doit donc se situer entre 1834
et 1842 ou 1843.

Page 80.

21. *Un léger accent du Midi.* — On se rappelle que Madeleine était créole. — Noter plus loin, page 87, « l'odeur exotique » de sa chambre.

Page 86.

22. *Madeleine était partout.* — La scène du roman, ici décrite, se passe dans l'hôtel de la famille d'Orsel à La Rochelle. Il est probable que Fromentin a transposé un souvenir personnel, et que cette visite au jardin et à la chambre de Madeleine absente dut avoir lieu à Saint-Maurice, où Mme C... et sa fille habitaient — en face de la maison où Fromentin a fini d'écrire *Dominique* — une propriété qui subsiste encore.

Page 99.

23. *Comte Alfred de Nièvres.* — Fromentin a anobli le mari de Madeleine. Celui de Jenny-Caroline-Léocadie C... s'appelait simplement M. B.... et n'était point comte, mais surnuméraire aux Contributions directes de La Rochelle, en attendant de devenir agent de change.

Page 116.

24. *Le mariage eut lieu.* — Le mariage de Jenny-Caroline-Léocadie C... eut lieu au mois d'octobre 1834. Elle avait alors dix-sept ans; Fromentin en avait quatorze. On voit bien qu'il s'agit d'un roman d'extrême jeunesse; et pourquoi Fromentin a changé les âges de ses deux héros.

Page 119.

24 bis. *J'en demande pardon à la mémoire d'un cœur irréprochable.* — Ici, Fromentin romancier, s'émouvant sur ses souvenirs, semble oublier qu'il écrit un roman. Fromentin peut demander pardon à la mémoire d'une morte — mais non Dominique à Madeleine, qui, dans le roman, ne meurt pas.

Page 123.

25. *Des déclamations fort exaltées.* — Consulter les lettres de Fromentin à ses amis à la date de 1842 (ouvrage cité, *Lettres de jeunesse*). Elles doivent donner le ton des « déclamations de Dominique à dix-huit ans.

Page 129.

26. *A Nièvres.* — Propriété de M. de Nièvres. Lieu indéterminé, *près de Paris.*

PAGE 131.

27. *Nous arrivâmes à Paris le soir.* — Fromentin quitta La Rochelle
en novembre 1839, pour Paris, où il vint étudier le droit et essaya
des lettres, avant de se mettre sérieusement à la peinture.

PAGE 134.

28. *Il sera pédant et en sueur.* — La *Revue des Deux-Mondes* donnait :
et en sueur. — Certains exemplaires de l'édition originale de 1863
portent la correction : *et censeur.* — *En sueur*, s'explique parfaitement dans la bouche dédaigneuse d'Olivier. Je note que Fromentin
s'est plaint de « fautes énormes, de corrections faites à l'imprimerie,
après le bon à tirer, par je ne sais quel correcteur scrupuleux qui
s'était permis de substituer des non-sens à certaines hardiesses
qui probablement ne lui plaisaient pas. Il a fallu tout arrêter et
introduire des cartons. » (*Lettre du 27 janvier* 1863.) *En sueur* était-il
de ces hardiesses corrigées par le prote trop scrupuleux ? Je ne
saurais l'affirmer, mais c'est vraisemblable : la 2ᵉ édition, de 1876,
— celle dont nous reproduisons le texte — imprime *en sueur.*
Comme c'est le dernier texte revu par Fromentin lui-même, il
y a tout lieu de penser que c'est *en sueur* qu'il a voulu. — Signalons
aux bibliophiles la précieuse indication de Fromentin : il a fait
faire des cartons pour corriger les « fautes énormes » de l'édition
originale. Il y a des exemplaires qui portent *en sueur*, d'autres,
qui donnent *et censeur.* Ces derniers, avant la correction de la faute,
doivent donc être considérés comme avant les cartons, c'est-à-
dire de première émission. Donc plus rares.

PAGE 136.

29. *Quant à la vie de Paris.* — Fromentin y avait retrouvé son
ami Beltrémieux, et fait la connaissance de Paul Bataillard, qui a
laissé sur l'auteur de *Dominique* des notes intéressantes, publiées
par M. Pierre Blanchon. Fromentin, tout en préparant ses études
de droit, s'occupe de littérature, écrit des vers, fréquente les
musées, et suit les cours d'Edgar Quinet. Il y a lieu de noter ici
l'influence de Beltrémieux et de Bataillard sur son esprit : tous
deux républicains, curieux de problèmes sociaux, fervents de
Quinet, de Michelet et de Mickievicz, et profondément imbus
des idées qui allaient aboutir à l'explosion démocratique de 1848.
Beltrémieux compta parmi les collaborateurs d'Armand Marrast
au *National*, et plus d'un trait de sa formation et de ses croyances
se retrouvent dans le personnage d'Augustin, comme Fromentin
a prêté, de toute évidence, à Dominique, certaines de ses préoccupations morales et socialisantes d'alors. A noter que Fromentin fut
affilié à la franc-maçonnerie, détail noté par M. Blanchon dans
les *Lettres de jeunesse* (p. 158). — Toute l'idéologie de *Dominique* est

commandée par les souvenirs de la vingtième année de Fromentin.

PAGE 139.

30. *Un grand jardin.* — Le Luxembourg — ou le Jardin des plantes ? — « Que sont devenues nos belles nuits du Luxembourg ? » (Lettre du 8 septembre 1842 à Paul Bataillard.)

PAGE 151.

31. *Il s'était jeté dans le journalisme... secrétaire dans le cabinet d'un homme politique éminent.* — Beltrémieux, comme on l'a vu précédemment, collaborait au *National*, et travaillait avec Armand Marraſt, journaliſte républicain et « homme politique éminent », membre du gouvernement provisoire en 1848.

PAGE 156.

32. *Elle contenait trois personnes : deux jeunes femmes en compagnie d'Olivier.* — La *Revue des Deux-Mondes* donnait ceci « Elle [la voiture] contenait deux personnes. Olivier me découvrit à l'instant même où je le reconnus. Il fit arrêter [...] et, sans dire un mot, me poussa à sa place dans la voiture... ». — George Sand fit observer à Fromentin que les « deux personnes » cela signifiait Olivier et sa maîtresse, et qu'ainsi, Olivier avait l'air de céder sa maîtresse à son ami. Fromentin se rendit à l'objeſtion et nota : « Expliquer qu'Olivier ne donne pas sa maîtresse à Dominique,... ou faire tout simplement qu'il y ait trois personnes dans la voiture, Olivier et les deux femmes.» La correſtion fut faite : dans le volume, Olivier fait asseoir Dominique à côté de lui, en face de ses deux compagnes. Cf. ci-dessus, page 156.

PAGE 159.

33. *Avec Madeleine dans notre maison solitaire.* — Pour ce séjour de Madeleine aux Trembles, Fromentin doit avoir utilisé ses souvenirs de voisinage avec Madeleine mariée (Mme B...) quand elle habitait, non loin de Saint-Maurice, le petit château de Laleu, où, en l'absence du mari, il allait lire des vers à la jeune femme.

PAGE 163.

34. *Le phare.* — « Phare aujourd'hui détruit », a noté Fromentin lui-même. — Voir dans *Correspondance et fragments inédits*, page 162, la visite de Fromentin, au Phare des Baleines, à Saint-Martin-de-Ré (26 oſtobre 1862).

PAGE 172.

35. *La voix des valets de labour.* — La *Revue des Deux-Mondes* donnait *tâcherons*. Correſtion faite sur le conseil de George Sand.

Page 201.

36. *Le lendemain, en effet, j'étais en voiture.* — Aucun indice, dans tout ce qui précède, ne permet de discerner ce qui appartient au roman ou relève de la réalité, ce qui est de Dominique, ou ce qui fut de Fromentin. — Notons seulement qu'en octobre 1842, Fromentin repartait pour Paris, résolu ou consentant à laisser se dénouer le lien qui l'attachait à Madeleine. « Toutes nos relations d'amour définitivement rompues... Les circonstances nous désunissent malgré nous.

Page 235.

37. *Il y avait plus d'un grand mois que je n'avais vu Madeleine cinq minutes... sans témoin.* — « Hier, je suis allé passer le jour à la ville [La Rochelle], le soir au spectacle pour voir... surtout Mme ***, qui s'y trouvait flanquée de l'époux... » (Lettre du 17 novembre 1843.) L'époux avait montré un peu d'inquiétude, et peut-être même de l'irritation; Fromentin ne pouvait plus rencontrer librement Madeleine. Il finissait par ne plus la voir que chez des amis, et jamais autrement qu'en tiers.

Page 246.

38. *Je composai deux volumes.* — Ceci est le fait de Dominique et non de Fromentin, qui n'a jamais recueilli ses vers.

Page 246.

39. *On faisait beaucoup de politique alors partout.* — Voir ci-dessus notes 29 et 31, sur l'attrait exercé par la politique sur Fromentin et ses amis.

Page 247.

40. *Un petit parlement composé de jeunes volontés ambitieuses.* — Vraisemblablement la conférence Molé, où il est possible que Fromentin, curieux de politique comme il était alors, ait assisté à quelques séances.

Page 263.

41. *Comme Bernard de Mauprat attaché aux pas d'Edmée.* — La *Revue des Deux-Mondes* donnait : « Pendant une minute au moins, je la regardai fuir... » Sur l'observation de George Sand, qu'il y avait déjà une scène analogue dans *Mauprat*, Fromentin note : « Laisser la course, mais indiquer nettement l'analogie en nommant le lieu, et même en rapprochant par un mot la situation presque identique des personnages... » Et il introduisit dans le volume
    petite incidente,« comme Bernard..., etc. »

Page 272.

42. *Et je ne la revis plus, ni ce soir-là, ni le lendemain, ni jamais.* —
Dénouement romanesque. En fait, Fromentin, séparé de « celle qui
fut Madeleine », apprit en 1844, à Paris, que la jeune femme se
mourait, dans un hôtel de la rue de Grammont. Le roman est moins
romanesque que la vérité, où l'on voit Fromentin accourir au
chevet de celle qu'il avait aimée, et la contempler, de loin, une
dernière fois. Cf. notre *Introduction*, page XXVI.

Page 273.

43. *Je suis bien las, lui dis-je, et de toutes les manières j'ai besoin de
repos.* — Dans les notes prises par Fromentin au cours de sa
conversation avec George Sand sur les corrections à apporter
au premier texte de *Dominique*, imprimé dans la *Revue des Deux-
Mondes* — notes que M. Pierre Blanchon a données à la *Revue
de Paris* (15 septembre 1909) et reproduites dans *Correspondance
et fragments inédits*, — figurent deux passages intéressants, que
Fromentin voulait introduire dans son roman remanié pour l'édition. Il se ravisa cependant, et les deux morceaux rédigés n'ont
pas été utilisés. Nous croyons bon de les citer. Le premier devait
se placer au cours de la promenade que Dominique fait avec
Augustin dans les bois; le voici :

« *Course dans le bois avec Augustin. Introduire le retour que je voulais
mettre :*

*Tout à coup je rebroussai chemin. « Où donc allez-vous ? » me dit
Augustin. L'interrogation d'Augustin me rappela à moi-même. « Où
je vais ? » lui dis-je avec égarement, et je compris que machinalement je
retournais sur mes pas pour courir à Nièvres. Eut-il, ou non, le soupçon
du combat qui se livrait en moi ? Mais il s'arrêta lui-même et m'examina
avec pitié pendant que je demeurais stupidement et comme indécis planté
au milieu du sentier. Je courus à lui, je lui pris le bras. « Savez-vous
bien que je l'ai épargnée ? lui dis-je avec fureur. Elle était à moi, et je l'ai
épargnée !... »*

Le second morceau — également écarté — que Fromentin
projetait d'introduire dans son récit devait s'intercaler entre le
chapitre XVII et le chapitre XVIII.

« *Ici introduire un chapitre long ou court, n'importe, ainsi conçu :*

« *Mon désespoir fut sans bornes. J'étais seul et je pus m'y livrer sans
danger pour personne et sans remords pour une conscience qui ne demandait
plus de tout un passé ruiné, bouleversé, perdu, que l'inviolable possession
de ses regrets et l'assouvissement de sa douleur. Il m'arriva souvent de
me révolter contre moi-même et de m'écrier, comme si je parlais encore
à quelqu'un qui pût me plaindre, me contredire, ou seulement m'écouter :*

« *Augustin, savez-vous bien que je l'ai épargnée ?* » *L'idée que Madeleine était à moi, que je l'avais possédée, pour ainsi dire, m'enivrait de regrets ; et la pensée du peu de mérite que j'avais eu à respecter sa dernière défense, la certitude trop évidente que je n'aurais guère été plus coupable en étant plus heureux, l'oubli du danger de mort, l'effroi plus vague d'une horrible fuite, beaucoup d'ombres amassées déjà sur la pitoyable agonie qui nous avait sauvés l'un et l'autre, un chagrin persistant, des désirs horribles, la solitude et le noir hiver, pour accroître encore ce désordre total d'esprit, de cœur et de sens, tout cela me plongea dans le plus déplorable état où je me sois encore trouvé. — Je me surpris riant de moi-même et traitant de niaiserie le seul acte de résistance qui m'eût cependant préservé d'un désespoir sans remède. J'accusais Madeleine et j'allai jusqu'à voir des supercheries dans le jeu tragique qui m'avait désarmé. Les sophismes ne manquaient pas pour m'encourager à nous calomnier tous deux. Qui sait si l'abandon n'était pas pire que la faute ? si je ne la laissais pas plus digne, mais plus désespérée ? si les violences n'auraient pas étouffé ses remords ? si je n'avais pas strictement rempli tous mes devoirs d'honnête homme en attendant des années de libre abandon de ce cœur si douloureusement, si patiemment acquis ? Ne pas se l'approprier quand il s'offrait, le laisser échapper quand il se donnait, respecter Madeleine quand peut-être elle eût voulu des brutalités pour l'absoudre, était-ce le fait d'un scrupule bien méritoire ou un acte de pure imbécillité ? Je devenais furieux au soupçon perfide que je m'étais trompé de conduite et que j'avais agi comme un sot en n'agissant pas comme un maître : « Ce n'était pas le moment d'être sage, m'écriai-je ; c'était plus tôt qu'il fallait l'être, ou jamais. Lâche cœur qui pense au mal quand il est fait, qui déserte le danger qu'il a fait naître ! »*

PAGE 274.

44. *Les liens qui nous avaient unis depuis plus de dix années venaient de se rompre... au moins pour longtemps.* — Fromentin devait en effet revoir l'Olivier de *Dominique* — Léon Mouliade — quelque trente-cinq ans après cette séparation. Voir, note 9, sa lettre à Mme Howland où il dit avoir rencontré « son vieil ami de jeunesse ».

PAGE 279.

45. *Mme de Bray.* — Toute cette fin est romanesque. Fromentin s'est marié, en 1852, comme son Dominique. Mais il ne s'est pas retiré du monde comme Dominique. Nous avons indiqué dans l'*Introduction*, le passage où les destinées du peintre et de son modèle se bifurquent, et la divergence finale, où Dominique cesse de ressembler à Fromentin, pour devenir ce que Fromentin entendait qu'il fût : un personnage de roman.

TABLE DES MATIÈRES

ACHEVÉ D'IMPRIMER
PAR L'IMPRIMERIE ANDRÉ TARDY
A BOURGES
LE 30 JUIN 1965

Numéro d'éditeur : 963
Numéro d'imprimeur : 4420
Dépôt légal : 2ᵉ trim. 1965

Printed in France